LE ROSE ET LE GRIS

Du même auteur

Cahiers secrets de la Ve République, tome 4 : *1997-2007*, Fayard, 2011.
Cahiers secrets de la Ve République, tome 3 : *1986-1997*, Fayard, 2009.
Cahiers secrets de la Ve République, tome 2 : *1977-1986*, Fayard, 2008.
Cahiers secrets de la Ve République, tome 1 : *1965-1977*, Fayard, 2007.
Politic Circus, éditions de l'Archipel, 2004.
Carnets secrets de la présidentielle, Plon, 2002.
Les Secrets d'une victoire, Flammarion, 1995.
Les Miroirs de Jupiter, Fayard, 1986.
La VIe République, Flammarion, 1974.
La Collaboration, Armand Colin, 1964.

Michèle Cotta

LE ROSE ET LE GRIS

Prélude au quinquennat de François Hollande

Fayard

Couverture : un chat au plafond ; photographie © John Thys / AFP
ISBN : 978-2-213-67134-5
© Librairie Arthème Fayard, 2012.

Introduction

Pourquoi diable a-t-il choisi, pendant sa campagne, pour définir son style, l'adjectif *normal* ? Tant qu'à s'opposer à Nicolas Sarkozy, il aurait pu se présenter lui-même comme calme ou pondéré, s'il estimait devoir dénoncer l'agitation de son prédécesseur, ou réfléchi s'il le jugeait trop impulsif. Mais « normal », non !

Il n'y a pas d'homme moins normal qu'un président de la République. On n'accède pas à l'Élysée dans la normalité, pas plus François Hollande que Nicolas Sarkozy. L'un y pensait tous les jours en se rasant, l'autre depuis qu'à 27 ans il avait choisi, en se présentant dans sa circonscription aux législatives en Corrèze, en 1981, de défier Jacques Chirac. Il avait raté le coche en 2007, laissant s'échapper Ségolène Royal, parce qu'il estimait que les conditions politiques et personnelles n'étaient pas réunies, en ce qui le concerne, pour tenter l'aventure avec une chance de la gagner. Dès la défaite de la candidate socialiste, la machine Hollande a démarré. Pour son compte.

En réalité, depuis 2008, comme François Mitterrand, comme Valéry Giscard d'Estaing, comme Jacques Chirac ou

Nicolas Sarkozy, François Hollande ne pense jour et nuit qu'à cela. Aux moyens de contourner ou de rallier ses concurrents – et il en avait beaucoup – au Parti socialiste. À la manière de leur démontrer, alors qu'ils l'ont si longtemps sous-estimé, qu'il était en réalité plus décidé et mieux préparé qu'eux. D'administrer la preuve qu'être rond, habile, affable et souriant, n'était pas forcément être inapte aux plus hautes fonctions. À la façon de choisir son moment pour attaquer ses adversaires ou ses rivaux, de biais ou frontalement, ou pour abandonner le premier secrétariat du Parti socialiste : en 2008, en prenant le risque, quatre ans avant l'élection présidentielle, de disparaître d'ici là du jeu politique. À l'instant le plus opportun pour faire état de sa nouvelle vie personnelle : pas trop tard pour que les Français aient le temps de s'habituer au nouveau couple qu'il formait avec Valérie Trierweiler, pas trop tôt pour ne pas apparaître comme indélicat vis-à-vis Ségolène Royal.

Quel homme normal, d'ailleurs, sacrifierait ses jours et ses nuits à la conquête d'un pouvoir difficile, presque impossible, par ces temps de crise, à exercer sans dures déconvenues ? En réalité, derrière l'homme souriant, à l'humour aigu, parfois hésitant, qui se dit « normal », se cache un François Hollande acharné et volontaire, un homme qui, lorsqu'il était le patron du PS, n'a cessé de parcourir la France, de fédérations socialistes en fêtes de la rose, de dîners-débats en meetings. Qui a pris le départ pour la course à la présidentielle, début 2011, alors même que Dominique Strauss-Kahn était le favori des « éléphants » et des électeurs socialistes, et qui a résisté, sans le faire savoir, à toutes les tentatives des amis de celui-ci pour l'en dissuader. Lui encore qui s'est imposé au cours des primaires socialistes et qui a patiemment tissé sa toile en ramenant dans son camp la plupart de ceux qu'il avait battus.

Rien de moins normal, également, dans sa façon d'exercer le pouvoir. « On est passé effectivement, a déclaré Jean-Marc Ayrault le 11 septembre dernier, à une étape différente, qui est que le président de la République assume avec courage, sincérité mais aussi détermination la mission que les Français lui ont confiée. » Est-ce à dire qu'avant il ne l'exerçait pas ? Certes, il avait fait campagne sur un rééquilibrage des pouvoirs entre le Président et son Premier ministre, ni « collaborateur » ni esclave, mais autonome, véritable « patron » du gouvernement. Il n'a pas fallu longtemps – les pages qui suivent le démontrent – pour s'apercevoir que le changement ici porte plus sur la forme que sur le fond. Dans le domaine international, aucun changement avec la présidence précédente : c'est François Hollande qui, le premier, pose sur la table du G8 puis du G20 le préalable de la croissance, lui qui a ourdi avec Mariano Rajoy et Mario Monti une sorte de complot-encerclement d'Angela Merkel en vue du Conseil européen de Bruxelles à la fin juin. Normal, pour le coup : le Président, sous la Ve République, a toujours considéré, cohabitation ou non, la politique extérieure comme faisant partie de son domaine réservé.

Mais celui-ci va en réalité bien au-delà.

C'est François Hollande qui a constitué le premier et le deuxième gouvernement Ayrault. Fini, le temps où le Premier ministre préparait une liste, puis la soumettait au chef de l'État, qui barrait un nom ou en rajoutait un autre : cette fois, c'est le Président qui a dressé sa liste, qui a voulu la parité, qui a appelé lui-même les futurs ministres. En parfait connaisseur du Parlement, Jean-Marc Ayrault a complété la distribution. C'est Hollande qui travaille, avec les ministres qui en ont la charge, sur la fiscalité, l'économie et les réductions budgétaires. Récemment encore, c'est lui qui, avec Jérôme Cahuzac, s'est penché pendant une heure et demie sur le prochain budget. Lui encore qui ouvre tous les grands débats de sa présidence commençante : grande Conférence sociale en juillet, grande Conférence environnementale en septembre. Lui enfin qui décide, lorsque sa popularité fléchit, d'accélérer les réformes et leur calendrier. Le Premier ministre gouverne, certes, en harmonie complète avec le Président, mais il ne s'écarte pas du programme fixé par François Hollande et des engagements que celui-ci a pris pendant sa campagne électorale. Ce n'est pas parce que François Hollande dit qu'il ne veut pas être le « chef » qu'il ne l'est pas vraiment.

Aussi bien les Français ne s'y sont pas trompés. C'est François Hollande et personne d'autre qu'ils sanctionnent, les récentes études d'opinion le montrent, lorsqu'ils se pensent abandonnés, au creux du mois d'août.

On ne juge pourtant pas un Président en quatre mois ni en cent jours. François Hollande n'a pas bénéficié du moindre état de grâce, en partie parce qu'il a été élu essentiellement contre le Président sortant, en partie aussi parce qu'on ne voit pas bien ce qui, aujourd'hui, pourrait justifier qu'il y en ait un. En cent jours, comme l'écrit Daniel Cohn-Bendit, il n'a en effet pas réussi à changer le monde. Mais ces « cent jours », on ne sait pourquoi, sont considérés comme le temps maximal accordé aux détenteurs du pouvoir pour imprimer leur marque sur le cours de l'Histoire alors qu'ils ont marqué la fin de Napoléon plutôt que les débuts de son épopée ! En multipliant les annonces rapides, Nicolas Sarkozy avait joué sur l'instantanéité et la réactivité. C'est précisément parce que François Hollande a fait campagne sur la nécessité d'inscrire son action dans la durée qu'il a été élu. Pour ses opposants, l'occasion est certes bonne aujourd'hui pour lui faire reproche de demander du temps au temps, car il arrive parfois que le temps manque, justement.

Le « Hollande-bashing » de la rentrée, exercice réservé à ceux qui l'avaient porté d'autant plus haut qu'ils le traînent à présent aussi bas, n'est peut-être qu'un épisode dans la présidence de François Hollande ; il est néanmoins significatif de la difficulté d'exercer le pouvoir par temps de crise, de la rapidité de l'usure qu'elle entraîne, de la nécessaire réactivité aux déséquilibres qu'elle a engendrés, en même temps que de la contagion du marasme européen.

L'histoire racontée dans ce livre commence bien. Très bien, même : pas une faute dans le parcours qui a conduit Hollande à l'Élysée. Pas une fausse note dans les moments qui ont marqué son installation au pouvoir, suivis d'une victoire aux élections législatives. Aucune erreur n'a marqué ses premiers pas dans la diplomatie mondiale. Pourtant, en un mois, entre le rose et le gris, la frontière est devenue imprécise...

Les inquiétudes, les peurs françaises ont reparu, et plus encore la différence trop bien connue entre espérances et réalités. François Hollande avait pourtant prévenu les Français que le plus dur restait à faire, que le chemin ne serait pas bordé de fleurs. Dès son entrée en fonctions, il a plaidé auprès des Français qu'il y aurait deux temps dans son quinquennat : celui de l'effort, pendant les deux premières années, puis celui du résultat et de la récompense. L'année 2013 est annoncée, depuis de nombreux mois déjà, comme étant la plus difficile. Déjà, la croissance zéro et le taux de chômage à 10,2 % font de cette année 2012 une année redoutable.

Pour l'affronter, François Hollande dispose certes d'une confortable majorité socialiste à l'Assemblée nationale, mais en politique intérieure comme sur le terrain mondial, il est dans un équilibre instable. Nicolas Sarkozy a bénéficié tout au long de son mandat d'une majorité solide au sein de laquelle la mauvaise humeur, lorsqu'elle se manifestait furtivement, disparaissait aussitôt devant la peur inspirée par son chef. La majorité actuelle est fragile, entre les écologistes qui plaident, comme le dit Montebourg, le « retour aux lampes à huile ou aux chars à bœufs » et les tenants de la réindustrialisation, voire de l'atome ; entre Manuel, qui refuse d'intégrer toute la misère du monde, et Martine, qui veut le contraire. S'y ajoute la gauche de la gauche : Jean-Luc Mélenchon, d'autant plus inlassable que l'élection présidentielle ne lui a pas donné le nombre de voix espéré, allume la mèche de la discorde. Dans le silence de l'été, il a ironisé sur ces « cent jours pour rien » et jugé que le Président avait « désamorcé le contenu insurrectionnel du vote à la présidentielle ». Or qui n'a jamais pensé que le contenu du programme de François Hollande ait été à quelque moment que ce soit « insurrectionnel » ? En revanche, le candidat malheureux d'avril est plus incisif lorsqu'il dit que la session parlementaire de juillet a été du « temps perdu ». Le « détricotage » de la loi Tepa, la disparition de la TVA sociale ainsi que le renforcement de l'impôt sur la fortune lui sont apparus comme un emplâtre sur une jambe de bois. Quant à la future ratification du Pacte budgétaire, assorti ou non d'un accord sur la croissance au sein de la zone euro, elle lui apparaît comme une capitulation. Tout cela assorti d'une attaque sarcastique sur les multiples commissions créées depuis mai dernier, et d'une demande pressante : que la majorité fasse adopter d'urgence cette fameuse loi sur les licenciements économiques, essentielle au « mélenchonisme » et, dans les faits, pratiquement impossible à imposer en France.

Bousculé par la gauche de la gauche, le président de la République est aussi inévitablement la cible de la droite. L'UMP aurait pu mourir du départ de Nicolas Sarkozy.

Elle lui a survécu, peut-être en grande partie parce que certains, parmi les dirigeants de la formation alors majoritaire, avaient anticipé sa défaite, laquelle ne les a donc pas pris de court. Elle est certes divisée, mais d'autant plus dangereuse pour François Hollande et les siens que chacun de ses chefs dispute à l'autre le prix du meilleur combattant au sein de l'opposition.

Outre les difficultés intérieures, classiques à gauche, maîtrisables lorsqu'on dispose d'une majorité absolue au Parlement, François Hollande est confronté sur la durée à d'inéluctables défis. Celui du chômage, à un moment où l'Insee prévoit son augmentation en 2013. Celui de la croissance, qui lui apparaît prioritaire en France et aussi – toute l'action qu'il a menée au Conseil de Bruxelles le montre – en Europe. Celui de la dette : malgré plus de 1 800 milliards d'euros de dette publique, François Hollande s'est engagé à rétablir l'équilibre du budget d'ici 2017, et de revenir à 3 % de déficit à la fin de 2013. Cela ne se fera pas sans compressions budgétaires, qu'on parle ou non de rigueur, porteuses ici comme ailleurs de crise sociale, même si l'on promet qu'après le temps de l'effort viendra celui du réconfort.

La balance commerciale de la France ne se rétablira pas non plus dans la facilité : parmi les pays occidentaux, la France est sans doute l'un de ceux où l'on a le moins pris conscience de l'immense transfert de richesses qui est en train de s'opérer vers les pays émergents. Les pays détenteurs de main-d'œuvre à bon marché ou riches en matières premières tiennent leur revanche : ce qui est ici en cause, c'est l'équilibre du commerce extérieur, le moyen de combler son déficit par la réduction des importations (par exemple sur le plan énergétique) et en stimulant les exportations (par la réindustrialisation et les gains de productivité).

Dernier défi à relever enfin, capital pour François Hollande l'européen : celui de l'Europe. Il était facile d'intégrer le Grèce et le Portugal dans un marché commun, c'est tout autre chose que d'insérer la Grèce et le Portugal, voire l'Espagne et l'Italie, dans une zone monétaire commune. Éviter la sortie de la zone euro de la Grèce ou du Portugal sera la préoccupation majeure des mois à venir. À moins que Mario Draghi l'enchanteur, président de la Banque centrale européenne, n'arrive à calmer d'ici là la pression des marchés et que le Président français, aidé en cela par ses partenaires européens, ne parvienne à transformer le déclin en croissance.

Ce n'est pas d'aujourd'hui que François Hollande a pris conscience de ce monde chaotique. De la dégradation de l'Europe, des réticences allemandes, de la récession il avait par avance effectué l'analyse. Avec deux convictions qui sont autant d'interrogations : la première est que, sans construction d'une Europe des États, à la Jacques Delors, les pays européens s'affaibliront davantage encore, inéluctablement. Les objectifs qu'il se fixe en découlent : réduction de la dette et retour de la croissance. Mais l'Europe d'aujourd'hui n'est plus celle du premier président de la Commission européenne. Elle s'est à la fois élargie, diluée et affaiblie. Question : quelle Europe, avec quels moyens, quel rôle dans le monde, et quels ennemis, sinon ses propres peuples ?

Son autre conviction est qu'il lui faut construire une social-démocratie sur le modèle des démocraties du Nord de l'Europe, mais « à la française ». Question : quelle richesse partager, sans croissance ?

De son autre maître, François Mitterrand, Hollande a appris autre chose : l'art de s'adapter, de transiger, de choisir les issues lorsqu'elles se présentent. « Quand il est dans une pièce, a dit son fils Thomas, on ne sait jamais par quelle porte il va sortir. » L'histoire de ce quinquennat sera celle des portes qui s'ouvrent ou se ferment. Nous n'en sommes encore qu'au prélude.

Chapitre I

La préparation

Y pensait-il depuis toujours ? En dehors de sa mère, aimante et proche, laquelle n'a jamais varié sur l'éminence du destin qu'elle prédisait à son fils depuis le premier âge, qui aurait dit en 1997 que François Hollande était armé, programmé depuis l'âge de 5 ans pour devenir président de la République ?

Ses amis appelaient François Mitterrand « Président » depuis des lustres, même lorsqu'il n'était, sous la IVe République, que leader d'un parti marginal, l'UDSR. Lorsqu'il fut élu à l'Élysée en 1981, il semblait modelé, depuis bien des années déjà, pour occuper la fonction suprême. Il en avait déjà le comportement souverain, les attitudes à la fois distantes et paternalistes, le visage impérial.

Mais François Hollande ? Qui, même parmi les socialistes, en dehors de quelques-uns de ses amis de la première heure, aurait parié sur son succès ? Premier secrétaire, oui, à la rigueur, et encore : beaucoup parurent stupéfaits lorsque Lionel Jospin, réquisitionné à Matignon pour cause de cohabitation après la victoire inattendue de la gauche en 1997, lui confia les clefs de la rue de Solferino.

Rien, dans son comportement, ne révélait alors la moindre ressemblance avec celui de Mitterrand. Toujours souriant quand Mitterrand ne l'était guère, d'un humour aigu exercé sur les autres comme sur lui-même, mais pas ou peu méchant, si ce n'est par inadvertance, là où François Mitterrand était volontiers cruel. Disponible quand Mitterrand était un homme pressé. Fin connaisseur des théories économiques là où Mitterrand aima à dire, jusqu'à la fin de son règne, que les seules règles économiques se résumaient toujours pour lui à l'augmentation des prix de l'alcool et du tabac. Bûcheur, avaleur de dossiers, ENA oblige, quand Mitterrand s'irritait à lire les notes, souvent trop longues à son goût, fournies par ses collaborateurs.

Pourtant – mais peut-être les imagine-t-on rétrospectivement, après son élection – quelques signes, chez François Hollande, laissaient présager l'envie, sinon encore la détermination de se lancer dans le combat politique, laissant derrière lui la Cour des comptes et la carrière administrative. Le goût de la chose publique, d'abord : autour de lui, amis d'enfance ou anciens collègues de l'ENA aiment à rappeler ce qui figure aujourd'hui dans toutes les biographies du nouveau président : tout jeune, déjà, l'esprit orienté à gauche, plus proche de sa mère que de son père acquis à la phraséologie de la droite dure, on le décrit animé de la même volonté d'être meneur de jeu : délégué de classe dans le secondaire, ou bien imaginant, dès son entrée à l'ENA, la création d'une sorte de syndicat des élèves, bien vite en conflit avec la direction de l'école. Mais c'est surtout son recrutement par Jacques Attali dans la galaxie élyséenne, en 1981, qui a installé Hollande là où il rêvait d'être : il avait alors moins de 30 ans, des idées plein la tête, une compagne, Ségolène Royal, recrutée dans l'Olympe en même temps que lui, sur la même longueur d'onde et plus tenace encore que lui, et surtout la certitude que tout était possible dans le monde de François Mitterrand.

Il n'empêche : de ces années de fructueux apports, à coup sûr, à la machine du pouvoir mitterrandien, il ne reste pas grand-chose, hormis dans ses souvenirs, peut-être, de sa prestigieuse collaboration avec le Prince – le plus souvent, il est vrai, par Jacques Attali interposé. Pour Hollande, l'Élysée a surtout été un passage privilégié vers la politique. Si Mitterrand ne lui avait communiqué qu'une seule passion, c'est bien, en effet, celle de l'engagement politique. Et d'ailleurs, le fait qu'il ait alors choisi, contre toute raison et contre toute espérance, de défier sur son territoire, en Corrèze, le maire de Paris, Jacques Chirac, ancien Premier ministre de surcroît, montre – mais personne, à l'époque, ne s'en doutait – à quel point, pour lui, l'itinéraire à suivre passait, comme celui de son mentor, par les chemins de crête.

Il reste que, longtemps, alors qu'on parlait des espérances élyséennes de Lionel Jospin, de Laurent Fabius, ou, plus tard de Martine Aubry, de Dominique Strauss-Kahn et même de Ségolène Royal, jamais le nom de François Hollande n'était cité. Au four et au moulin, occupé à défaire les intrigues fomentées contre lui au sein du Parti socialiste, occupé aussi à tendre ses filets et parfois ses pièges, campé sur ses positions, le plus souvent inconfortables, de premier secrétaire jugé quasi illégitime par certains, François Hollande avait l'image sépia d'un apparatchik en chef, préoccupé de sauvegarder une autorité malmenée dans un parti éclaté entre seigneurs de la guerre. Il avait aussi – mais peu la voyaient alors qu'elle aurait dû attirer leur attention – l'image d'un député qui s'était fait réélire en 2002 dans la Corrèze chiraquienne malgré un

Jacques Chirac qui ne lui faisait pas encore les yeux doux, et en dépit de la campagne – il n'y a pas d'autre mot – menée contre lui, sur le terrain, par une élue locale faisant figure de personnalité non politique, donc inattendue : Bernadette Chirac, devenue celle qui disait tout haut ce que son époux ne pouvait dire depuis l'Élysée.

2002-2008 : six ans qui comptent dans le façonnage du premier secrétaire tel qu'il deviendra le président Hollande. Six années difficiles, marquées par presque autant d'échecs que de réussites, durant lesquelles il a longtemps tiré avantage de son physique de « Monsieur Tout le monde », de son apparente polarisation sur les mille et une tâches quotidiennes d'un parti dans l'opposition depuis 2002. Pendant lesquelles, aussi, il a alimenté, par ses talents d'équilibriste, l'indifférence, voire l'hostilité que manifestaient à son endroit les barons socialistes. Ce n'est pas qu'il ne réussissait pas, dans son costume de premier secrétaire, à réaliser d'improbables synthèses entre les meilleurs ennemis : il en a administré la preuve, au contraire, congrès après congrès. Ce n'est pas non plus qu'il n'a pas remporté de victoires électorales, régionales, cantonales, européennes, alors que le départ de Lionel Jospin avait laissé le Parti dans ce qui menaçait d'être un invraisemblable chaos. Bref, Lionel Jospin ayant jeté l'éponge, François Hollande avait, après tout, pendant des années, assez bien rempli le rôle de patron intérimaire du Parti, rôle dont personne, en dehors de lui à qui la patate chaude avait été refilée en 2002, n'aurait voulu pour un empire !

Sa vraie défaite de premier secrétaire, François Hollande l'a connue sur le référendum constitutionnel de 2005 après un référendum interne au Parti que des amis proches comme Julien Dray, ou plus distants comme Manuel Valls, l'avaient dissuadé d'organiser. D'abord parce qu'il s'agissait de consulter les socialistes sur un référendum proposé par Jacques Chirac, donc de les faire voter une seconde fois, après le vote anti-Le Pen 2002, en faveur du président de la République, et ce, à deux ans de la prochaine présidentielle ! Ensuite, parce qu'il pouvait se révéler nuisible de prendre le risque de faire désavouer l'ensemble des militants socialistes, au cas où ils voteraient oui à l'automne, par une majorité de Français, quelques mois plus tard, au cas où ceux-ci rejetteraient le texte constitutionnel.

Manuel Valls se rappelle[1] : « Lorsque s'est posée, à la fin du mois de juin 2004, la question du référendum interne au Parti, nous nous sommes réunis, avec Fabius et Mauroy, pour lui recommander de ne pas le faire. Plus tard, en juillet, nous avons dîné dans un restaurant de la rue d'Anjou, Le Foll, François Hollande et moi. Pour la première fois, nous avons dit à Hollande qu'il devait être le candidat socialiste à la présidentielle de 2007. Cela ne l'a pas empêché, à la fin de l'été, d'annoncer la tenue, pour l'automne, de cette consultation interne. Moi, par conviction, je ne pouvais pas le suivre, puisque j'étais hostile à l'adoption du texte constitutionnel en cause. Je me rappelle qu'Éric Besson[2], qui lui était également hostile, m'a dit qu'il se ralliait à la décision du premier secrétaire : "Je préfère, m'a-t-il déclaré ce jour-là, avoir tort avec François Hollande que raison avec Arnaud Montebourg."

« Le oui l'a emporté au sein du PS, conclut Valls, et Hollande m'a demandé de démissionner du secrétariat du PS. Nous ne nous sommes retrouvés qu'en 2011. »

1. Conversation avec l'auteur, le 7 juillet 2012.

2. Éric Besson, proche de François Hollande, a quitté ses responsabilités au Parti socialiste en 2007, pendant la campagne de Ségolène Royal, et rejoint presque aussitôt Nicolas Sarkozy dont il sera, en 2009, ministre de l'Identité nationale et de l'Immigration.

On n'en finirait pas – ses biographes l'ont fait à l'envi[1] – d'analyser ce qui aurait changé dans la vie de François Hollande s'il avait renoncé à ce référendum interne. Aurait-il été, dès cette date, comme le lui avaient prédit Manuel, Julien, Stéphane et les autres, le candidat naturel du Parti socialiste ? Ou même, que se serait-il passé si, après avoir imposé son référendum et triomphé, à l'automne 2004, des « nonnistes » conduits par Laurent Fabius, les Français lui avaient donné raison quelques mois plus tard, en 2005, en ratifiant le texte constitutionnel européen ? Se serait-il senti, dans ce cas, pratiquement investi par son parti, puisque légitimé à la fois par lui et par l'ensemble des Français ? Aurait-il pris position dès cette date sur la ligne de départ présidentielle ?

N'avait-il pris la décision d'un référendum interne que pour barrer la route à Laurent Fabius, l'éliminer de son chemin ? C'est ce qu'a pensé et volontiers dit, alors, l'ancien Premier ministre de François Mitterrand. Tandis qu'au PS, Henri Weber, député européen fabiusien, l'assure : « Quand il a vu Fabius passer à portée de son fusil, il a tiré[2]. »

Quelle est enfin la part des convictions profondément européennes de François Hollande dans la décision de s'engager, lui l'homme prudent, dans une consultation interne qui ne pouvait que casser en deux le PS ?

Peu importe, au fond. Par 55 % des suffrages, les Français ont refusé le Traité européen proposé par Jacques Chirac et pour lequel le Parti socialiste les avait appelés à

---

1. Serge Raffy, *Le Président, François Hollande, itinéraire secret*, nouvelle édition, Pluriel, 2012 ; François Bachy, *L'Énigme Hollande*, Plon, 2005.

2. Conversation avec l'auteur, le 21 mai 2012.

voter. Et François Hollande se retrouva fort dépourvu, en 2005, lorsque la défaite fut venue. Et surtout en mauvaise posture pour bouger un pied en direction de l'Élysée. Cette fois, le rendez-vous était bel et bien manqué.

Alors, à partir de quand Hollande s'est-il préparé à briguer la présidence de la République, à partir de quand a-t-il considéré qu'il pouvait envisager de prendre le départ de la course présidentielle ? Il y a bien eu un moment où « Flanby », comme le baptisait aimablement Arnaud Montebourg, a changé, où le « culbuto » a culbuté. Quand s'est forgée sa détermination, quand s'est-il réellement jeté dans la course ?

Pas en 2005, donc : il n'en avait pas – ou plus – la possibilité. Question subsidiaire qui a son importance : a-t-il laissé, quelques mois plus tard, en novembre 2005, à partir du congrès du Mans, s'envoler Ségolène Royal vers son destin présidentiel ? Ou bien n'a-t-il pu l'empêcher ? Certes, ce week-end-là, elle n'avait pas pris la parole à la tribune, ce qui était passé aux yeux des fins observateurs du PS comme un renoncement ; certes, elle avait dit, passant dans les travées, qu'elle soutiendrait « François » s'il était candidat. Mais c'est au milieu d'un dense faisceau de caméras et de médias qu'elle y était apparue, vedette de ces journées où François Hollande, premier secrétaire, visiblement perplexe devant ce show – « digne d'un Festival de Cannes », avait murmuré un éléphant mécontent –, avait joué les utilités.

Était-il au contraire l'instigateur de l'« opération Ségolène », car c'est bien d'opération médiatique qu'il s'agissait, pour barrer la route à ses adversaires ? Lui a-t-il facilité la tâche de façon à ce que personne d'autre que lui ne puisse en profiter pour prendre date ? Cette interprétation a prévalu chez la plupart des chefs de guerre du PS, tous candidats potentiels à la présidentielle, qui ont alors accusé le premier secrétaire d'avoir volontairement poussé Ségolène pour en empêcher d'autres de prendre le départ. Ce fut longtemps celle de Laurent Fabius. Celle de Dominique Strauss-Kahn aussi, d'abord moqueur et incrédule, puis bien vite confronté à l'incroyable succès populaire de Ségolène Royal à laquelle il ne prêtait depuis des années qu'une médiocre attention et dont il se rendit compte, un peu tard, qu'elle n'était pas qu'une ravissante bécasse.

Ségolène Royal, elle, raconte l'histoire autrement[1]. Oui, François n'était plus, alors, en mesure de se présenter. S'il l'avait été, assure-t-elle, elle n'aurait rien fait pour le contrecarrer, elle l'aurait au contraire soutenu. Mais elle s'est rendu compte qu'un autre scénario était possible, et même qu'il avait la préférence de son compagnon d'alors. Car, on l'a oublié, un autre acteur, à l'époque, avait laissé entendre qu'il se verrait bien reprendre la place injustement perdue en 2002 : il s'agit de Lionel Jospin.

Celui-ci, à l'automne 2006, s'était rappelé à l'attention de ses amis, lui seul, pensait-il, étant en mesure d'empêcher des primaires entre Martine Aubry, Ségolène Royal et Dominique Strauss-Kahn. Lui seul, affirmait-il en privé, était en mesure de l'emporter contre celui qui, alors ministre de l'Intérieur, commençait à mener le jeu à droite : Nicolas Sarkozy. Lionel Jospin attendait-il du premier secrétaire qu'il le rappelle à temps ? Qu'il l'impose au Parti à l'occasion de l'université de La Rochelle, à la fin de l'été ? Sans doute, puisque aussi bien il considérait qu'en lui confiant le secrétariat du PS en 1997, il l'avait d'une certaine façon fait roi, ce qui devait l'inciter à un minimum de reconnaissance.

1. Conversation avec l'auteur, le 24 juillet 2012.

Mais François Hollande lui-même n'était-il pas lui aussi en attente d'un message de Jospin l'assurant de son soutien s'il était candidat ?

Tandis que le malentendu s'étire, Ségolène Royal s'échappe. François Hollande a-t-il préféré inciter Ségolène à tomber du côté où elle penchait, c'est-à-dire vers la bataille présidentielle, ou a-t-il réellement songé à ce moment-là à faire la courte échelle à Lionel Jospin, qui n'attendait que cela ?

Des années plus tard, Ségolène Royal est formelle : « Ce n'est pas moi, dit-elle[1], qui lui ai barré la route en 2007. S'il s'était présenté, je l'aurais trouvé légitime, puisqu'il était le premier secrétaire du PS, et je me serais retirée. Non, le grand empêcheur a été en réalité Lionel Jospin, même si personne, à l'époque, ne l'a vu venir. Il avait passé le flambeau à François en 2002 sans se préoccuper de ce que deviendrait la gauche. En 2006, il veut revenir, il arrive à La Rochelle, il fait une déclaration dans ce sens, et il est furieux parce que François ne me dégomme pas sur-le-champ ! »

Elle décrit néanmoins François Hollande, sur le moment, plus sensible qu'il ne l'a montré aux chances de retour de Lionel Jospin, et même prêt à faire un « ticket » avec lui s'il était élu en 2007 : l'Élysée à l'un, Matignon à l'autre.

« J'ai dit à François Hollande, dans notre maison de Mougins, devant notre fils Thomas, je m'en souviens très bien, que Lionel Jospin n'aurait aucune chance, qu'il n'était pas un rassembleur et qu'il perdrait en 2007 comme il avait perdu en 2002. Qu'avait-il fait, entre 2002 et 2006, qui ait pu démontrer le contraire ? », assène Ségolène, qui poursuit : « Jospin pensait que s'il était candidat, tous les prétendants du Parti, n'ayant rien à lui refuser, allaient se

1. Conversation avec l'auteur, le 24 juillet 2012.

retirer devant lui. Il croyait qu'il allait taper Fabius sans difficulté, convaincu qu'en dehors de la poignée de fidèles qui l'accompagnaient depuis des années, personne ne l'avait jamais vraiment aimé au sein du Parti. Il pensait que DSK ne pourrait pas se maintenir devant lui, qu'il abandonnerait le terrain à la première sollicitation de son ancien Premier ministre. Peut-être l'aurait-il fait à ce moment-là ? Mais c'est à moi que Jospin n'a jamais pardonné de ne pas avoir immédiatement abandonné la partie. Il ne sait pas ce qu'auraient fait les autres. Mais il sait que moi, je ne l'ai pas laissé faire. Il est persuadé que je l'ai empêché d'être président de la République. Bref, dans son système, j'étais le virus ! »

Les partisans de François Hollande la contredisent partiellement. Les relations entre Jospin et Hollande étaient à coup sûr compliquées, presque sentimentales. Comment en aurait-il été autrement à partir du moment où Hollande devait, depuis 1997, sa position à la tête du Parti à Lionel Jospin ? Il n'empêche qu'il n'a jamais fait officiellement à l'égard de Lionel Jospin, en 2006, ce que celui-ci attendait qu'il fît : lui demander publiquement d'être le candidat du Parti en 2007. Et le faire dès la tenue, à la fin de l'été, de l'université des Jeunes socialistes à La Rochelle. Peut-être François Hollande a-t-il hésité ? Qui, à sa place, ne l'aurait fait ? Mais il n'a pas fait le geste attendu en direction de l'ancien Premier ministre.

Il n'a d'ailleurs pas fallu longtemps à celui-ci, venu en voisin de son lieu de vacances à l'île de Ré, pour abandonner la partie : il s'est vite rendu compte, après un affectueux bain de foule à La Rochelle au milieu des Jeunes socialistes, qu'ailleurs, en France, électeurs et même militants avaient tourné la page. François Hollande lui avait-il mis le marché en main juste avant son abandon, au début de l'automne, en lui disant fermement, les yeux dans les yeux, chez lui, rue Saint-Placide, qu'il avait le choix entre soutenir un autre candidat, Hollande de préférence, ou se présenter lui-même, et qu'il devait le faire vite, sans attendre, de la part du premier secrétaire, un appel pressant qui ne viendrait pas[1] ? Sans doute. Dans ce cas, il paraît avoir moins été tenté de constituer un « ticket » avec Jospin que ne le dit Ségolène Royal.

En tout état de cause, qu'il en ait eu envie ou pas, contraint ou forcé, qu'il ait estimé ne pas être en position de se présenter, voire de gagner en 2007, une fois encore empêtré entre les sollicitations de Lionel Jospin et les préparatifs médiatiques de Ségolène, Hollande a à nouveau laissé passer sa chance. Vincent Peillon, qui avait rompu avec le premier secrétaire en 2002 avant de se rapprocher de lui en ces années-là, se rappelle avoir senti François Hollande stupéfait par la capacité de Ségolène à se mettre en avant, tailleur blanc et bras en croix, devenue à la fois madone et incarnation du socialisme : « Hollande, dit-il, est d'une culture où il a du mal à dire : Je. Il est très différent, de ce point de vue, de Ségolène Royal qui n'avait aucun mal – et ne voyait même que du bien – à se retrouver à la une de *Paris Match*...[2] »

De ce point de vue, cette année-là, Hollande va de surprise en surprise : Ségolène vole de ses propres ailes, écrase des leaders aussi « construits » que Laurent Fabius ou DSK, qui se présentent contre elle aux premières primaires jamais organisées par la gauche ; elle ne veut pas se faire d'illusions sur l'aide que les deux battus peuvent lui apporter dans sa campagne, et refuse en même temps l'aide du Parti socialiste, qui, il est vrai, ne l'apprécie guère.

---

1. Cf. Serge Raffy, *op. cit.*
2. Conversation avec l'auteur, le 10 juillet 2012.

« François ne m'a pas aidée, à ce moment-là, continue de penser et de dire aujourd'hui Ségolène Royal. Il aurait pu me soutenir davantage. Il a préféré m'envoyer François Rebsamen, qui, comme maire de Dijon, était à mi-temps dans la campagne. »

« Il est faux de dire que François Hollande ne l'a pas aidée, réfutent une partie des proches de Hollande auxquels celui-ci avait dit, comme à Michel Sapin, comme à Vincent Peillon, comme à Julien Dray, comme à Rebsamen, donc : "Allez-y, plus il y a de gens intelligents autour d'elle, mieux cela sera." Il a parcouru toute la France pendant la campagne… »

Des meetings à travers toute la France, certes, François Hollande en a fait, mais, pour Ségolène Royal, à partir du moment où ils ne les faisaient pas ensemble, ils comptaient pour du beurre. François Hollande ne se sentait pas le cœur, en effet, à cautionner, en étant à ses côtés, les envolées christiques de sa compagne, son langage évangélique, le ton de prédication qu'elle recherchait, et surtout une « irrationalité » contraire à sa propre nature.

Michel Sapin, appelé lui aussi par Hollande à escorter Ségolène Royal, résume de façon assez éloquente le combat de Ségolène Royal contre Nicolas Sarkozy et le rôle difficile qu'y a joué François Hollande : « Peut-être, au début, ne la trouvait-il pas assez prête pour ce combat. Mais, quoi que l'on prétende, il s'est engagé à fond, à sa manière, derrière Ségolène. Il pensait qu'au côté irrationnel de Sarkozy correspondait finalement assez bien l'irrationnel de Ségolène. Il la trouvait bonne contre Sarko, car, comme celui-ci, elle était transgressive. Nicolas Sarkozy mettait du désordre dans les symboles de la droite, il citait des auteurs socialistes ; elle faisait la même chose avec le drapeau tricolore ou la sécurité. Il a fini par penser qu'un autre candidat, dans les mêmes circonstances, aurait rassemblé beaucoup moins de suffrages qu'elle[1]. »

Sans doute l'intrusion d'une vie privée[2] en plein chamboulement, la déchirure de sa relation avec sa compagne depuis près de trente ans, et un nouvel amour, celui d'une journaliste de *Paris Match*, Valérie Trierweiler, ont-ils alors bouleversé les rapports politiques entre le premier secrétaire et sa compagne : quand l'un se sentait coupable de rompre, et, comme font tous les hommes, évitait de le dire trop haut, tentant de concilier l'inconciliable, l'autre se disait qu'il était temps, après tout, de montrer au père de ses quatre enfants de quel bois elle se chauffait. D'autant plus, était-elle persuadée non sans raison, que si Hollande préférait tenir en d'autres villes d'autres meetings que les siens, c'était pour ne pas être à ses côtés et rejoindre, la réunion terminée, l'objet de sa nouvelle passion.

Depuis quand, donc, puisque le rendez-vous de 2007 a été raté, Hollande a-t-il osé penser que, peut-être, après tout, il pourrait avancer à sa manière, c'est-à-dire à petits pas, vers la candidature à la présidence ? Autour de lui, les réponses de ses amis ne varient guère. Michel Sapin[3] ne doute pas que la mue de Hollande date des années 2008-2009 : « C'est très simple, je date le changement du jour où il a renoncé à se représenter au premier secrétariat du Parti. Il m'en a prévenu un jour de mai-juin 2008. C'est à ce moment qu'il a commencé à préparer les conditions qui lui permettraient d'être le candidat de la gauche en 2012. Je dis à dessein, souligne Sapin, *les conditions qui lui permet-*

1. Conversation avec l'auteur, le 17 juillet 2012.

2. Voir *La Femme fatale*, de Raphaëlle Bacqué et Ariane Chemin, Albin Michel, 2007.

3. Conversation avec l'auteur, le 17 juillet 2012.

traient de..., car il n'est pas homme à dire : "J'ai décidé", "Je vais", "Je veux". Il adopte ce que j'appellerais un *plan glissant...* »

Un plan glissant ? Explication du terme par Michel Sapin, un des plus anciens amis de François Hollande, son condisciple à l'ENA et son compagnon de chambrée pendant son service militaire : il s'agit d'aller à petits pas vers une destination connue de lui, mais dont, si les obstacles s'avéraient insurmontables, il pourrait se détourner à tout moment, reprenant ses cartes et changeant de jeu.

« Pourquoi ne voulait-il pas rempiler, au bout de plus de dix ans, à la direction du Parti ? Parce qu'il était persuadé qu'être à la tête du PS n'était pas, en définitive, un bon tremplin pour la présidence de la République, comme il l'avait peut-être pensé un temps, mais que c'était plutôt une semelle de plomb. »

L'analyse est en effet assez simple, et Hollande avait sans doute raison : à l'exception notable de François Mitterrand, premier secrétaire du PS depuis 1971, élu en 1981 à l'Élysée, aucun premier secrétaire du PS n'a jamais été en situation ni de se présenter à une élection présidentielle ni de la gagner. Lionel Jospin, alors premier responsable socialiste, a été battu en 1995. Jacques Delors, qui aurait eu des chances d'être élu cette même année, n'était pas premier secrétaire. Michel Rocard, longtemps considéré comme le plus évident des présidentiables à gauche, n'a occupé que fugitivement ces fonctions, à un moment où aucune élection présidentielle ne se profilait à l'horizon. À Matignon, Lionel Jospin, en 2002, avait pris ses distances vis-à-vis du Parti socialiste, et Ségolène Royal était libre de tout engagement à l'égard du PS lorsqu'elle a été désignée, à l'issue d'élections primaires, les premières du genre, en 2006.

Au congrès de Reims, comme il l'avait annoncé à la fin de 2008, François Hollande laisse le champ libre à ceux qui briguent sa succession. Bertrand Delanoë a ses faveurs, Martine Aubry a le soutien de Fabius, qui n'a pas oublié l'épisode du référendum interne de 2004, Ségolène Royal estime que c'est à elle que revient la direction d'un parti qu'elle a représenté et pour lequel elle s'est battue l'année précédente.

En l'absence du modérateur François Hollande, dirigeants et militants du Parti s'entre-déchirent à Reims comme leurs aînés s'étaient déchirés dix-huit ans plus tôt à Rennes. En dépit des échecs de 2002 et de 2007, Hollande avait fait croire que le Parti était resté uni. Son retrait donne au contraire le spectacle d'une foire d'empoigne entre prétendants, tous également incapables de parler d'unité et de l'incarner.

Bertrand Delanoë craint l'échec devant Martine Aubry, qui fait mine au début de ne briguer aucun mandat. Lorsqu'elle se décide, soutenue par Laurent Fabius et les troupes de DSK, à solliciter les suffrages des militants pour le poste de première secrétaire, le maire de Paris préfère s'abstenir plutôt que de concourir, prononçant à cette occasion un des meilleurs, mais aussi un des plus sinistres discours de sa carrière politique. Partisans de Martine et de Ségolène s'affrontent pendant deux jours sans arriver à se démarquer, tandis que François Hollande constate, non sans mélancolie, que ce parti qu'il croyait avoir guéri, à force de synthèses et de piqûres de rappel, reste un grand malade, peut-être même incurable. Il s'est décidé à commencer, après Reims, une traversée du désert d'autant plus nécessaire que, pense-t-il, elle l'amènera à combattre Nicolas Sarkozy en 2012. Il s'aperçoit en quelques heures que personne, pas même lui, ne pourra disposer à temps d'un mouvement en ordre de bataille, et ce, alors même que Nicolas Sarkozy connaît ses premières chutes de popularité.

« Il s'y attendait certes, déclare encore Michel Sapin, il pensait que son avenir passerait par un chemin désagréable, mais que c'était le prix à payer pour conquérir une certaine liberté, une certaine distance vis-à-vis du Parti. Auparavant, les socialistes se demandaient : qui est Hollande, que pense Hollande ? Personne n'en savait rien, parce que Hollande lui-même répondait : qu'en pense le Parti ? Son personnage disparaissait derrière le Parti. En 2008, il a choisi de bâtir sa propre personnalité, mais il ne s'attendait pas à ce que cet éloignement soit si dur. »

Il faut dire qu'après un vote pour le moins contesté, dont la validation a été reportée au conseil national suivant, le 25 novembre, faute d'avoir pu parvenir, en fin de congrès, à un accord entre les principales protagonistes, Martine Aubry et Ségolène Royal[1], le PS est à nouveau en miettes. Et celui qui vient de quitter sa direction ne peut plus, tant les socialistes sont à nouveau divisés, voire parfois hostiles, compter sur une force unie pour, le cas échéant, le soutenir en 2012 comme un seul homme.

Jean-Pierre Bel, président du groupe parlementaire socialiste au Sénat depuis 2004, et, à ce titre, participant tous les mardis matins aux petits déjeuners des dirigeants du PS autour du premier secrétaire, est un ami de vingt ans de François Hollande. Nommé par lui, en 1997, secrétaire national aux élections, poste clé au PS, il est resté, après le congrès de Reims, proche de celui qui n'était plus rien dans le parti. Devenu depuis lors le nouveau – et premier – pré-

1. Voir David Revault d'Allonnes, *Petits Meurtres entre camarades*, Robert Laffont, 2010.

sident socialiste du Sénat, il confirme que les mois qui suivirent furent politiquement parmi les plus rudes que François Hollande ait eu à traverser depuis son accession au poste de premier secrétaire en 1997. C'est qu'à peine désignée dans les conditions que l'on sait, Martine Aubry n'a eu de cesse de dénigrer l'action de François Hollande à la tête du Parti : « Lorsqu'elle est venue me dire, à moi, que François avait été un mauvais premier secrétaire, je lui ai répondu : "Hé, Martine, tu parles de mon ami, là !" Ça ne l'a pas empêchée de lui casser du sucre sur le dos auprès de tous les autres. Elle en est pratiquement arrivée à dire que même les toilettes, du temps de Hollande, ne fonctionnaient pas rue de Solferino[1] ! »

Rudes, ces mois-là, pour François Hollande ? Sûrement. Le voilà retranché dans son bureau de l'Assemblée nationale, rue Aristide-Briand, redevenu simple député de Corrèze. Les journalistes se font rares, sauf ceux qui se doutent que la liberté de ton retrouvée par François Hollande est propice à des confidences politiques moins édulcorées : Hollande ne représente plus le PS, il reste un interlocuteur disert et chaleureux, ne perdant rien de son humour, en ayant même davantage depuis qu'il ne s'efforce plus de faire la synthèse entre les multiples courants socialistes. Bref, il a des choses à dire, mais peu nombreux sont ceux qui lui demandent lesquelles. Il n'est plus sous les projecteurs, c'est assez pour qu'il retombe dans l'obscurité.

Ses amis, donc, sont rares. Or c'est pourtant au cours de cette période, dont il dit lui-même aujourd'hui qu'elle fut cruelle, que sa détermination se forge.

Même si, longtemps, il n'a pas voulu le voir, il est maintenant confronté à cette évidence : à l'intérieur de ce parti

1. Rencontre avec l'auteur, le 24 juillet 2012.

qu'il a plusieurs fois conduit à la victoire électorale depuis le cauchemar de 2002, il n'est guère apprécié par les « historiques ». Il est sous-estimé par la plupart. Il est même carrément méprisé par quelques-uns. Pourquoi ? « Intelligent », « habile », ces épithètes reviennent souvent quand ses adversaires, fussent-ils socialistes, parlent de lui en 2008. Mais ils parlent de lui au passé, comme s'il était inenvisageable qu'il ait un avenir. En réalité, l'intelligence de Hollande, pour certains, reste purement tactique, pas même stratégique. Et son habileté est certes décrite comme un sens aigu (peut-être trop) de la synthèse, mais plus souvent comme un art de la *combinazione*.

Peut-être est-ce parce que, en quête d'un équilibre entre factions instables, il n'a que rarement cherché, justement, à imposer ses propres vues. En dehors de l'Europe dont on sait qu'il est un des partisans les plus affirmés, François Hollande s'est peu exprimé sur sa propre vision des choses : de 1997 à 2002, il s'est contenté de répercuter celle de Lionel Jospin. S'il s'est opposé à certaines des décisions du Premier ministre, personne ne l'a su, à l'exception de ceux qui participaient aux petits déjeuners de Matignon. Ce fut le cas, par exemple, sur les « 35 heures ». À aucun moment la divergence, pourtant importante sur un sujet aussi controversé, entre le Premier ministre et le premier secrétaire n'a filtré.

Après 2002, il est vrai que François Hollande a davantage été absorbé par le sauvetage d'un parti en péril que par la révision de son corpus idéologique. C'est d'ailleurs ce qui l'a séparé, à l'époque, d'une minorité du Parti conduite par Vincent Peillon et Arnaud Montebourg : « La discussion était stratégique, dit aujourd'hui le premier. L'échec de 2002 devait être mis à profit pour tout reconstruire. Je pensais que c'était le moment de tout refaire. François, au contraire, était plus que jamais sur la stratégie du rassemblement. C'est à ce moment que j'ai démissionné, et, avec d'autres, créé le NPS[1]. »

Historien du Parti socialiste, Alain Bergounioux fait aujourd'hui à peu près la même analyse : François Hollande a été sous-estimé par les autres chefs de file du parti qui raillaient son manque de charisme par rapport à Fabius, Jospin ou DSK. « Il n'en imposait pas, dit-il. Pendant cinq ans, il avait été le porte-parole de Lionel Jospin. À ce titre, il n'avait pas d'idées personnelles. Il était certes intelligent, rapide, il avait des capacités humaines incontestables, mais jamais il n'est apparu comme l'éventuel successeur de François Mitterrand. Capable de combinaisons, comme Mitterrand, oui, mais sans doctrine. La seule chose qu'ils aient créée, lui et ses amis, est le mouvement des transcourants autour de Jacques Delors. Justement pour ne pas avoir à choisir entre les différents courants du Parti ! »

Mais aussi, ajoute Michel Sapin, parce qu'à force de vouloir concilier leurs points de vue, il finissait par ne plus en avoir lui-même. « Idéologiquement, on peut dire ce qu'incarnent Michel Rocard, Chevènement, Fabius, Emmanuelli. Mais qu'incarne Hollande lorsqu'il est à la tête du Parti ? » Vincent Peillon ajoute : « Parce qu'il n'a pas structuré le Parti, il s'est contenté – ce qui n'était pas rien – d'être le point d'équilibre de forces différentes. »

La volonté de rassembler envers et contre tout, parfois au-delà du raisonnable, apparaît – et Martine Aubry ne cesse, au poste où elle est parvenue, d'enfoncer le clou – comme une absence de convictions davantage qu'une ligne politique assurée.

1. Nouveau Parti socialiste.

C'est en ces années-là, après 2008, la critique étant facilitée par son éloignement, et donc par son incapacité de nuire, que l'on reproche à François Hollande d'avoir préféré repeindre la façade du bâtiment lézardé du PS plutôt que de le rebâtir. C'était « Monsieur Petites Blagues », comme l'a surnommé Laurent Fabius. D'autres parlaient d'« édredon », peut-être nécessaire pour couvrir les déchirures du PS, mais qui l'aurait bel et bien étouffé.

« Hollande avait lui-même été bouffé par le Parti. Et puis il faut dire, ajoute Vincent Peillon, qu'en des années de secrétariat il en avait fait des listes : aux municipales, aux européennes, aux régionales ! À ce jeu, on se fait beaucoup d'ennemis ! »

Pourquoi Hollande a-t-il été sous-estimé ? Son ami Jean-Pierre Bel répond sans hésiter : « Ses adversaires ont vu en lui le profil d'un homme tout juste bon à se faire élire au conseil général de Corrèze : trop proche des gens, trop drôle pour l'élite du Parti. On lui a reproché, ce qui est un comble, d'être trop à l'écoute des gens de terrain. Et aussi, sans doute, de ne vouloir faire de peine à personne. »

« C'était l'image du "culbuto", ajoute un proche de Manuel Valls, celui qui se rétablit toujours et retombe sur ses pieds... Ça en a énervé plus d'un ! »

« Les gens doutaient de sa volonté, confirme Michel Sapin. Pourtant, pour lui, ce n'est pas une habileté que de ne pas étaler sa volonté, c'est un mode de comportement. Je reprends l'expression de "plan glissant" : il se met en situation d'avancer, il avance d'un pas, puis, si la situation se stabilise, il va plus loin. »

Sans oublier que l'échec de Ségolène Royal en 2007 lui reste en partie imputé. Plus personne ne parle en 2008 de l'explication avancée par celle-ci : celle de la tentative avortée de Lionel Jospin de reprendre du service, et de la réaction rapide de Ségolène Royal pour l'en empêcher. Non, le Parti a censuré ce qui pourrait passer, somme toute, comme de l'ingratitude à l'égard de l'ancien Premier ministre, et préfère retenir l'ambiguïté de l'attitude de François Hollande vis-à-vis de Ségolène Royal.

Car de deux choses l'une : ou bien elle a démarré sans attendre le feu vert de François Hollande, voire en s'en passant, et, dans ce cas, celui-ci apparaît à ses détracteurs comme incapable de l'avoir retenue, donc dépourvu d'autorité ; ou bien c'est lui, François Hollande, qui l'a mise en avant pour éviter qu'un autre ténor du Parti n'y aille à sa place. Dans les deux cas, c'est sur lui, plus encore que sur Ségolène, que tombe la réprobation. S'il croyait aux chances de Ségolène, c'est qu'il s'était aveuglé ; s'il la croyait incapable de gagner contre Nicolas Sarkozy, il aurait dû lui intimer l'ordre de se retirer. On entend bien les relents misogynes d'un tel raisonnement, car il sous-entend que Ségolène Royal était une sorte de ludion que Hollande pouvait à loisir arrêter ou relancer. Ce qui n'était évidemment pas le cas.

La seule fois qu'il avait pu raisonner celle qui était alors sa compagne date de 1995. Après le retrait en forme de désertion de Jacques Delors, Ségolène avait un instant envisagé de faire acte de candidature à sa place. Il fallut alors toute la diplomatie de Hollande pour l'en dissuader. Elle se sentait prête, François Hollande lui démontra qu'elle ne l'était pas, ou pas encore. Un conseil, sinon une interdiction, que Ségolène Royal se reprocha longtemps d'avoir suivi. D'où la promptitude de sa réaction, en 2006, au moment où, au faîte de sa popularité, il lui parut préférable de prendre le départ sans attendre.

Curieusement, dans les attaques visant l'ancien premier secrétaire, il est alors peu question de ses difficultés privées, comme si, en l'occurrence, elles n'avaient eu aucun retentissement sur sa vie politique, alors qu'elles lui ont au contraire été intimement liées. Ségolène obéissant à François en 1995, lui tenant tête en 2006, et, dans l'intervalle, les rumeurs de désunion du couple le plus politique de France : qui ne peut voir, dans cette différence de comportement, une motivation plus personnelle que publique ?

Dans son bureau de député, François Hollande n'est pas devenu aveugle et sourd. Il entend tous les bruits qui viennent de la rue de Solferino voisine où, après une période de flottement, la première secrétaire entend bien se consacrer à la réflexion dont elle ne cesse de souligner qu'elle était absente des préoccupations du précédent premier secrétaire, ou encore à l'élaboration de conventions nationales sur des thèmes choisis – comme l'avait fait Nicolas Sarkozy, président de l'UMP, avant 2007. Elle privilégie le travail programmatique sur l'élaboration de compromis tactiques, et le fait savoir. Il lui arrive plus souvent qu'à son tour de faire porter à François Hollande la responsabilité de l'absence de renouveau idéologique du Parti. Parfois, elle ne se donne même pas le mal de prononcer son nom : chacun sait de qui elle parle. Réduits à la portion congrue, les « hollandais », ou ce qu'il en reste, tentent bien de plaider que le Parti traumatisé de 2002 avait besoin d'unité plus que de programme, Hollande n'en reste pas moins la cible principale de la nouvelle majorité du Parti née après le congrès de Reims.

« C'est un manque d'intelligence de leur part, accuse Michel Sapin. Je me rappelle Ségolène qui mesurait, en ces années-là, la volonté de François Hollande de ne plus laisser passer son tour, s'inquiétant et me disant : "Mais enfin, tu as vu où il en est ? À 3 % dans les sondages ! Comment aurait-il sa chance ?" Martine Aubry a commis la même erreur sur François Hollande ; elle a eu sur lui des mots très durs, injustes, inutiles, comme "faux", "fourbe", etc. Ce sont là des mots qui n'auraient jamais dû être prononcés. »

Vincent Peillon, dont les relations avec Hollande s'étaient arrangées depuis la rupture de 2002, se souvient de lui avoir téléphoné lorsque ces attaques ont été décochées contre lui. Il a trouvé son interlocuteur moins indigné qu'il ne l'était lui-même. « Tu ne peux pas laisser passer ces mots-là sans répondre », insista-t-il. « Si je veux être le candidat de la gauche, répondit simplement Hollande, je ne dois pas diviser. Je ne répondrai pas. »

Calcul pour le moins dangereux : en gardant bouche cousue face aux nombreuses et virulentes critiques sur son action passée à la tête du Parti, François Hollande risquait de donner de lui l'image même que ses détracteurs dénonçaient : celle d'un homme trop gentil – traduire : inconsistant –, sans aspérités, donc sans caractère, sur lequel tout glissait.

La décision de Hollande faiblit-elle à ce moment-là ? Est-il en passe de renoncer sous l'avalanche ? Il ne paraît pas le moins du monde ébranlé, et, s'il souffre, il le cache bien. Là encore, les témoignages sont clairs : Hollande a pris ses distances vis-à-vis du PS au terme d'une réflexion qui l'a amené à penser qu'il fallait, s'il souhaitait un autre avenir, se débarrasser de l'image d'apparatchik qui lui collait à la peau. Il ne se fait guère d'illusions, désormais, sur les sentiments à son égard des poids lourds socialistes dont il connaît l'ambition et dont il a eu l'occasion de mesurer le soutien intermittent. Sauf obstacle majeur, les critiques, les rancunes des uns et des autres, les jugements négatifs, plus que désagréables à son endroit, n'entameront plus la détermination qui est désormais la sienne, et à laquelle croit de plus en plus la poignée d'amis qui lui restent fidèles.

« Il a raté sa sortie à Reims en 2008, analyse Peillon, son mandat s'est mal terminé, mais, en même temps, je suis sûr qu'il était déjà dans sa stratégie présidentielle de 2012. Je l'ai senti d'abord très mal à l'aise, mais c'est de cette année-là que date sa métamorphose. »

« C'est clair, déclare un autre, j'ai été convaincu de sa détermination le jour où, quelques mois après avoir quitté le secrétariat du Parti, il a décidé de faire un régime. Il voulait changer de tête, changer d'apparence, se construire – du moins physiquement – un autre personnage. On ne s'astreint pas à quelque chose d'aussi dur si on n'a pas un puissant moteur qui vous y pousse. D'autant que c'est un homme gourmand, qui aime bien boire et manger… »

L'approbation, en matière diététique, de sa nouvelle compagne, Valérie Trierweiler, a eu évidemment son importance. Plus jeune que Ségolène Royal, la journaliste de *Paris Match* est sans doute à l'origine des efforts draconiens de François Hollande pour gagner en densité en même temps qu'il perdait du poids. Plus sensible au « choc des photos » qui donnaient de lui une image le plus souvent replète et rigolarde, nul doute qu'elle a encouragé, voire incité son compagnon à mener contre lui-même la plus rude bataille qu'il ait jamais eu à remporter. Enfin, n'ayant pas elle-même d'avenir politique, il lui était plus facile de s'occuper de celui de l'homme dont, depuis 2007, elle partageait notoirement la vie.

Un autre événement, plus sombre celui-ci, a sans doute renforcé le choix de François Hollande. Il s'agit de la mort de sa mère en 2009. De cette mère qui avait réjoui son enfance, tandis que son père lui fut de bout en bout étranger, et peut-être même hostile. Atteinte d'un cancer en 2007, elle s'était sentie assez bien pour se présenter au conseil municipal de Cannes où elle vivait, en 2008. Bien vite, ce fut la récidive, et une longue agonie jusqu'en mars 2009.

Cette mère est celle qui disait, depuis sa toute première jeunesse, que son fils serait président de la République, celle qui fut toujours attentive à préserver ses enfants des vicissitudes matérielles et psychologiques de son mari, celle qui veilla enfin à ce que son garçon, de Rouen à Paris, ait accès aux meilleures écoles, aux meilleurs lycées. Celui de Neuilly, par exemple, où, à peine arrivé à Paris, suivant ainsi l'itinéraire fantasque de son père, François Hollande croise déjà Nicolas Sarkozy. Neuilly qui fut, pour Hollande, une sorte d'antichambre de Sciences Po et de l'ENA.

« C'était une femme très douce, témoigne aujourd'hui Ségolène Royal. Elle a beaucoup compté pour lui et pour les enfants. »

« C'est vrai, convient aujourd'hui François Hollande[1], la mort de ma mère a eu une grande importance dans ma décision. Ce furent des moments très pénibles pendant lesquels, n'ayant plus de fonctions au Parti, je l'ai vue très souvent, je l'ai accompagnée. Oui, lorsqu'elle est morte, je me suis dit : Qu'est-ce que je fais de ma vie, maintenant ? Psychologiquement, sentimentalement, ce fut une douleur terrible, mais, en même temps, une formidable incitation à aller jusqu'au bout. »

On peut donc dater de 2008 la volonté présidentielle – réelle, cette fois, après tant d'occasions manquées – de François Hollande.

---

1. Conversation avec l'auteur, le 23 juillet 2012.

Témoignage de François Chérèque, patron de la CFDT[1] : « Au début de 2008, des amis communs sont intervenus, à sa demande, pour nous remettre en contact. De 2002 à 2003, nos relations avaient été suivies, ce qui est classique entre le principal dirigeant du PS et le secrétaire général de la CFDT que je suis depuis 2002. Et puis il y eut entre nous la détestable affaire du congrès socialiste de Dijon où le soutien accordé au gouvernement de Jean-Pierre Raffarin sur la réforme des retraites a été vilipendé, tandis que les militants socialistes, debout, avaient ovationné Bernard Thibault, secrétaire général de la CGT. Cet épisode avait beaucoup rafraîchi nos relations. Jusqu'au jour où Robert Zarader, patron d'Equancy & Co., une agence de communication, a donc servi de passerelle, en quelque sorte, entre Hollande et moi. Zarader[2] était un ami proche de Julien Dray, ils passaient leurs vacances au même endroit, parfois avec François Hollande, à Mougins. Robert me dit un jour que François Hollande voulait me voir pour dépasser ce moment de crispation entre lui et moi. Nous avons déjeuné ensemble le 14 janvier 2008 à la brasserie du Lutetia. Aujourd'hui, je me dis que, bien évidemment, Hollande pensait déjà à sa candidature à la présidentielle. Il ne voulait pas rester sur un conflit entre lui et moi. »

Et après 2008 ? François Chérèque poursuit : « Avant les élections, nous avons eu deux rendez-vous, le premier pendant l'été 2011, un second en 2011 lors des élections primaires du PS. J'ai eu de très longs entretiens avec lui. Il était très direct, posant des questions précises, à l'écoute,

1. Conversation avec l'auteur, le 6 juillet 2012.

2. Robert Zarader sera, pendant la campagne de François Hollande, un de ses plus proches « communicants ».

réceptif, tout entier dans l'échange. Nous avons eu des rendez-vous précis, approfondis, sur le dialogue social, mais aussi sur la recherche, l'emploi, la protection sociale, les entreprises en difficulté. Hollande est ressorti du premier entretien en publiant une tribune sur la "constitutionnalité" du dialogue social. C'est d'ailleurs une idée qui n'était pas la mienne, mais celle de Nicolas Notat[1], reprise au demeurant par Laurence Parisot. Le second entretien a porté sur les retraites. C'est là qu'il m'a testé sur son idée de "contrat de génération". Quand il en a parlé la première fois, j'étais sceptique vis-à-vis de cette solution miracle qui allait faire entrer les jeunes dans les entreprises sans en faire sortir les seniors. Une certitude, en tout cas : ces entretiens révélaient de sa part une volonté d'être au fait des problèmes sociaux. Aucun doute : depuis 2008, à chacune de nos conversations, il écoutait, prenait des notes. Il se préparait. »

Bernard Thibault, secrétaire général de la CGT, a bien senti, lui aussi, et au même moment, la mutation de François Hollande et sa détermination : les deux hommes se connaissent depuis 1999, date de la prise de fonction de Thibault, et mieux encore depuis l'accueil triomphal qui avait été réservé au nouveau patron de la CGT, après l'annonce de la réforme des retraites par le gouvernement Raffarin, au congrès de Dijon du PS. Ils se sont revus plusieurs fois après cette date : « Lorsque nous nous sommes mis à parler de démocratie sociale, de façon de gouverner, j'ai compris qu'il visait plus haut. »

Nous voilà à la fin de l'année 2010. Devant ceux ou celles des journalistes qui viennent lui rendre visite dans

1. Nicole Notat a été secrétaire générale de la CFDT de 1992 à 2002.

son petit bureau de l'Assemblée nationale, il fait mine de s'étonner. Hé quoi, il n'a plus rien, plus de parti, plus de fonctions, il n'est rien d'autre que président du conseil général de Corrèze en cours de réélection, et on s'intéresse encore à lui ? Oui, lui répond-on, parce que plusieurs indices concordants démontrent qu'il n'a pas encore plié bagage en politique. Loin de là, même s'il a pris ses distances avec les appareils. Mais n'a-t-il pas bel et bien repris sa marche ?, lui demande-t-on. À Lorient, par exemple, à l'été 2009, il a retrouvé son équipe resserrée : Le Drian, bien sûr, maire de la ville autant qu'ami, reçoit comme à l'habitude les anciens « transcourants » deloriens, devenus la garde rapprochée de Hollande : Stéphane Le Foll, Bruno Le Roux, Michel Sapin, Faouzi Lamdaoui, quelques autres. C'est vrai, ils sont moins nombreux qu'avant 2008. Mais, au moins, ceux qui se trouvent là sont toujours confiants dans l'avenir de leur leader. Ils le croient, ils le veulent présidentiable : « Il ne nous a rien dit de ses intentions pendant ces journées-là, confie l'un d'eux. Vous savez, il ne dit jamais rien sur lui-même, c'est un homme qui ne se confie pas volontiers. C'est nous qui en avons eu la certitude. À son ton, à l'ampleur des problèmes abordés, à la détermination qu'il avait montrée, nous nous sommes dit : cette fois, il va y aller. »

Ces fidèles ont bien mesuré le changement. La preuve en est qu'à la fin 2010, il se déclare bel et bien candidat à la primaire socialiste, sans beaucoup de chances, pensent les hiérarques socialistes, d'en sortir gagnant, certes, mais enfin il n'a pas disparu, loin de là, du radar politique.

Ce qui va le pousser, au lieu de le dissuader, c'est la campagne ambiguë dans laquelle se lance, fin 2010, début 2011, Dominique Strauss-Kahn. Ambiguë parce que celui-ci court deux lièvres à la fois. Resté à la tête du FMI, il parcourt la terre entière. Partout reçu, espéré, il distribue des dollars et prodigue des conseils, il s'exprime devant les caméras internationales. Il existe, certes. Mais en France ? Comment exister en tant que candidat à la future présidentielle lorsque, tenu à la réserve, il ne dit pas un mot ? FMI oblige, le moindre dérapage sur la politique française, le moindre signe qu'il s'intéresse à l'élection, et il peut faire une croix sur son mandat qui lui serait retiré illico. Or, il a décidé d'attendre le dernier moment pour se jeter dans la bagarre franco-française. Abandonner le FMI trop tôt, en pleine crise européenne et mondiale, risquerait de passer pour une désertion. Et puis, au fond de lui-même, il est convaincu que sa stature internationale constitue un formidable atout, qu'il peut se dispenser de serrer des mains dans les communes et les campagnes françaises – ce qu'il déteste au demeurant –, qu'il lui suffira d'apparaître en chair et en os devant les Français, à l'automne, pour l'emporter dans les primaires, et, plus tard, s'installer à l'Élysée. Il y a quelques mois, il n'en voulait pas d'ailleurs de ces primaires, estimant que les leaders socialistes tentés de faire acte de candidature feraient mieux de déposer spontanément les armes devant lui. En cette fin 2010, même s'il a conclu, l'été précédent, un accord avec Martine Aubry, il sent néanmoins qu'il lui faut adresser un signal au Parti socialiste qui s'interroge sur le moment de son retour et plus encore de son engagement dans la bataille.

Mais comment ? Être en France tout en restant encore quelques mois à Washington, c'est, pour celui qui aime tant les mathématiques, l'équation essentielle. Il a pu jusqu'ici la résoudre partiellement en laissant ses fidèles – Jean-Christophe Cambadélis, Manuel Valls, Jean-Marie Le Guen – veiller au grain pour lui, notamment le rappeler régulièrement au bon souvenir des Français. Et puis, pendant les week-ends, il arrive fréquemment à DSK de retrouver son domicile parisien. Depuis la fin de l'année, les escales à Paris, où le couple Sinclair-DSK a gardé ses habitudes, se font plus nombreuses. Anne aime à retrouver ses proches, ses enfants, son ancien mari, Ivan Levaï, et la femme de celui-ci, toujours aussi amicale et joyeuse. DSK, lui, discret, couleur de muraille, ne rencontre que ses amis dans des lieux soigneusement choisis pour le préserver des journalistes et autres oreilles indiscrètes. Il a gardé des contacts à Sarcelles dont il fut l'élu avant sa nomination au FMI. Son éloignement du terrain ne l'inquiète donc pas : directeur général du FMI, cela vaut largement, à ses yeux, la présidence du conseil régional de Poitou-Charentes ou celle du conseil général de Corrèze.

En attendant, comme si le retour annoncé, désormais crédible, dans la politique française de celui qui n'éprouve pour lui qu'un dédain amusé l'aiguillonnait, Hollande, feignant d'être indifférent aux allers et retours de DSK, avance lentement ses pions, adoptant en cela la tactique que son ami Michel Sapin appelle un « plan glissant » : il est candidat à la primaire, il l'annonce, le redit depuis déjà plusieurs semaines ; il est encore possible pour lui de faire marche arrière si vraiment les choses tournent autrement, mais à son rythme, et quand il le voudra.

Oui, Hollande, en cette fin d'année, a changé. Il ne sait évidemment pas encore qui il aura à défier : DSK, Martine, Fabius, Ségolène, ni l'ampleur des forces qui, derrière Martine Aubry, lui sont profondément hostiles. Il ne sait pas non plus si le « pacte de Marrakech », dont la presse a vaguement parlé, dont il a eu lui-même l'écho, est coulé dans le bronze : Martine Aubry et Dominique Strauss-Kahn auraient décidé de ne se présenter en aucun cas l'un contre l'autre. Hollande en a trop vu de ces accords qui se font et se défont en moins de temps qu'il n'en faut pour le dire pour considérer ce serment comme éternel. De toute façon, que le pacte perdure ou se dissolve, sa résolution à lui est maintenant totale. Ses adversaires, ou plutôt ses concurrents, n'ont pas pris la mesure de sa détermination.

À vrai dire, Dominique Strauss-Kahn, qui, depuis Washington, laisse entendre qu'il sera candidat au moment opportun – non pas opportun pour les socialistes, mais pour lui –, ne le craint alors pas le moins du monde. Il pense que, lorsqu'il annoncera enfin officiellement sa candidature, il n'y aura pas au Parti socialiste quelqu'un d'assez insensé pour se mettre en travers de sa route. Il n'était pas favorable à la tenue d'élections primaires au sein du PS, d'autant qu'à son vif dépit il y avait laissé des plumes face à Ségolène, en 2006. Mais il en a pris son parti, puisqu'on lui a remontré que les militants, et plus encore les sympathisants, étaient attachés à ce mode de désignation, qu'il n'était pas possible de revenir sur la procédure proposée en 2005 par Jack Lang, lequel croyait pouvoir, son indice de popularité restant au plus haut, en tirer bénéfice...

À l'approche de 2012, la meilleure solution pour DSK, s'il peut s'échapper à temps du FMI, serait qu'en effet des candidats se déclarent, qu'ils commencent à animer la campagne dans l'attente du jour où ils ne pourront faire autrement que se retirer face à un super-candidat socialiste déjà reconnu par les médias et par une majorité de Français comme l'homme providentiel. Personne dans son camp, pensait-il, ne resterait en piste contre lui, au risque d'entraîner la gauche dans un nouvel échec, encore plus cruel que les précédents, face à un Nicolas Sarkozy handicapé par la crise européenne et davantage encore par son style de gouvernement.

Confrontés à la crise, Silvio Berlusconi, le président du Conseil italien, a démissionné en novembre 2011 et l'Espagnol José Luis Zapatero a renoncé à se représenter aux élections législatives anticipées la même année. Pourquoi le sort réservé par les Français à Nicolas Sarkozy serait-il différent ? Cette évidence redonne un moral d'acier à la gauche en général et à DSK en particulier. Oui, de tous les candidats putatifs, sinon déclarés, François Hollande est, à l'époque, celui que le patron du FMI craint le moins. Mais enfin, justement pour cette raison, autant le convaincre de se retirer le plus vite possible pour dissuader les autres !

DSK rencontre François Hollande pour la première fois à ce sujet en novembre 2010. Entretien sans conclusion, qui n'a fait bouger d'un pouce aucun des deux ; Hollande a dit qu'il ferait acte de candidature, DSK a laissé entendre qu'il pourrait être candidat et le serait sans doute.

La seconde rencontre entre les deux hommes, plus longue, a lieu en février 2011. À ce moment-là, il n'y a plus de suspense sur la volonté de DSK de livrer bataille. Il ne cesse de rencontrer, depuis le début de l'année, chroniqueurs et amis politiques. Autour de lui, les soutiens s'organisent déjà. Pierre Moscovici, Manuel Valls, Jean-Christophe Cambadélis, Vincent Peillon s'emploient à définir leurs rôles respectifs autour de leur chef de file.

« Je l'avais senti candidat presque sans réserve, raconte François Hollande[1], et je lui ai dit que j'étais aussi candidat. Il avait à l'époque bouclé son accord avec Martine Aubry au cours d'un des nombreux entretiens discrets qui ont eu lieu dans l'appartement de l'écrivain Dan Franck, boulevard du Montparnasse, en face du fameux restaurant

1. Entretien avec l'auteur, le 23 juillet 2012.

La Closerie des lilas. Moi, j'étais déjà dans une phase légèrement haussière, j'avais enfin quitté les 3 %. J'étais alors candidat au renouvellement de mon mandat de président du conseil général de Corrèze et je lui ai dit que si j'étais réélu, j'annoncerais très vite officiellement ma candidature. »

La conversation terminée, et chacun restant sur ses positions, DSK s'en va répondre aux questions de Laurent Delahousse dans le JT de 20 heures. Les Français attendent beaucoup de cette interview, comme en d'autres temps leurs aînés ont attendu de Jacques Delors qu'il fasse don de sa personne à la France. La preuve : les chiffres Médiamat révéleront, le lendemain matin, qu'ils ont été près de 7 millions devant leur récepteur à écouter le patron du FMI annoncer officiellement sa candidature à l'élection de 2012.

L'interview tant attendue ne dure que quinze minutes. Au lieu d'annoncer la couleur, DSK laisse entendre que, oui, peut-être, le moment venu... Les téléspectateurs, déçus, comprennent qu'il leur faudra attendre encore pour savoir si, oui ou non, le directeur général du FMI sera candidat aux primaires de la gauche en 2011, et éventuellement à l'élection présidentielle de 2012. Le suspense est savamment entretenu par DSK, et fait partie intégrante de sa stratégie.

Loin de reculer, dès qu'il est largement réélu à la tête du département de la Corrèze, Hollande annonce le jeudi 31 mars, comme il en avait prévenu DSK, qu'il est officiellement candidat à la primaire socialiste au mois de novembre suivant. Son discours ne dure pas plus de sept minutes. À la façon dont, enfin sans complexes, il emploie le « Moi, je » (« Je n'accepte pas l'état dans lequel la France se trouve », « Je n'accepte pas la situation faite aux Français... »), on mesure le chemin intérieur, psychologique et politique, parcouru. Sa déclaration tombe à pic : elle met un terme aux rumeurs entretenues par la rue de Solferino, qui font état d'un éventuel accord de désistement, conclu sous le manteau, de l'ex-premier secrétaire en faveur, dès son entrée en scène, de celui qui serait alors l'ex-patron du FMI.

Dominique Strauss-Kahn s'irrite de cette détermination, qu'il n'attendait pas, de la part de son concurrent qu'il pensait plus accommodant. C'est à ce moment qu'il choisit de lui envoyer Jean-Marie Le Guen, député de Paris, un de ses plus fidèles partisans. « Le Guen est venu le voir de la part de DSK, raconte Michel Sapin. Il lui a dit : Fais attention, ne crée pas l'irréversible avec Dominique. Fais tout de suite un *deal* avec lui ; sinon, tu pourrais tout perdre, être éliminé, disparaître de la carte politique. »

Suffoqué par le procédé, en même temps que par la menace pas même voilée, Hollande éconduit sans ménagements le visiteur.

Pour l'auteur de ce livre qui l'a rencontré le lendemain, l'ancien premier secrétaire était encore sous le coup de cette démarche. Encore ne l'a-t-il sans doute jamais su : un autre proche de DSK avait également été mandaté par celui-ci pour lui mettre du plomb dans la cervelle. Il s'agit de Vincent Peillon. « DSK, raconte celui-ci, m'a en effet demandé de rencontrer François Hollande à ce moment-là. Il m'a demandé de voir avec François si celui-ci acceptait de se retirer pour être son Premier ministre. J'ai pris mon temps. Je comptais le faire, mais je ne l'ai pas fait avant le 15 mai[1]. Le 15 mai, il était trop tard. »

1. Le 15 mai 2011, Dominique Strauss-Kahn, soupçonné d'agression sexuelle envers une femme de chambre du Sofitel de Manhattan, est arrêté par la police de New York.

À l'occasion d'un nouveau déplacement à Paris, début 2011, le directeur du FMI met les bouchées doubles. Les rédactions de *Libération*, du *Monde*, du *Nouvel Observateur* se disputent sa visite. Il développe devant les journalistes de chacun de ces organes de presse ses projets immédiats ou futurs, énumère les écueils plus ou moins importants qui se trouveront sur sa route. Lucide sur lui-même, il voit bien les trois domaines sur lesquels il peut être attaqué par la droite dès qu'il fera campagne : l'argent, l'éloignement, les femmes. Les femmes, assure-t-il à son auditoire qui ne cache pas son intérêt sur le sujet, ne posent plus de problème : il a mis de l'ordre dans sa vie. L'argent, même chose : il est salarié – certes confortablement – du FMI, mais pas plus ; il n'y peut rien si son épouse a hérité de ses parents un nombre conséquent de toiles de maîtres. L'éloignement ? Il sera vite oublié. Parlant de la crise grecque, des problèmes de l'euro et de l'avenir de l'Europe, il apparaît comme mieux placé que Nicolas Sarkozy pour gérer la crise européenne. Lorsqu'il parle de Sarcelles, des réformes nécessaires à entreprendre pour la France, il démontre qu'une alternative de gauche est possible. Bref, les médias, début mai, raffolent de DSK, seul capable, à leurs yeux, d'infliger une défaite à Nicolas Sarkozy.

Mais il n'a pas oublié l'obstruction de François Hollande. Voilà pourquoi il décide alors de réunir la plupart des amis de celui-ci : François Rebsamen, Jean-Pierre Bel, Jean-Marc Ayrault et Julien Dray.

La veille, Dominique Strauss-Kahn a commis involontairement sa première erreur : il est monté avec Anne Sinclair à l'arrière d'une magnifique Porsche noire d'un modèle nouveau, la Porsche Panamera. François Hollande et ses amis ont été stupéfiés, et ont vu sur-le-champ le parti qu'eux-mêmes et la droite pourraient en tirer : DSK était-il si loin des préoccupations des Français, ne connaissait-il pas les réactions populaires, souvent excessives d'ailleurs, suscitées par le comportement ostentatoire du pouvoir ? Se situait-il sur ce terrain dans une compétition surprenante, de la part d'un leader de gauche, avec Nicolas Sarkozy ? De ce point de vue, symboliquement, la Porsche, même prêtée par des amis, envoyait un signal équivalent à celui du Fouquet's, à cette différence près que la « nuit du Fouquet's » datait de cinq ans, tandis que la bourde automobile marquait les débuts de ce qui aurait dû être la campagne de DSK.

Le lendemain, celui-ci n'en avait pas moins convié, donc, les meilleurs amis de François Hollande. La scène se passe une fois de plus dans un appartement discret mis à la disposition de DSK par un industriel de ses relations. Anne Hommel, responsable de la communication de DSK au sein du groupe RSCG, attend les arrivants devant la porte de l'immeuble et les guide jusque dans le grand salon où ceux-ci prennent place autour du directeur général du FMI. Objet de la rencontre : puisque François Hollande reste sourd à ses propositions, peut-être ses amis de toujours pourraient-ils réussir là où lui, DSK, a échoué, c'est-à-dire le convaincre de se retirer ? « Dites-lui que ce ne sera pas facile pour lui, suggère-t-il ; essayez de le retenir ! »

La réunion secrète est à peine terminée que Jean-Marc Ayrault a déjà pris son téléphone pour appeler François Hollande. Il répercute loyalement la conversation : « Dominique va se présenter, dit-il dans son style sans fioritures, il demande que tu te retires. » Les autres fidèles font de même. François Hollande ne bronche pas.

François Rebsamen, qui a parfois hésité entre DSK et Hollande, décide même, pour donner un coup d'arrêt à ce petit jeu des pressions exercées par personnes interposées ou directement sur François Hollande et ses amis, de publier, le 14 mai, son jugement sur les deux hommes dans le *JDD* : « Dominique est un très bon candidat, écrit-il, il a la stature d'un homme d'État, mais j'ai choisi d'accompagner Hollande. »

Déclaration opportune : la nuit même, Dominique Strauss-Kahn est arrêté à New York dans les conditions que l'on sait.

Sans l'avoir cherché, François Hollande reste seul en piste. « Moi, dit-il[1], j'ai été le premier bouleversé par ce qui s'est passé le 15 mai. Le plan que j'avais conçu incluait DSK dans le jeu. J'avais bon espoir de le devancer aux primaires. Quand je comprends qu'il ne va sans doute pas pouvoir s'y présenter, je me dis que cela va être plus difficile avec Martine Aubry qu'avec DSK, que le réflexe des militants, des sympathisants aussi, va peut-être jouer en la faveur de celle-là, puisque, à la tête du PS depuis plus de deux ans, elle est après tout la plus légitime. Or, c'est exactement le contraire qui s'est passé : dès le lendemain, j'étais légitimé par les sondages. »

C'est ce qui se passe en effet : un sondage réalisé dès le 15 mai au matin par l'institut Harris Interactive pour *Le Parisien*, dans l'hypothèse où DSK ne serait pas candidat, montre que 49 % des sympathisants socialistes et 37 % des sympathisants de gauche se prononcent en faveur de François Hollande, loin devant Martine Aubry, Ségolène Royal et Manuel Valls[2].

1. Conversation avec l'auteur.

2. Martine Aubry : 23 % des sympathisants socialistes et 22 % des sympathisants de gauche ; Ségolène Royal : respectivement 10 % et 14 % ; Manuel Valls : 3 % et 2 %.

Pourquoi François Hollande était-il convaincu, au moment où tout le monde pensait le contraire, que les militants et les sympathisants socialistes le préféreraient à Dominique Strauss-Kahn ? Depuis plusieurs mois, lorsqu'on lui posait la question, il se contentait de dire que telle était sa conviction, sans la justifier. « En réalité, dit Michel Sapin, l'analyse de François Hollande sur DSK était que celui-ci avait été porté par les événements en tant que directeur général du FMI dans les années 2008-2009 : toute la période où il tançait les banques, où il commandait à la finance internationale ; il apparaissait alors comme un homme de gauche. Mais lorsqu'il s'est mis à s'occuper des peuples, à les mettre au régime de l'austérité, comme en Grèce, alors il ne s'exprimait plus en homme de gauche. »

Ce qu'un autre des partisans de François Hollande résumait de façon sommaire en février 2011 : « Dominique Strauss-Kahn est au plus haut, il ne peut que redescendre. François, lui, est dans une phase ascendante, il ne peut que monter. »

François Hollande a toutes les raisons de se réjouir, en tout cas, d'avoir frayé son chemin avant le 15 mai et d'être resté sourd aux propositions de retrait qui lui avaient été faites plus ou moins adroitement. Il n'est pas, il ne sera jamais le candidat de substitution : déclaré avant DSK, il reste après lui. Les Français, en effet, ne s'y trompent pas, les socialistes non plus, qui, après le drame de New York, ne sont pas mécontents que quelqu'un d'autre ait avancé, sans l'attendre, sur la route de la présidentielle.

De candidat parmi d'autres, plutôt moins attendu que d'autres, François Hollande est devenu le challenger. Lui qui n'était pas, c'est le moins qu'on puisse dire, partisan des primaires – car il se sentait trop à l'écart de leur préparation et craignait qu'elles ne soient organisées par Martine Aubry uniquement pour servir de tremplin à DSK – y figurera à l'automne comme le candidat ayant le plus de chances de l'emporter.

Martine Aubry, qui décide, fin juin, en l'absence forcée de DSK, de se porter candidate, est certes alors en bonne posture : première secrétaire, elle a fait plancher les meilleurs esprits du PS depuis 2010 sur un programme qui devrait servir de tables de la loi, ou plutôt de plate-forme au futur candidat à la présidentielle.

Elle a en effet mis le Parti au travail et fini par obtenir, après l'échec cinglant aux européennes de 2009, la victoire du PS aux sénatoriales de septembre. Pour la première fois sous la Ve République, le président du Sénat est un socialiste, Jean-Pierre Bel. À vrai dire, jusqu'au dernier moment elle n'a pas cru à la victoire de celui-ci. « Elle pensait, témoigne Jean-Pierre Bel, que je racontais des fariboles lorsque je lui assurais, quelques jours avant la consultation sénatoriale, que le Sénat pouvait basculer à gauche. Deux jours avant le vote, elle avait même reçu deux journalistes qui rédigeaient un livre sur le Sénat, affirmant que je prenais mes désirs pour des réalités, que personne au PS n'y croyait. Que la première secrétaire du PS vienne me casser la baraque au moment de ce basculement inouï, cela, je n'en suis toujours pas revenu ! »

Elle n'a qu'un handicap, Martine : elle n'avait pas une folle envie de concourir aux primaires, comme le laissait supposer son ralliement de fait à DSK. « Quand je l'ai vue, mentionne Claude Bartolone, partir en vacances l'été, au Canada, je crois, je me suis dit qu'elle ne voulait pas gagner, qu'elle n'était pas assez motivée pour gagner. » Elle qui aurait dû être la plus légitime apparaît dorénavant, qu'elle le veuille ou non, comme une candidate de substitution. Il est évident pour tous les socialistes, et au-delà même de leurs rangs, que si elle se présente, c'est parce que personne, au PS, n'aurait compris qu'elle soit absente de la confrontation.

Ce n'est pas le cas de François Hollande, qui ne rêve depuis le 15 mai que d'en découdre aux primaires. Il sait Martine Aubry légèrement empêtrée dans son alliance, sur la droite du parti, avec Laurent Fabius, et, sur sa gauche, avec Benoît Hamon. Malgré le manque d'envie qu'elle a manifesté à l'idée de se présenter aux primaires, il la sait aussi volontiers pugnace et toujours offensive. La résolution de Hollande, après le 15 mai, est plus solide que jamais, d'autant qu'il arrive maintenant à dépasser la patronne du PS dans les sondages. Il a fait les trois quarts du chemin depuis les mois de 2009 où il se sentait on ne peut plus seul. Manque encore le dernier quart : celui qui le sépare des primaires.

Comme toujours, avant même le premier tour du vote de novembre, il vise le rassemblement. Il entame une tournée des ralliements, en commençant précisément par ceux qui, derrière DSK, se préoccupaient, avant le 15 mai, de le voir débarrasser le plancher. Dès le mercredi 26 mai, il appelle Pierre Moscovici à qui il a laissé une semaine pour se remettre de la « sidération DSK ». Celui-ci accepte immédiatement de le rencontrer.

Il est vrai que « Mosco » se sent bien isolé depuis l'élimination de DSK. Celui-ci lui avait certes demandé de se joindre à lui, mais, depuis 2008, Moscovici n'ayant pas obtenu de lui les soutiens nécessaires à sa désignation au poste de premier secrétaire, leurs relations étaient devenues plus difficiles qu'auparavant. Il aurait sans doute souhaité – c'est du moins ce qu'il avait souvent laissé entendre – être lui-même candidat aux primaires. « Mais, convient-il, fataliste, cela n'aurait rien ajouté au débat : mon créneau était étroit, j'aurais fait au maximum 10 % des voix et je n'aurais servi, tous comptes faits, qu'à avantager Martine Aubry. »

Mosco n'était pas non plus en pleine harmonie avec celle-ci depuis qu'elle avait conclu, en 2008 précisément, une alliance en forme de grand écart avec Laurent Fabius et Arnaud Montebourg. Sur le même espace politique que lui ne reste que François Hollande. « J'ignorais, dit Mosco, si nous pouvions faire quelque chose ensemble. Nous avions été en concurrence, nous n'avions pas les mêmes amis. Il y avait entre nous une sorte de déficit de confiance. Il m'avait rendu un grand service en 2002 en me rappelant au secrétariat du Parti, mais je n'avais jamais été un de ses familiers. »

Les deux hommes se rencontrent plusieurs fois, en juin, au bar-tabac de l'Assemblée, au coin de la rue de Bourgogne et de la rue Saint-Dominique, à quelques mètres seulement du Palais-Bourbon. « Nous avons vidé notre sac, résume Moscovici. Et très vite nous sommes tombés d'accord sur ce que nous pourrions faire ensemble. Moi, j'avais acquis la conviction qu'il avait changé, qu'il était un très bon candidat, prêt à exercer des fonctions présidentielles. Nous nous sommes dit qu'il fallait continuer jusqu'au bout, ensemble. »

Résultat de ces multiples entretiens : Pierre Moscovici est chargé par François Hollande d'être le coordinateur de sa campagne pour les primaires d'octobre.

Dès le mois de juin, de la même façon, François Hollande donne rendez-vous à Manuel Valls dans le bar discret de l'hôtel Raphaël, lieu de bien d'autres (et différentes) rencontres clandestines. « Je lui ai dit, se rappelle Valls, que je serais candidat aux primaires, pour prendre date, pour faire la démonstration qu'une autre génération de socialistes pouvait faire acte de candidature à la présidentielle, mais que je me rallierais à lui sitôt après le premier tour. »

Au cours de leur discussion, les deux hommes tombent d'accord sur trois points. D'abord, sur la nécessité d'une conduite budgétaire rigoureuse, imposée par la crise et le trop haut niveau de la dette française. Ensuite, sur le maintien du nucléaire : en effet, Martine Aubry a fait savoir qu'elle était favorable à la sortie du nucléaire civil, sans doute condition d'un éventuel accord avec les Verts. Hollande et Valls revendiquent sur ce sujet une divergence frontale avec la première secrétaire. Troisième point, enfin, de l'accord entre les deux futurs candidats aux primaires : la conduite d'une politique d'immigration d'une très grande prudence. Le terme « prudence » est celui employé par Manuel Valls. Il ne choque pas, loin de là, François Hollande. Celui-ci, après avoir demandé, quelques mois auparavant, à Julien Dray un rapport sur les problèmes de sécurité et leur influence sur le comportement des Français, est convaincu que les mesures à prendre doivent en effet être plus que prudentes : vigilantes. Comme Manuel Valls, il est en effet persuadé que, sur le sujet, les positions traditionnelles du PS, ou plus exactement d'une fraction des socialistes, paraissent trop laxistes aux Français et qu'elles ont entraîné, de leur part, une véritable désaffection exprimée en 2002 lorsqu'il s'est agi de voter pour Lionel Jospin.

Voilà donc, dès le mois de juin, un autre poids de moins pour François Hollande qui sait pouvoir compter, avant le second tour des primaires, sur le ralliement de Manuel Valls.

Celui-ci n'est du reste pas le seul à faire mouvement vers le député de la Corrèze. Vincent Peillon fait aussi partie des premiers partisans ou ex-partisans de DSK à rencontrer François Hollande. Il n'est pas, lui, candidat aux primaires, et n'a aucune envie de l'être. En tout cas, après le séisme politique qu'a représenté pour tous ses amis l'éviction de DSK, il croit utile de choisir dès maintenant son camp. D'autant qu'il pense depuis longtemps que François et Dominique étaient en réalité complémentaires, le premier toujours sur le terrain, dans la tradition de François Mitterrand et de Jacques Chirac, sillonnant la France, serrant les mains des secrétaires fédéraux socialistes, assurant les autres de sa sympathie, le second dominant la situation internationale, parlant d'égal à égal, dans toutes les langues, avec les chefs d'État du monde entier. « Je pense, dit-il aujourd'hui, que François avait de la considération pour DSK, mais qu'il nourrissait des doutes sur la qualité de son engagement politique. Inversement, DSK éprouvait un large complexe de supériorité vis-à-vis de François Hollande. »

Ces considérations, en juin 2011, sont dépassées. Même si Vincent Peillon se dit à ce moment-là « très malheureux de ce qui arrive à DSK », même s'il s'était de façon plutôt inattendue rallié à son panache blanc, Peillon, on l'a vu, était déjà revenu sur sa rupture de 2002 avec François Hollande. « J'avais une règle de comportement avec lui : je le savais respectueux des droits de la majorité. » Il le rencontre donc non pas à l'hôtel Raphaël, mais dans le jardin du Luxembourg, au milieu des enfants et des joggers. « Je n'ai rien négocié avec lui, dit Peillon, j'avais pris du recul par rapport au Parti, j'étais député européen, nous nous sommes demandé comment on devait parler à la France et aux Français à l'occasion d'une élection présidentielle. C'était tout simplement le plaisir de la conversation. »

Avant de quitter Peillon, François Hollande lui demande de travailler avec lui, à l'instar de Moscovici, sur les dossiers des primaires, notamment sur la mise au point du projet qu'il défendra à cette occasion. Vincent Peillon accepte d'autant plus facilement qu'il avait travaillé en 2010, à la demande de Martine Aubry, sur le projet du PS.

Sur le plan programmatique, François Hollande a déjà fait des propositions qu'il reprendra évidemment pour les primaires. Ces propositions sont loin de déplaire à Peillon. Ainsi du « contrat de génération » qui ne fait pas seulement ricaner la droite, mais aussi bien Martine Aubry. Quant à une autre des propositions phares de Hollande, qu'il affichera au mois de septembre, l'embauche en cinq ans de 60 000 salariés de l'Éducation nationale – ceux-là mêmes dont l'emploi a été supprimé par le gouvernement Fillon –, si elle n'est pas inspirée uniquement par lui, elle va en plein dans le sens des objectifs de Vincent Peillon, qui plaide depuis longtemps contre les coupes sombres parmi le corps enseignant.

Cette stratégie de contournement, qui est aussi une stratégie de regroupement, François Hollande va la poursuivre sans relâche jusqu'à sa désignation par les électeurs de gauche, à l'automne. Que d'attentions portées à Arnaud Montebourg qui a fait lui aussi acte de candidature ! Celui-ci certes n'est pas du tout sur la ligne politique de François Hollande, il a longtemps soutenu Ségolène Royal, et, comme Valls, il juge utile de démontrer qu'une nouvelle génération de socialistes peut, demain, être aux commandes. Entre Martine et François, on peut se demander de quel côté il va pencher au cas où il serait distancé par ces deux-là au premier tour des primaires. En faveur de Martine Aubry, plus proche de la gauche du parti, donc de lui, ou bien pour Hollande qu'il n'a jamais épargné mais qui ne lui a jamais nui ? Ses relations avec Martine Aubry sont devenues, avec le temps, exécrables. Donc, rien n'est encore joué. On verra entre les deux tours.

Quant à Jean-Michel Baylet, qui, radical, a décidé de s'inscrire aux primaires du PS élargi, c'est-à-dire de la gauche, François Hollande sait que ce n'est pas de lui que viendra le mal : au contraire, sa présence dans la compétition signifie que, passant par la procédure des primaires, il se soumettra à leur verdict, et qu'il n'y aura donc pas de candidature radicale autonome en 2012. Toujours bon à prendre quand on se souvient que, sans le score réalisé par Christiane Taubira en 2002, Lionel Jospin aurait devancé au premier tour Jean-Marie Le Pen et aurait donc affronté Jacques Chirac au second.

Avec Ségolène Royal, la stratégie de François Hollande consiste à ne pas en avoir, du moins publiquement. Le temps a effacé les blessures, mais les cicatrices ? Parfois, on le voit sur les clichés des photographes qui épient leurs regards, leurs gestes, leurs sourires, une complicité renaît. Parfois, au contraire, le beau visage de Ségolène Royal se crispe, et François Hollande regarde ailleurs. Une seule certitude, essentielle : leurs enfants, qui tous étaient en 2007 derrière leur mère, attentifs et bienveillants, ont fait savoir – après tout, c'est leur droit – qu'ils soutiendraient celui de leurs parents qui sortirait du chapeau au second tour de la primaire.

Pas un geste, en revanche, pas un regard en direction de Martine Aubry dont il connaît la pugnacité mais dont il reconnaît la légitimité. Il préfère la contourner en recherchant patiemment le soutien, au second tour, des quatre autres candidats qui concourent avec eux au premier.

Pour le reste, François Hollande sait aussi que les ralliements des uns et des autres ne font pas tout. Il lui faut aussi apparaître, à ce moment de la campagne, comme l'adversaire principal du président de la République. Pour pouvoir surfer sur la vague antisarkozyste, qui enfle en cette période déjà préélectorale, et même si, à l'Élysée, la stratégie est de ne pas s'en mêler, de laisser les socialistes jouer entre eux, il est nécessaire de démontrer aux Français, sinon aux candidats à la primaire, qu'il est lui, François Hollande, le meilleur adversaire du président « sortant ». Il n'est donc pas mécontent, mais plutôt ravi, même, que les plus rudes coups lui soient portés par la majorité sarkozyste qui clame trop fort qu'à tout prendre, Martine Aubry serait une meilleure candidate à la présidentielle que lui : plus compétente, plus solide, plus offensive. En entendant François Fillon ou Jean-François Copé se lancer dans cet éloge de la fille de Jacques Delors, Hollande a compris qu'ils le redoutaient davantage.

Nous voici en septembre. Les dés des primaires roulent. Chacun, à gauche, fait son jeu. L'Élysée, le gouvernement, l'UMP ont commencé par se féliciter de ce scrutin interne à la gauche dont ils attendaient qu'il tourne au jeu de massacre : l'organisation en serait impossible, les fraudes, généralisées, et le désordre, considérable. En regardant eux aussi les trois débats télévisés dont les téléspectateurs raffolent, en notant que la gauche rafle la presque totalité du temps d'antenne consacré à la politique, ils se demandent maintenant si la procédure adoptée par le PS n'est pas, après tout, la bonne. Ils espèrent encore que les déchirures apparaîtront entre les différents prétendants, ou que la confusion dominera dans des échanges qu'ils escomptent meurtriers. Rien de tout cela. Lors des différents débats, Martine Aubry, comme on s'y attendait, n'a pas ménagé son adversaire principal, et Ségolène Royal n'a épargné personne. Jean-Michel Baylet, de façon inattendue, s'est prononcé pour la dépénalisation du cannabis. François Hollande n'a pas été au mieux de sa forme, manifestement plus à l'aise dans les meetings publics ou la conversation privée que sur un plateau de télévision trop encombré. Quant aux deux représentants de la nouvelle génération socialiste, Valls et Montebourg, ils ont tout simplement crevé l'écran.

Pourtant, loin de démontrer aux électeurs que la gauche était minée par ses divisions, que ses différents leaders étaient indécrottables, incapables en tout cas de surmonter leurs divisions, donc de gouverner ensemble, le premier tour, le 9 octobre, a montré au contraire qu'une relève était possible. Comme prévu depuis la rentrée par les sondages, François Hollande est en tête, mais, avec tout juste moins de 40 % des suffrages alors qu'il en espérait 45, il ne l'est pas assez pour être assuré d'une victoire éclatante au second tour.

C'est entre le premier et le second tour, en revanche, que la façon méthodique et acharnée dont il s'est préparé va faire la différence. Depuis des mois il a ouvert des portes à ses concurrents, il a pris soin de n'en éloigner aucun, de ne vexer personne. Il a feint de ne pas entendre les plaisanteries, parfois les injures des uns, il est resté insensible aux tentatives de déstabilisation des autres, tout cela en affichant sur son visage aminci un sourire à toute épreuve.

Les résultats de plusieurs mois d'efforts, de conversations et de rencontres discrètes sont là. Dès le lendemain du premier tour, il bénéficie du retrait de Jean-Michel Baylet et de celui, prévu, de Manuel Valls. Ségolène Royal le rejoint le 12 mars. Arnaud Montebourg, d'un pas plus lent, ferme la marche. C'est Aquilino Morelle, l'ancien « speach-writer » de Lionel Jospin, devenu, le temps des primaires, directeur de la campagne de Montebourg, qui a servi d'intermédiaire : le rapprochement en a été facilité. Même à Montebourg, à qui il doit le sobriquet de « Flanby », entre autres amabilités du genre (dont : « Le principal handicap de Ségolène Royal, c'est son mari », sur Canal+), François Hollande n'a jamais fermé sa porte.

« Le retrait de Montebourg en faveur de Hollande, raconte Aquilino Morelle, a pris du temps. Se rallier à Martine Aubry, c'était pour lui pratiquement impossible : elle ne l'avait pas du tout soutenu lorsqu'il avait enquêté et dit tout le mal qu'il pensait de la fédération socialiste des Bouches-du-Rhône. Pour Hollande ? Il n'était pas chaud. Alors, que faire ? Refuser de choisir entre les deux ? C'était le choix majoritaire des militants historiques du Nouveau Parti socialiste : 40 % se prononçaient pour l'abstention, 30 % pour Aubry. Il ne restait pas beaucoup de voix parmi eux pour Hollande. Moi, je pensais que l'option "blanc bonnet, bonnet blanc" était impossible : c'était ou l'un ou l'autre. Finalement, Montebourg a choisi Hollande, mais sentant son courant très réticent, il a décidé d'annoncer qu'à titre personnel il voterait Hollande, mais qu'il respectait les autres choix faits par les militants du NPS. »

Le second tour, le 16 octobre, est nettement moins convivial que le premier. Assurée de perdre, puisque les quatre candidats éliminés se sont désistés en faveur de Hollande – ce qui montre, par parenthèse, qu'occuper le poste de premier secrétaire du PS est en définitive plus nocif que bénéfique –, Martine Aubry aurait pu et dû sans doute contenir son tempérament volontiers mordant, pour ne pas dire agressif. Elle lui donne au contraire libre cours, employant des mots dont elle aurait pu faire l'économie et dont elle ignore encore qu'ils seront repris en boucle, jusqu'au 6 mai 2012, par les partisans de Sarkozy : ainsi de la « gauche molle » dont elle accuse Hollande d'être le parfait archétype.

Trop tard : la machine Hollande, si bien huilée, trop bien selon la première secrétaire, résiste à ces derniers assauts. Comme à son habitude, il encaisse, il fait comme s'il ne les entendait pas, même s'il les enregistre de façon indélébile dans son esprit.

Une certitude : c'est pendant cette période, du début à l'automne de 2011, qu'est né aux yeux de tous, hommes politiques et électeurs, le véritable François Hollande. À la fois concentré sur son objectif unique, occupant le terrain, attentif aux autres, y compris à ses ennemis, sacrifiant avec plaisir au rite des bains de foule, mettant les rieurs de son côté, usant et parfois abusant de son sens de la formule, il est devenu ce qu'il rêvait d'être : le candidat de la gauche face à Nicolas Sarkozy.

Il ne veut pas réitérer les erreurs de 2007 : le soir même de sa désignation, il appelle autour de lui, sur un podium improvisé, rue de Solferino, tous les caciques du Parti, amis et adversaires. Il n'a pas oublié les malentendus et les mauvaises humeurs qui ont opposé naguère le Parti et la candidate socialiste en 2007. Ségolène a alors reproché – elle le fait encore – à François Hollande de ne pas l'avoir assez aidée lors de sa campagne. Il a regretté que la candidate s'enferme dans une équipe parallèle. Lui sait qu'il a besoin de tous les concours jusqu'au 6 mai.

Voilà pourquoi, le surlendemain du second tour, 17 octobre, sans attendre, il joint au téléphone Laurent Fabius, principal soutien de Martine Aubry faute d'avoir pu l'être de DSK dans cette campagne interne. Il l'appelle, se souvient-il, sous prétexte qu'il devait remettre au candidat désigné le calendrier d'action de la première année de la Présidence, mis au point à la demande de la première secrétaire. Ils conviennent donc d'un rendez-vous pour les jours suivants.

« Lorsque nous nous sommes rencontrés, raconte François Hollande, je lui ai dit : nous nous sommes beaucoup disputés, toutes ces années. Soit nous restons séparés, et je le regretterai. Soit, ce qui aurait ma préférence, tu participes à ma campagne. Il a été heureux de ma proposition qu'il a acceptée sur-le-champ. Et il s'est montré d'une totale loyauté à mon égard. Je lui ai demandé dans quel domaine il avait envie de travailler en priorité. Il m'a répondu : les Affaires étrangères. Je lui ai dit : D'accord, tu seras ministre des Affaires étrangères, tout en sachant qu'ancien Premier ministre il serait appelé en même temps, pendant la campagne, à bien d'autres tâches. »

À compter de ce jour, les socialistes, Martine Aubry comprise, ont réalisé une complète unité derrière leur candidat. La dynamique de la primaire a marché : si elle a laissé des traces, nul (et nulle) n'en fera état jusqu'au 6 mai.

Lorsqu'il prend la parole au Bourget, le 22 janvier 2012, François Hollande a achevé sa mue. Dans une salle comble, surchauffée malgré la température hivernale, il se révèle tel qu'il se rêvait d'être depuis la sombre période de 2008 : lui-même, avec ses défauts et ses qualités, lui-même avec son tempérament et son passé déjà long, habité par François Mitterrand, dont il imite inconsciemment l'éloquence, mais aussi par Jacques Chirac, dont il a retenu la leçon : en France, toute vraie carrière politique commence au canton.

Chapitre II

La transition

Dimanche 6 mai, 20 h 05 : le téléphone sonne dans le bureau de François Hollande au conseil général de Corrèze, sur les hauteurs de Tulle. C'est Nicolas Sarkozy. Depuis plus d'une heure et demie, alors même que les bureaux de vote n'ont pas encore fermé dans les grandes villes, la victoire de François Hollande est acquise. Déjà, son ancien directeur de cabinet au PS, Olivier Faure, resté à Paris, lui a annoncé, vers 18 h 30, que d'après les premières estimations il ne pouvait plus perdre. L'écart entre Sarkozy et lui pourrait encore diminuer, la soirée se terminer sur un 52/48, mais aucune crainte que la tendance s'inverse. Quelques instants après Olivier Faure, Pierre Moscovici, depuis le QG parisien de l'avenue de Ségur, essayant de se faire entendre au milieu du joyeux brouhaha des « hollandais », l'a à son tour félicité. « C'est bien », a simplement répondu François Hollande.

Lui aussi prévenu en fin d'après-midi par ses équipes en deuil, après des heures éprouvantes, Nicolas Sarkozy a attendu 20 heures pour joindre son successeur par téléphone. François Hollande et Valérie Trierweiler, présente à ses côtés, demandent aux partisans enthousiastes de s'éloigner. Le président nouvellement élu le confiera plus tard : il n'a pas voulu, pour l'épargner, que le vaincu entende les cris de victoire qui retentissent dans les couloirs et les bureaux du conseil général. Même si Nicolas Sarkozy ne nourrissait plus grande illusion, tout en donnant le change depuis plusieurs jours, il a sans doute fallu, à celui qui est déjà l'ex-président de la République, vaincre sa nervosité, ravaler son amour-propre et modérer son tempérament éruptif, pour féliciter, à l'anglo-saxonne, le nouveau, rituel ou partie de plaisir dont il se serait volontiers passé.

Depuis le début de l'année, les sondages, à une ou deux exceptions près, ont toujours donné gagnant le candidat socialiste, mais, au cours de la campagne, surtout les derniers jours, l'écart s'est amenuisé, entretenant les frêles espérances des partisans de Nicolas Sarkozy. À l'heure où celui-ci appelle François Hollande, le suspense vient de retomber : Hollande a gagné, Sarko a perdu.

Ce dernier parle d'abondance, comme il le fait souvent, sans laisser le temps à son interlocuteur de placer plus de quelques mots. Tonalité de la courte conversation entre les deux hommes : celle qui, après un match de football, voit les joueurs échanger leurs maillots, chacun se résignant à accepter la loi du vainqueur, sinon du plus fort. La campagne a pourtant été harassante, les nerfs des candidats mis à rude épreuve, leurs voix sont enrouées. Aucune agressivité, pourtant, dans les paroles de Nicolas Sarkozy, même si son interlocuteur décèle aisément son amertume : « C'est dur, mais j'ai fait mon devoir et n'ai pas de regrets… Prends soin de toi, ajoute-t-il, employant le tutoiement qui a toujours été de mise entre eux, datant du lycée de Neuilly où ils firent ensemble leurs études, et, plus tard, de leur longue fréquentation au Palais-Bourbon. Ce n'est facile ni pour la famille et les enfants, ni pour toi-même. Réjouis-toi, ce soir : c'est ta dernière journée d'insouciance, cela ne durera pas. » Il conclut par une phrase inattendue, témoignage de sa sportivité : « N'hésite pas à m'appeler si tu as un problème. »

François Hollande sent son adversaire d'hier plus touché qu'il ne veut bien le dire, meurtri par une campagne qui, juge-t-il, a touché ses proches, et qui, en effet, a bouleversé Carla Bruni. Mais Sarkozy, flibustier, aventurier, superprésident, combattant prêt à tout pour vaincre, comme on voudra, est ce soir beau joueur. Quelques minutes plus tard, après sa conversation téléphonique avec Hollande, il répétera, devant des millions de téléspectateurs cette fois, qu'il s'incline devant le choix républicain qui vient d'être fait par les Français.

À peine a-t-il raccroché que François Hollande entre dans un autre monde. Les radios et les télévisions françaises n'ont pas fini d'affiner les SSU, ces fameux « sondages sortis des urnes », que ses amis et collaborateurs explosent de joie. Lui-même et Valérie Trierweiler, sa compagne, ne cachent pas la leur. Sarkozy a raison : ce soir au moins, tous, dans le bureau du conseil général de Tulle, comme au QG de Paris, avenue de Ségur, et rue de Solferino, se réjouissent.

C'est à la foule des Corréziens que François Hollande réserve son premier discours de victoire, trop ému, trop long, avant de s'envoler pour Paris où l'attendent, pétaradant sur leurs motos, des centaines de journalistes et de photographes qui, dans leur course désordonnée, ralentissent le cortège par leurs embardées. Direction : la Bastille où, déjà, des centaines de milliers de personnes ont convergé. Normal que la foule s'y retrouve pour attendre celui qui est déjà, après François Mitterrand, le second président socialiste de la Ve République. François Hollande et Valérie Trierweiler, suivis d'Aquilino Morelle – celui-ci, depuis les primaires, a repris du service et des galons auprès du candidat et nouveau président – débarquent à la Bastille.

Sous la tente réservée aux personnalités dressée au milieu de la place – eh oui, il en faut bien une pour les caméras, évidemment, mais aussi pour les VIP[1] politiques qui, toutes, autrement, se seraient enlisées dans la foule comme dans des sables mouvants – se sont déjà réunis, frayant tant bien que mal leur chemin, tous les leaders qui ont soutenu François Hollande : Laurent Fabius, Claude Bartolone, Jean-Marc Ayrault, Manuel Valls, Ségolène Royal, Martine Aubry. Et d'autres encore : Aurélie Filippetti, Najat Vallaud-Belkacem, Faouzi Lamdaoui, son chef de cabinet pendant la campagne. Vincent Peillon manque à l'appel : peu friand de ces embrassades, il a préféré rester chez lui[2].

Sous la tente, Mazarine Pingeot, la fille de François Mitterrand, est venue, accompagnée du mécène en chef de la gauche, Pierre Bergé, tandis que sur le podium, Cali, Yannick Noah surtout, dans un concert improvisé, font attendre l'arrivée du président nouvellement élu.

François Hollande a beau aimer les foules, au-devant desquelles il se jette depuis plus d'un an avec une sorte de volupté, il est un instant saisi par l'ampleur de l'accueil. Les caméras le montrent se trompant, tournant le dos à l'immense podium dressé sous le Génie ailé de la Bastille, tentant d'entrer d'un côté de la tente pour en ressortir aussitôt. Lorsqu'il finit par monter sur la tribune, son premier geste est d'appeler autour de lui tous ceux qui ont contribué à sa victoire. Façon de continuer à se poser, après comme avant le vote, en rassembleur de la gauche, objectif

1. De l'anglais *Very Important Person.*
2. Conversation avec l'auteur, le 10 juillet 2012.

qu'il n'a cessé de poursuivre, on l'a vu, depuis plus de deux ans.

Le discours qu'il prononce est plus court, plus musclé que celui de Tulle, moins ému aussi, car de la capitale corrézienne à Paris il a eu le temps de remettre de l'ordre dans ses sentiments. Il parle du refus de l'austérité en France et en Europe, il parle de la jeunesse et du changement. Reprenant les termes qu'il a employés en Corrèze il y a seulement quelques heures, il exprime sa volonté de mettre fin aux « blessures, ruptures, brûlures » qui viennent de diviser la France. C'est une France apaisée qu'il dit vouloir incarner, contrairement, suggère-t-il, à Nicolas Sarkozy dont il ne prononcera pas le nom ce soir. En revanche, il est un autre nom qu'il prononce, celui qui est évidemment attendu par l'océan de ses partisans sur la place de la Bastille : « Ma fierté, trente et un ans après, ici, est d'avoir permis que la gauche ait un successeur à François Mitterrand ! »

Comment ne penserait-il pas, en effet, en ces instants, à celui auprès de qui il a fait ses premières classes en politique, qu'il a regardé, dont il a étudié pendant des années le comportement, dont il s'est tant inspiré. À tel point que, pendant toute la campagne, Hollande a retrouvé le ton, la voix, les gestes de François Mitterrand dans chacun de ses meetings. À 11 ans, à l'âge où les enfants d'aujourd'hui pianotent sur des jeux électroniques, il s'était, avec sa mère, passionné pour la première campagne présidentielle au suffrage universel, celle de 1965, dont, fasciné par le combat entre de Gaulle et Mitterrand, il ne manqua pas une image à la télévision.

Plus tard, sorti de l'ENA, brûlant de s'y distinguer par sa volonté de « gauchiser » la grande école, puis conseiller à la Cour des comptes, il ne lui avait pas fallu longtemps pour, accompagné de Ségolène Royal, proposer ses services au PS, à Jacques Attali, éberlué par la démarche des deux jeunes gens au moment où, en 1980, François Mitterrand, talonné par Michel Rocard, était au creux de la vague. Pas beaucoup de temps non plus pour rejoindre, toujours avec Ségolène, le cabinet de l'Élysée, en 1981, comme chargés de mission. Il avait alors la trentaine, une irrésistible envie de faire de la politique, la volonté d'y réussir, le goût de travailler avec et pour le premier président de gauche de la Vᵉ République.

Certes, celui-ci avait un moment paru presque incrédule lorsque François Hollande, qui grattait alors, dans un petit bureau de la rue de l'Élysée, des notes sur l'économie et la fiscalité, un de ces « techno » dont Mitterrand se servait tout en s'en défiant, lui avait révélé son intention de faire son trou en Corrèze où Jacques Chirac lui avait fait mordre la poussière aux élections législatives de 1981.

Que François Mitterrand ait cru ou pas en lui comme en un de ses disciples politiques, difficile à savoir : Hollande était alors trop jeune pour être véritablement distingué par le chef. Trop jeune aussi pour être un de ses proches. En tout cas, même si, à un certain moment, le président de la République a paru agacé par l'impatience, voire l'ambition de son jeune collaborateur après que celui-ci eut décidé de voler de ses propres ailes, François Hollande a mis des années plus tard ses pas dans les siens.

Pas un jour ou presque de la campagne de 2012 sans qu'il ait pensé à lui. Un de ses premiers gestes sera d'ailleurs, le 8 mai, date à laquelle les amis de Mitterrand se rendent traditionnellement à Château-Chinon, de s'en aller visiter la Grande Bibliothèque que l'ancien président porta sur les fonts baptismaux et qui porte aujourd'hui son nom.

Jamais autant que dans le discours de la Bastille on a senti une telle similitude des styles, littéraire et politique, entre les deux hommes. « Grande victoire, belle victoire... », « Nous vivons un grand moment, un beau moment... », « Souvenez-vous toute votre vie de ce grand rassemblement de la Bastille... » : dans ces répétitions lyriques, presque litaniques, on retrouve la même éloquence, la même scansion qui électrise les centaines de milliers de sympathisants convergeant depuis des heures vers la Bastille et qui y resteront jusqu'à l'aube. François Mitterrand n'était pas venu à la Bastille au soir de sa victoire, François Hollande n'avait pu y arriver, cette année-là, tant la foule était dense. Trente et un ans plus tard, le voici sur le podium, bras écartés au-dessus de la tête, saluant, par-dessus un brouhaha continu, les dizaines de milliers de partisans qui l'acclament.

Mais Hollande ne pense pas que le chemin du pouvoir s'arrête ce soir-là à la Bastille. Il le dit : il est « heureux », mais aussi « soucieux ». Soucieux de la difficile situation dans laquelle il a été élu ? Sans doute. Mais surtout, pour l'instant, de l'issue de la campagne législative qui commence. C'est en politique qu'il a préparé et mené cette campagne, c'est en politique que, quelques heures seulement après son élection, il demande à ceux qui l'écoutent de ne pas poser leur sac et de se mobiliser séance tenante pour les législatives. C'est en effet une crainte qu'il nourrit déjà depuis longtemps : celle d'une importante déperdition de l'électorat de gauche qui pourrait, ayant fait le plus important en le portant à l'Élysée, être tenté, du coup, de s'en aller pêcher à la ligne les dimanches des premier et second tours des législatives. Hollande est un homme de sang-froid sous ses apparences chaleureuses : le bonheur d'être élu ne l'empêche pas de penser, dans l'instant même, aux échéances qui suivent.

Il ne s'attarde pas à la Bastille : il a déjà, de longues minutes durant, donné l'accolade à ceux des dirigeants socialistes qui ont participé à sa campagne, et donc à sa victoire, il a embrassé plusieurs femmes, parmi lesquelles Ségolène Royal dont le soutien a été sans faille depuis le mois de novembre dernier, non sans s'en aller dans la minute suivante embrasser de plus près sa compagne, Valérie. Celle-ci lui a-t-elle alors demandé de l'embrasser sur la bouche, comme les journalistes le déduiront après analyse attentive non des paroles prononcées par Valérie Trierweiler, que l'on n'entend pas dans la rumeur générale, mais du mouvement de ses lèvres ? S'il ne l'a pas entendue, du moins a-t-il fait ce qu'elle attendait.

Quelques minutes plus tard, François Hollande quitte la Bastille, accompagné de sa compagne. Une matinée bien remplie l'attend le lendemain, il est temps de prendre congé de la foule. Un grand nombre de ses lieutenants n'ont pas cette sagesse : Aquilino Morelle et Aurélie Filippetti, qui, à l'occasion de la plupart des meetings de la campagne, a fait patienter les partisans de François Hollande en assurant la première partie du spectacle, boivent quelques verres ensemble, puis Aquilino rejoint Manuel Valls avec lequel il reste à deviser jusqu'à trois heures et demie du matin. Lorsque l'épouse de celui-ci, la violoncelliste Anne Gravoin, se dit fatiguée, et que Manuel Valls prend à son tour congé, le conseiller du candidat élu va enfin se coucher, confiant : il sait qu'il est attendu par Hollande, avenue de Ségur, le lendemain matin. En effet, lorsque, le samedi 5 mai, à quelques heures du scrutin, il a félicité par avance François Hollande de sa victoire, celui-ci lui a répondu : « Si c'est cela, nous allons avoir beaucoup de travail, lundi matin », ce qu'il a pris pour une prolongation de son « contrat » auprès du candidat socialiste.

Avant lui, les uns après les autres, les dirigeants socialistes, dont le plus grand nombre ne sont pas aussi assurés de leur sort qu'Aquilino Morelle, puisque François Hollande ne leur en a rien dit, ont regagné leur domicile. Il y a déjà belle lurette que Hollande et Valérie Trierweiler sont chez eux.

Nicolas Sarkozy n'a pas été le seul, ce soir-là, parmi les chefs d'État européens, à passer un coup de téléphone à François Hollande. La chancelière allemande l'a suivi de peu, faisant ainsi la démonstration qu'en politique, l'essentiel est de gagner. « Elle m'a appelée le 6 dans la nuit, confirme François Hollande, d'une façon très simple, très lisible : je vous adresse mes félicitations, m'a-t-elle dit. Elle a ajouté qu'elle tenait à avoir les meilleurs rapports avec la France. »

Façon la plus discrète possible de passer sous silence le refus, qui avait été le sien, de rencontrer François Hollande avant l'élection ? Les Français ont choisi, voilà tout. La chancelière prend les choses comme elles viennent. Hollande n'avait jamais pensé qu'il pût en être autrement.

« Elle a été, ajoute-t-il, ce qu'elle est toujours : très précise ; elle m'a tout de suite dit qu'il serait bon que nous nous rencontrions le plus vite possible, et a proposé que ce soit le 16 ; j'ai bien sûr accepté. Par la suite, pour des raisons d'agenda, c'est moi qui ai avancé la date au 15. »

Quelques heures seulement après Angela Merkel, décalage horaire oblige, Barack Obama appelle à son tour. « Il a été très sympathique avec moi, commente François Hollande ; il m'a dit qu'il était très inquiet de la situation européenne et qu'il pensait que mon élection était une façon de favoriser le règlement de nos problèmes. »

Merkel, la Bastille, Obama dans la nuit – François Hollande n'en commence pas moins sa journée aux premières heures de la matinée. Lorsqu'il arrive à son bureau de l'avenue de Ségur, une petite centaine de partisans et des dizaines de journalistes l'attendent. Il a alors cette phrase inattendue, parce qu'elle traduit une sorte de « trac » devant ce qui l'attend : « J'ai dit que j'étais prêt, et maintenant il va me falloir l'être *tout à fait.* » Ainsi donc, cet homme auquel ses adversaires ont tant reproché de ne pas avoir l'expérience du pouvoir pourrait-il douter, à ce moment-là, d'être complètement préparé à la fonction pour laquelle les Français l'ont élu ? Mais personne, dans la petite troupe qui l'attend, ne l'a compris ainsi. Tant mieux !

Tandis que Manuel Valls, qui s'est vu à nouveau confier, pour la période qui s'ouvre, la responsabilité de la communication présidentielle, intervient à la radio et à la télévision tôt dans la matinée, Pierre Moscovici, lui, a rejoint Hollande au QG de l'avenue de Ségur, car il s'est vu dès la veille confier l'organisation de la passation des pouvoirs dont, ce lundi matin, nul ne sait encore quand elle va avoir lieu.

Depuis les débuts de la Ve République, le laps de temps qui sépare l'élection de l'installation d'un nouveau président – sauf, bien sûr, s'il se succède à lui-même – est variable. Entre Valéry Giscard d'Estaing et François Mitterrand, elle avait eu lieu le 21 mai, soit onze jours après l'élection. Dix jours avaient suffi pour procéder à la passation des pouvoirs entre Mitterrand et Chirac en 1995.

Mosco entre le jour même en contact avec celui que Nicolas Sarkozy a désigné, de son côté, pour assurer la transition : il s'agit de Xavier Musca, son directeur de cabinet. Mosco et Musca se connaissent ; les voilà dans le même bateau pour neuf jours. Ils n'ont pas de mal à s'entendre, et la date de la passation des pouvoirs est aussitôt fixée au 15 mai.

Ces neuf jours sont essentiels pour la Présidence qui commence, et Hollande les voit comme tels. À l'ordre du jour de la transition : la composition du cabinet élyséen qui ne ressemblera pas forcément à l'équipe de campagne ; la constitution du gouvernement, qui y ressemblera davantage : François Hollande a promis à la presse qu'il donnerait le nom de son Premier ministre le 15, et que le gouvernement serait connu le 16, lequel se réunirait dans la foulée pour un premier Conseil des ministres ; l'action internationale, enfin, au rythme d'un calendrier très serré, très rapproché, avec les rencontres (Angela Merkel, Barack Obama) et les sommets prévus sur fond de crise aiguë en Grèce[1] et de crise permanente en Europe. Cet agenda ne laisse pas de place à la moindre journée de vacances. De toute façon, François Hollande se serait bien gardé d'en prendre : pas de yacht, pas de bains de soleil, pas de pause ! Comme le dit en trois mots Pierre Moscovici : « De la joie, de l'émotion, pas d'ostentation. » Il ne nomme personne, mais on peut suivre son regard…

François Hollande a choisi, depuis le début de sa campagne, voilà plus d'un an, de faire de Nicolas Sarkozy une sorte de contre-exemple : rien, ni fatigue ni envie de « décompresser », ne le fera quitter Paris. Il a dit *urbi et orbi* – et parfois à son désavantage – qu'il voulait être un « homme normal », c'est-à-dire le contraire de son prédécesseur. L'homme normal ne prend pas de vacances, ne serait-ce que quelques jours, quand il vient d'être élu : cela relève du symbole, et pour François Hollande les symboles sont essentiels.

1. Le 6 mai, les élections législatives grecques voient arriver en tête le parti conservateur qui se révélera rapidement incapable de former une coalition gouvernementale. De nouvelles élections auront lieu en juin.

Dès l'après-midi du 7, il se rend sur la tombe de sa mère, à l'abri des photographes et des caméras qui le traquent depuis la veille. Sa mère à la fibre socialiste, qui a toujours pensé, alors que rien *a priori* ne l'autorisait à le croire, que son fils cadet serait président de la République, valait bien cet hommage discret. Le hasard fait que, ce même jour, le père de François Hollande, dont il est tellement éloigné et depuis si longtemps, réserve au quotidien du Sud-Est *Nice-Matin* des félicitations ambiguës à son fils : « Sarkozy lui a fait un cadeau empoisonné. J'espère qu'il va redresser la France. » Comme congratulations paternelles, il y a plus chaleureux !

Hollande, qui lui rendra visite le 9 dans sa résidence du quartier Montrose à Cannes, n'en est sans doute pas étonné : tout jeune il a appris à composer avec l'autoritarisme et les inclinations droitières de son père. C'est même, disent ses biographes, grâce à lui qu'il a appris le sens de l'esquive et l'art de retomber assez facilement sur ses pattes. Il s'est en quelque sorte construit contre lui, c'est ce dont il a fait la confidence, alors qu'il parle rarement de sa vie personnelle, à l'occasion du meeting du Bourget, « là où, dira-t-il plus tard, tout s'est joué ».

Le temps de rentrer de Cannes, d'aller serrer des mains, avenue de Ségur ou ailleurs dans Paris, pour montrer aux Français qu'il ne les oublie pas, et François Hollande se remet au travail.

À son QG, pour les neuf jours qui séparent l'élection de la passation, avant que les membres du cabinet de la Présidence et du gouvernement prennent leurs fonctions, ce qu'ils ne peuvent faire avant le 15 mai, les responsabilités sont clairement réparties : Mosco, donc, est chargé de la transition ; Manuel Valls conserve la communication ; à

Stéphane Le Foll la préparation des élections législatives de juin.

Première tâche : la composition du cabinet, essentielle pour aborder le quinquennat de la meilleure façon. « Je crois, convient Aquilino Morelle, qu'il y pensait depuis longtemps. » En effet. Il avait en tête, pour un poste clé dont il ne savait pas encore exactement ce qu'il serait, secrétaire général de l'Élysée ou directeur de campagne, le nom de Pierre-René Lemas.

Lunettes cerclées, visage jovial sous des cheveux blancs, chaleureux comme on l'était dans la famille de pieds-noirs où il est né, Pierre-René Lemas est un ami de près de quarante ans de François Hollande, avec qui il a fait ses études à Sciences Po et à l'ENA : il a appartenu, comme le Président, comme Ségolène Royal, Jean-Pierre Jouyet, Dominique de Villepin ou Michel Sapin, à la promotion « Voltaire ». Ses classes, il les a faites au cabinet de deux ministres de l'Intérieur socialistes : celui de Gaston Defferre en 1983 (il avait alors 32 ans), puis de Pierre Joxe, l'année suivante. S'en est suivie une carrière sans histoire de préfet dit de « gauche », dont la compétence a été saluée par sa nomination au poste éminent de directeur général de l'Administration au ministère de l'Intérieur sous le gouvernement de Lionel Jospin.

Au début, lorsque Nicolas Sarkozy a été nommé Place Bauveau, les choses ne s'étaient pas trop mal passées entre les deux hommes. Lemas avait même gardé son poste un an avant d'être nommé préfet en Corse en 2003. Petite préfecture devenue un gros enjeu pour le ministre de l'Intérieur de l'époque qui s'y investit avec énergie. Est-ce là que Pierre-René Lemas a déplu ? Sans doute, puisqu'un an seulement après son installation à Ajaccio, il a payé cher son refus d'accorder, malgré la demande faite par Nicolas

Sarkozy, un permis de construire en zone inconstructible à l'acteur Jean Reno, geste évidemment jugé comme une manifestation d'hostilité politique ! Quelques mois plus tard, il met un terme à l'affaire du détournement par les nationalistes d'un bateau de la SNCM[1] en envoyant sur les roses Claude Guéant, alors directeur de cabinet du ministre de l'Intérieur. Ça ne se pardonne pas : quelques semaines après l'élection de Sarkozy à l'Élysée, il est mis à l'écart dans un poste éloigné de ses compétences autant que de ses centres d'intérêt, la direction des *Journaux officiels*. Pierre-René Lemas, qui s'ennuie ferme à ce poste, n'y reste que quelques mois avant de rejoindre l'équipe parisienne de Bertrand Delanoë et de prendre en 2011, à la suggestion de François Hollande, la direction du cabinet de Jean-Pierre Bel, nouveau président socialiste du Sénat.

Lorsque, le 1er octobre 2011, Hollande fête avec ce dernier et avec Lemas cette victoire historique, le seul basculement du Sénat à gauche de la Ve République, il ne cache pas à son ami Jean-Pierre Bel que, s'il est élu à l'Élysée en 2012, Lemas pourrait bien changer de palais présidentiel et passer des jardins du Luxembourg au 55, rue du Faubourg-Saint-Honoré.

François Hollande n'a pas tranché, à ce moment-là, sur le point de savoir s'il confiera à Lemas le secrétariat général de l'Élysée ou la direction de son cabinet. Il ne le sait pas davantage le 9 mai 2012, lorsqu'il appelle Pierre-René Lemas pour lui demander de le rejoindre. Sans attendre d'être fixé, dès ce jour, sur son point de chute à l'Élysée, l'ancien copain de la promotion « Voltaire » s'installe avenue de Ségur.

1. Il s'agit du *Pascal Paoli*, appartenant à la flotte de la Société nationale Corse-Méditerranée.

En ce début de semaine, le nouveau président, même s'il a déjà ses petites idées, sollicite des avis. Ceux de Mosco, évidemment : celui qui a été son directeur de campagne, moyennant parfois des querelles de frontières avec Manuel Valls[1], a depuis longtemps une sorte de marotte : il aime bien repérer, chaque année, les élèves de l'ENA – dont lui aussi est diplômé – qui lui paraissent pouvoir jouer un rôle en politique. « Je suis un talent-scout », dit-il volontiers : ce qui lui permet de suggérer quelques noms dont il pense qu'ils feraient des recrues de choix pour l'Élysée.

François Hollande consulte beaucoup aussi, pendant cette période, Jean-Pierre Jouyet, son ami de toujours, qu'il a retrouvé sans rancune, comme s'ils ne s'étaient jamais quittés, après que celui-ci eut fait un (bref) passage au gouvernement de François Fillon en 2007. Jean-Pierre Jouyet connaît son monde sur le bout des doigts : il avait déjà proposé, pour sa campagne, quelques noms au Président, dont celui d'Emmanuel Macron, jeune (il a 34 ans) et brillant inspecteur des finances qu'il avait repéré lorsqu'il était son chef de service. Devenu le principal responsable des questions économiques avenue de Ségur, cet ex-associé-gérant de la Banque Rothschild passera donc du QG de campagne à l'Élysée où il aura le titre de secrétaire général adjoint.

Jean-Pierre Jouyet avance aussi deux noms au Président pour figurer dans sa garde rapprochée à l'Élysée. Pour la culture, il propose David Kessler, ancien collaborateur de Lionel Jospin, en charge depuis plusieurs mois des ques-

1. Dans un portrait de lui paru dans *Le Monde*, Manuel Valls a laissé entendre que Pierre Moscovici était légèrement « dévalorisé » : « Je m'en suis expliqué alors avec François Hollande, dit Moscovici. Je tenais un rôle discret, ça ne me gênait pas, à condition qu'on ne dise pas que j'étais mis de côté. »

tions culturelles à la Mairie de Paris. C'est à l'occasion d'un dîner chez Jouyet que Kessler a rencontré Hollande pour la première fois en 1998, il y a quatorze ans. Pour les questions de santé et de recherche médicale, Jouyet parle au Président d'Olivier Lyon-Caen, professeur de médecine à la Pitié, neurologue réputé, directeur ou plutôt concepteur de l'Institut du cerveau, qui a déjà exercé ses talents au cabinet de Lionel Jospin. Proposition acceptée sur l'heure par Hollande, qui connaît bien le neurologue.

Autre filière de recrutement pour le cabinet présidentiel, celui de Bertrand Delanoë : David Kessler y était à la tête des Affaires culturelles. Nicolas Revel fait aussi partie du vivier de la Ville de Paris : jusqu'au 6 mai, il était directeur de cabinet du maire. Fils de l'écrivain Jean-François Revel et de la journaliste Claude Sarraute, il était, chez Delanoë, un des hauts fonctionnaires par lesquels passaient tous les dossiers, sans qu'y soient le plus souvent associés les conseillers municipaux. Avec Emmanuel Macron, il sera le second secrétaire général adjoint de l'Élysée.

L'ensemble de ces collaborateurs seront prévenus, entre le 7 et le 16 mai, de la fonction qui leur sera assignée. Ils seront d'ici là reçus par Pierre-René Lemas. Celui-ci les cuisinera, sans avoir l'air de rien.

C'est ainsi que David Kessler s'entend demander s'il compte entrer à l'Élysée pour que cela lui serve de tremplin en vue d'autre chose, une autre fonction culturelle, France Télévisions par exemple. Kessler, qui ne tombe pas dans le piège, fait une superbe réponse au ton stendhalien : « Non, dit-il, ce qui me tente, c'est l'aventure. » D'une phrase, il a gagné son ticket d'entrée à l'Élysée.

En attendant le jour de la passation des pouvoirs, la liste des futurs membres du cabinet restera dans les tiroirs. Aquilino Morelle, qui a l'œil à tout, y veillera. La plupart d'entre eux rejoindront dès le 7 mai le QG de l'ex-candidat socialiste. Paul Jean-Ortiz, ancien membre du cabinet d'Hubert Védrine, est de ceux-là, tout comme Philippe Léglise-Costa, prévu pour être son adjoint.

Il reste que, sur un poste essentiel, François Hollande continue d'hésiter. Le secrétaire général de l'Élysée doit-il avoir un rôle politique, doit-il être plutôt un administratif, quitte à ne pas arborer de manches de lustrine ? Dans un premier temps, François Hollande offre le poste de secrétaire général à Pierre Moscovici. Celui-ci décline avec la dernière vigueur.

Moscovici raconte : « J'ai senti cette semaine-là que le Président voulait me caser quelque part, je ne savais pas bien où. Il m'a demandé si le poste de secrétaire général de l'Élysée m'intéresserait ; je lui ai répondu que non, que je comptais me présenter aux législatives et entrer au gouvernement. »

François Hollande n'insiste pas : il n'est pas dans sa nature de forcer les gens à faire ce qu'ils ne veulent pas faire, donc ce qu'ils feraient mal. D'autant que, près de lui, Aquilino Morelle, qui le connaît bien, juge que, pour Mosco qui toute sa vie a fait de la politique, au PS et sur le terrain, le secrétariat général de l'Élysée serait un contre-emploi.

Michel Sapin, à qui François Hollande a également posé la question, a répondu de son côté qu'à ses yeux l'éventuelle nomination d'une personnalité politique au secrétariat de l'Élysée semblerait contraire à la série des « Moi, Président », seize fois répété au cours de son débat de l'entre-deux-tours avec Nicolas Sarkozy : le candidat socialiste y a fermement exclu la possibilité de s'entourer, s'il était élu, de collaborateurs politiques.

L'argument fait mouche auprès du Président. François Hollande hésitait, pour Pierre-René Lemas, entre le secrétariat général et la direction de son cabinet : va donc pour le secrétariat général !

Mais alors qui à la direction du cabinet ? La promotion « Voltaire » est une fois de plus appelée à la rescousse. C'est une femme, cette fois, blonde, au visage juvénile, que choisit personnellement le Président : Sylvie Hubac. Il ne l'a pas perdue de vue depuis l'ENA, bien qu'elle n'ait pas pris part à son aventure politique. Plus proche de Michel Rocard que de François Mitterrand, elle a suivi le premier à Matignon en 1988 pour assurer, trois ans plus tard, la direction du cabinet de Jack Lang à la Culture. Mais c'est au Conseil d'État qu'elle a passé le plus clair de son temps depuis 2004, alternant les postes culturels – la direction nationale de la Musique et de la Danse, notamment – et le service du contentieux dont elle préside la cinquième sous-section au moment où Hollande l'appelle à l'Élysée.

À Sciences Po, puis à l'ENA, elle était avec toute la bande des copains de l'époque : Jouyet, Ripert, Lemas, Sapin and Co. « Comment n'y ai-je pas pensé ? », dit Jean-Pierre Jouyet au Président lorsque celui-ci lui fait part de son choix. Elle prendra possession de son bureau à l'Élysée quelques minutes après la passation des pouvoirs, le 15.

Reste à choisir – très important pour un président qui veut pouvoir rester lui-même en contact avec la presse – l'équipe de communication, ce qui sous-entend dès ce moment que Manuel Valls sera appelé à d'autres fonctions. Après y avoir songé, François Hollande ne veut pas de porte-parole à l'Élysée. Le porte-parole, dans son esprit, au moins tant que l'expérience du pouvoir ne le persuadera pas du contraire, c'est lui. Une communicante, son amie Claudine Ripert, est immédiatement retenue pour prendre possession des lieux après le 15 mai. Elle y sera rejointe – alors qu'elle occupe déjà un bureau au premier étage gauche du palais présidentiel – par Christian Gravel, qui travaille, lui, dans le sillage de Manuel Valls au sein de l'équipe de campagne depuis les primaires socialistes d'octobre 2011.

Reste donc à préciser le rôle d'Aquilino Morelle. Un homme atypique, ancien médecin devenu, par plaisir autant que par inclination politique, conseiller et faiseur de discours de Lionel Jospin en 1997. Entre François Hollande, amateur de formules, et cet OVNI de la prose politique, tout juste arrivé alors à Matignon, l'entente a été sans faille jusqu'à l'échec de 2002. Au-delà, fidèle à sa stratégie de ne jamais couper les ponts, Hollande ne l'a pas perdu de vue, même si les pas d'Aquilino Morelle l'ont porté vers Arnaud Montebourg dont il a été le conseiller avant et pendant les primaires. Dès le lendemain de sa désignation par la gauche en novembre 2011, Hollande l'appelait auprès de lui.

Après le 6 mai, Aquilino Morelle hésite : n'est-il pas temps pour lui, après ces huit mois décisifs, de quitter son métier, parfois frustrant, de conseiller de l'ombre et d'entrer dans la politique active ? Il voudrait bien être ministre, mais il n'est pas un élu, et le respect de la parité pose déjà assez de problèmes politiques à François Hollande pour ne pas en ajouter. Il envisage donc de se présenter aux législatives à venir. Martine Aubry lui a d'ailleurs réservé la 1re circonscription de la Somme. François Hollande, de son côté, souhaite le garder près de lui. Martine Aubry, qui presse le mouvement, car elle a besoin de boucler les candidatures, appelle Morelle pour confirmation le samedi 11 au matin. Il demande vingt-quatre heures de réflexion.

Le dimanche matin, lors d'une énième conversation, François Hollande lui propose le poste de conseiller politique et le convainc de reporter à plus tard son atterrissage dans la vie politique active. Le 13, Aquilino Morelle avise Martine Aubry que la 1re circonscription de la Somme est libre. Dès l'après-midi du 15 mai, il s'installera dans le grand bureau proche de celui du Président, moderne et gris, qu'a occupé avant lui Henri Guaino.

Et la transition, dans tout cela ? Pierre Moscovici trouve la formule : la semaine de transition, dit-il, se passe « en bonne intelligence, aussi bien que possible dans le contexte d'une alternance ». Pas d'obstacle pour accéder aux dossiers, précise-t-il encore, signe que la France a mûri depuis l'alternance de 1981.

Dès le lundi 7 mai, Xavier Musca a invité, de la part du président sortant, François Hollande à se rendre aux cérémonies commémoratives de la Victoire, le 8 mai. François Hollande accepte sans hésiter l'invitation qui lui est faite.

Le voilà donc, le 8 mai, place de l'Étoile. À quoi pensent donc ce jour-là ces deux hommes au garde à vous devant le tombeau du Soldat inconnu dont ils viennent ensemble de ranimer la flamme ? D'abord à l'image qu'ils donnent devant la France et l'Europe. Celle de la République, de sa continuité, de l'affirmation de ses principes. C'est la première fois dans l'histoire de la Ve République que deux présidents, qui viennent de se combattre avec ardeur, commémorent ensemble la victoire des Alliés sur l'Allemagne nazie en 1945. Lorsque François Mitterrand et Jacques Chirac s'étaient retrouvés, le 8 mai 1995, pour cette même célébration, François Mitterrand était certes le président sortant, et Jacques Chirac venait d'être élu la veille, mais ils ne s'étaient pas opposés en cours de campagne, la maladie de Mitterrand ayant empêché qu'il songe même à postuler un troisième mandat. Celui que Chirac avait trouvé sur sa route, c'était Lionel Jospin. Et le président sortant n'avait guère caché qu'entre les deux candidats de la droite, Balladur et Chirac, il préférait, tant qu'à faire, le second.

François Mitterrand avait donc fait de même avec Jacques Chirac, élu depuis la veille, en 1995. Le geste de Chirac, se penchant galamment pour ramasser l'écharpe de Danielle Mitterrand tombée à ses pieds, était alors apparu comme une marque inédite de complicité démocratique.

Invité de la même façon par Jacques Chirac, à qui il succédait, Nicolas Sarkozy, élu le 6 mai 2007, n'avait pas souhaité se rendre à l'Arc de Triomphe, le 8, au prétexte qu'il ne voulait pas « d'une République à deux têtes ». Ce qui, au passage, en disait long sur ses propres relations avec Jacques Chirac...

Quand on songe, ce mardi, que Nicolas Sarkozy et François Hollande viennent à peine de mettre un terme à un des affrontements les plus violents qu'ait connus, depuis 1965, une campagne présidentielle ! Ils ne se sont faits aucun cadeau, se sont défiés des semaines durant. Chacun a taillé en pièces le programme de l'autre, ils se sont contredits en face à face dans un duel télévisé qui restera dans les annales. Chacun a prédit aux Français, si l'autre gagnait, le chaos, l'enlisement, la misère. Ce mardi, on voit pourtant d'un seul regard qui a gagné, qui a perdu : le visage creusé, les traits tirés, le président sortant semble marqué par la défaite ; le président élu a meilleure mine. Il découvre le rituel quasi monarchique qui, en France, marque les commémorations nationales.

À quoi peuvent-ils donc penser, immobiles, transis, en ce matin du mois de mai, tandis qu'un vent froid fait voler une mèche indocile sur le front du président fraîchement élu ?

Nicolas Sarkozy a une préoccupation : sortir dignement de ses fonctions. Il l'a déjà fait dans son allocution de dimanche soir, à la Mutualité. La présence de François Hollande à ses côtés montre qu'il cultive la même volonté aujourd'hui : afficher la continuité républicaine, incarner une transition démocratique. Et peut-être démontrer à ceux qui, à gauche et à droite, ont dénoncé la rudesse de ses manières tout au long de ses cinq années de mandat qu'il sait aussi finir une guerre en beauté. Pas de trace apparente d'amertume dans le comportement de Nicolas Sarkozy, mais sans doute ne peut-il s'empêcher de penser que les Français ne l'ont pas compris, pas aimé, et que, désormais – du moins en a-t-il, ce mardi matin, l'intention –, il quittera la politique, puisque celle-ci l'a quitté.

Il se console aussi, comme la plupart des ministres qui l'ont servi, et comme les analystes électoraux de l'UMP, en pensant que, finalement, sa défaite n'a pas été une Berezina, contrairement à celle qu'ont subie d'autres leaders européens, et qu'il a fait la campagne la plus efficace possible dans le contexte d'une crise grave, qui n'est pas finie et dont il paie les pots cassés. Mais enfin, il a été battu et la page de son livre d'aventures se referme sur lui.

François Hollande est, ce mardi, à l'image de sa campagne : grave et prudent. Il sait l'ampleur de la crise qui l'attend, les difficultés qu'il aura à convaincre la chancelière allemande, s'il y parvient, de renégocier le Traité européen dont l'encre n'est pas encore sèche, et d'y faire figurer un volet sur la croissance. Il sait que la Bourse, ce matin, a chuté de 2,78 %, conséquence des difficultés que rencontrent les Grecs à composer leur gouvernement. Il voit également qu'en Europe d'autres pays remettent en question les politiques d'austérité draconienne : il a entendu Mario Draghi, le président de la BCE, parler lui aussi de croissance nécessaire, tandis que le président de la Commission européenne, José Manuel Barroso, ce 8 mai, lui a clairement rendu hommage en soulignant le nouvel élan « en train d'apparaître pour redémarrer le moteur en panne de la croissance ».

La solennité du moment incite François Hollande à la gravité. Sa marge de manœuvre, il le sait, est réduite, mais, après tout, celle de tous les présidents l'est : Nicolas Sarkozy l'a éprouvé en premier puisque c'est sur le mur de la crise que s'est fracassé son « Travailler plus pour gagner plus ».

François Hollande est sans conteste le président qui, au regard de ses prédécesseurs, hérite de la situation la plus difficile : Valéry Giscard d'Estaing et François Mitterrand ont connu la croissance, Jacques Chirac ne s'est guère battu pour des réformes structurelles, Nicolas Sarkozy ne savait pas, le jour de son élection, que le temps allait se couvrir au-dessus de sa tête. François Hollande sait tout cela, et que les lendemains seront rudes.

Mais il y a toujours, chez un homme politique parvenu au sommet, un grain de folie, celui qui l'a amené là où il est aujourd'hui : il faut sans doute être un peu fou, en effet, pour affronter une situation face à laquelle un homme vraiment « normal », précisément, aurait pris la fuite.

Nicolas Sarkozy et François Hollande ne se parlent guère au cours de la cérémonie, qui n'incite pas aux échanges verbaux. Pourtant, à peine est-elle terminée que le président sortant invite Hollande à le suivre pour se rapprocher des élus dont fait évidemment partie Jean-Pierre Bel, président du Sénat, dans l'ordre protocolaire troisième personnage de l'État. « Il y a entre Nicolas Sarkozy et moi, raconte Jean-Pierre Bel, une sorte de jeu : j'ai en effet une petite fille, Julia, qui a l'âge de la sienne, Giulia. Déjà, à la soirée du Crif[1], en février dernier, il m'avait demandé pendant de longues minutes si le bébé faisait ses nuits, comment allait ma femme, si elle n'était pas trop fatiguée. Là, surprise, à l'Arc de Triomphe : il s'arrête à ma hauteur, me recommande de bien m'occuper de ma fille tout en disant à François Hollande : "Tu sais, nous avons un enfant, tous les deux !" » Hollande ne résiste pas : « Ensemble ? » demande-t-il, cassant, d'une plaisanterie digne de « Monsieur Petites Blagues », comme l'appelaient méchamment ses concurrents socialistes, la connivence que Sarkozy a tenté de créer avec son ami Jean-Pierre Bel.

Fin de la séquence du 8 mai : chacun remonte dans sa voiture ; Nicolas Sarkozy et François Hollande attendront la passation des pouvoirs pour se rencontrer à nouveau.

François Hollande et Jean-Pierre Bel se retrouvent après la cérémonie au Sénat pour un tête-à-tête. Le président du Sénat est pratiquement certain, au terme de sa conversation avec le président élu, que Jean-Marc Ayrault sera Premier ministre. Il comprend également que celui qui est encore son directeur de cabinet au Sénat, Pierre-René Lemas, sera réquisitionné par le nouvel hôte de l'Élysée. Hollande a dit honnêtement à celui-ci, en présence de Jean-Pierre Bel, qu'il hésite encore (voir plus haut) sur le poste qu'il s'apprête à lui confier : « Le secrétaire général de l'Élysée, lui dit-il, sera un politique ou toi. » Pierre Moscovici n'a pas encore dit non.

En attendant, sitôt de retour à son QG, le Président se remet à envisager la composition du futur gouvernement. Tandis qu'il constitue son cabinet et que, avenue de Ségur,

1. Conseil représentatif des institutions juives de France.

Pierre Moscovici et Paul Jean-Ortiz commencent à organiser les échéances internationales qui se bousculent à bref délai, François Hollande a assuré, on l'a vu, que le nom de son Premier ministre serait annoncé le 15 mai, quelques heures après son intronisation à l'Élysée, et que le gouvernement, constitué le 16, se réunirait en Conseil des ministres l'après-midi du jeudi 17.

Depuis quand songe-t-il à Jean-Marc Ayrault pour Matignon ? Depuis l'hiver 2011. Quelques jours après les primaires de novembre, Hollande l'a dit d'une seule phrase au maire de Nantes : « Je compte sur toi pour après. » Il n'en a pas dit davantage, mais, selon Ayrault : « À la façon dont il m'a dit cette phrase, au moment choisi, j'ai compris qu'il s'agissait de Matignon. Après, il ne m'en a plus reparlé jusqu'à la victoire. J'ai fait de même pendant la campagne[1]. »

C'est le 8 mai au matin que Hollande confirme son intention. Il a quitté son QG et a choisi, pour rencontrer Jean-Marc Ayrault, plus discrètement, son bureau de l'Assemblée nationale : il est en effet encore député, puisqu'il n'a pas été officiellement investi. Il demande le secret à son futur Premier ministre, puis, se ravisant, ajoute : « Quand même, tu peux le dire à ta femme ! » Ils vont même, dès ce jour-là, jusqu'à parler des directeurs de cabinet qu'ils choisiront dans les prochains jours : pour Matignon, ce sera Christophe Chantepy, énarque lui aussi, de la promotion « Diderot », qui fut en 2006 le directeur de campagne de Ségolène Royal.

Alerte ! Le 10 mai, alors que la nomination de Jean-Marc Ayrault à Matignon est considérée comme de plus en plus probable par les journalistes à l'affût, un site Internet

1. Conversation avec l'auteur, le 20 juillet 2012.

évoque en termes précis, et à point nommé, la condamnation dont celui-ci a été frappé comme maire de Nantes, en 1997, pour favoritisme : un contrat passé avec un organisme de communication n'avait alors pas été soumis à appel d'offres. François Hollande peut-il nommer après cela Jean-Marc Ayrault à Matignon, lui qui n'a cessé de répéter pendant sa campagne qu'il ne prendrait pas au gouvernement quelqu'un qui aurait fait l'objet d'une condamnation ? Celle-ci n'a mis en cause que la responsabilité administrative ès qualités du maire de Nantes, et non pas Ayrault personnellement. Au surplus, la condamnation de ce dernier a été, comme la loi le permet, automatiquement effacée de son casier judiciaire dix ans après les faits, soit depuis 2007. Il a donc été réhabilité. Il n'empêche : l'affaire fait du bruit. Est-elle de nature à remettre en cause la décision du Président ? Non. Celui-ci n'ignorait pas cette condamnation, il n'ignorait pas non plus son effacement. La question essentielle qu'il se pose est de savoir d'où vient sa révélation par Internet interposé : de la gauche, de la droite, de l'intérieur du Parti socialiste ?

Il s'agit, paraît-il – mais le saura-t-on jamais ? – d'un site d'extrême droite. Ouf ! Le coup n'est pas venu de la gauche. De la rue de Solferino, par exemple. Au QG de l'avenue de Ségur, on préfère cela, on respire. François Hollande ne change donc rien à son dispositif. De toute façon, la nomination du Premier ministre n'est pas immédiatement à l'ordre du jour : d'ici le 15 mai, les mauvais nuages planant sur la mairie de Nantes peuvent se dissiper. Ce sera le cas : l'affaire de l'appel d'offres fait long feu.

Pourquoi Ayrault ? Les relations suivies entre François Hollande et lui datent de 1997. Lionel Jospin est alors Premier ministre, Hollande premier secrétaire du PS, Jean-Marc Ayrault président du groupe parlementaire à l'Assemblée nationale. Les trois hommes se retrouvent chaque semaine, pendant cinq ans, au petit déjeuner qui rassemble, autour du Premier ministre, les leaders de la majorité. « C'est là que j'ai appris à connaître François Hollande, raconte Jean-Marc Ayrault ; il nous arrivait d'être en désaccord avec Jospin, nous le lui disions. Ce fut le cas sur les "35 heures", par exemple. Nous pensions tous deux que l'application des "35 heures" devait être nuancée suivant les secteurs. Que, dans les hôpitaux, elle était inapplicable en l'état. Lionel Jospin a tranché dans un sens différent. D'une façon générale, François Hollande et moi étions sur la même ligne. »

Arrive 2002. Jospin annonce son retrait de la vie politique avant le second tour de l'élection présidentielle, et laisse le PS sans leader pour les législatives qui suivent. « Je l'ai vu à l'œuvre, dit Ayrault, il a fait face après l'échec de Jospin. »

En 2008 enfin, après que Hollande a abandonné la direction du Parti, les deux hommes se retrouvent côte à côte dans les travées de l'Assemblée nationale. Une occasion de marquer leur proximité personnelle et politique.

Pourquoi Ayrault, donc ? Parce qu'il a fait ses preuves comme maire de Nantes, poste auquel il a été élu et réélu sans interruption depuis 1989 ? Sûrement : de ce point de vue, sa nomination fait songer à celle de Pierre Mauroy en 1981. À cette différence près que Pierre Mauroy, élu du Nord, s'inscrivait dans un courant plus traditionnel du socialisme. Comme lui, Ayrault est un grand élu de province, mais il l'est dans l'Ouest de la France, là où l'influence grandissante des socialistes s'est inscrite dans la montée des classes moyennes, diplômées, urbaines, là où ils sont parvenus, les dernières années, à attirer à eux les fameuses « couches nouvelles[1] » courtisées par tous les partis politiques.

Mauroy, Premier ministre de la « première gauche », Ayrault de la « seconde » ? Il y a de cela. D'autant que, derrière ses traits réguliers et son aspect lisse, Jean-Marc Ayrault est, politiquement en tout cas, plus complexe qu'il n'y paraît. Cet adepte de la social-démocratie, issu des mouvements de la Jeunesse chrétienne, a longtemps été à l'école de Jean Poperen, ancien dirigeant du PS mort en 2007, qui avait théorisé mieux que personne la stratégie du « front de classe ». Certes, le vocabulaire de cet ex-communiste passé au PS, ancien ministre de François Mitterrand, paraît aujourd'hui un peu dépassé, et ni Jean-Marc Ayrault ni François Hollande ne l'ont repris à leur compte. Dans l'esprit de Jean Poperen, il s'agissait de substituer au dogme communiste de la lutte des classes le concept de « front de classe » unissant dans les mêmes aspirations employés et ouvriers, salariés du public et du privé, ingénieurs et techniciens, cadres moyens et cadres intermédiaires. Des années plus tard, dans l'esprit de Jean-Marc Ayrault, la notion trop idéologique de « front de classe » s'est transformée : il s'agit de la recherche d'une social-démocratie mieux adaptée à la société française actuelle, plus moderne et, du coup, plus œcuménique. François Hollande, le consensuel, qui n'a pas eu Poperen pour mentor, peut néanmoins aisément se reconnaître dans le maire de Nantes.

Le Président l'a-t-il également choisi parce qu'il est, depuis 1997, président du groupe parlementaire socialiste à l'Assemblée nationale, qu'il a été reconduit à ce poste après 2002 et 2007, et qu'à ce titre il est entendu et obéi par

1. Cf. Thierry Guidet in *Place publique*, n° 34, juillet-août 2012.

l'ensemble des députés socialistes ? Ce n'est certes pas un tribun, mais il a souvent, depuis 2002, mis le gouvernement adverse dans l'embarras. Derrière Ayrault le gentil se cache un homme qui, depuis des années, combat au Parlement en première ligne la majorité de Nicolas Sarkozy. « Ayrault, dit un élu UMP, c'est un chat, on ne sait jamais quand il peut vous sauter dessus. » À ce titre, il n'est pas sans évoquer un autre Premier ministre, comme lui élu de province, comme lui souvent « terne », mais qui sait croiser le fer quand il le faut : François Fillon. Ces deux hommes au visage sans rides se transforment en bons combattants politiques quand la nécessité se fait sentir. Le député-maire de Nantes a plus souvent qu'à son tour provoqué l'ancienne majorité en séance au cours du quinquennat de Nicolas Sarkozy. Assez, en tout cas, pour avoir laissé de mauvais souvenirs au groupe parlementaire de l'UMP.

Jean-Marc Ayrault ajoute-t-il quelque chose à Hollande ? Non, si l'on considère qu'un Premier ministre ayant déjà été ministre aurait pu équilibrer le manque d'expérience de Hollande dans le domaine de l'exécutif. Le nom de Laurent Fabius, par exemple, a été quelquefois avancé comme ayant des chances pour Matignon pour la raison qu'il avait exercé le pouvoir auparavant. Mais, à tort ou à raison, François Hollande ne se considère pas comme inexpérimenté. Il l'a redit tout au long de la campagne où le reproche lui fut souvent fait par Nicolas Sarkozy : il pense avoir été, de 1997 à 2002, une sorte de vice-Premier ministre, associé à toutes les décisions de Lionel Jospin et connaissant, à ce titre, tous les pièges de l'exercice du pouvoir. Il peut donc se passer, du moins le pense-t-il, de l'expérience de quelqu'un d'autre.

La confiance entre le Premier ministre et lui apparaît à ses yeux comme prioritaire. Il a en tête tant d'exemples, depuis

Michel Rocard, d'une guerre larvée entre Président et Premier ministre qu'il ne veut prendre là-dessus aucun risque. « Il savait qu'il avait une longue et difficile marche à faire, ironise Claude Bartolone. Jean-Marc Ayrault, pour lui, c'est l'équivalent d'une bonne vieille paire de chaussures. »

François Hollande s'était-il pour autant laissé la possibilité de choisir un autre Premier ministre ? Aurait-il, comme on le dit ou le laisse entendre dans les lieux et milieux politiques pendant ces jours de transition, du 6 au 15 mai, songé à demander à Martine Aubry de jouer ce rôle si Jean-Luc Mélenchon avait fait une percée significative au premier tour de la présidentielle ? Dans ce cas, il aurait en effet fallu imprimer au gouvernement une inflexion à gauche, et Martine Aubry était toute indiquée pour le faire.

« Je pense, dit l'ex-strauss-kahnien Jean-Christophe Cambadélis, député de Paris[1], qui s'était rapproché de Martine Aubry à l'occasion des primaires, que le choix de François Hollande dépendait du score qu'allait faire Jean-Luc Mélenchon au premier tour : s'il atteignait 16 à 17 % des voix, Hollande n'aurait pas choisi Ayrault, mais Martine Aubry... François Hollande, ajoute-t-il, n'a pas d'affect en politique. S'il avait eu besoin d'elle face à Mélenchon, il serait passé sur ses différends avec Martine. »

Est-ce si sûr ? Certes, le journaliste Éric Dupin, qui bouclait son livre sur la campagne électorale début mai, avait demandé à François Hollande s'il pouvait connaître le nom de son futur Premier ministre, étant donné que son livre ne sortirait qu'après sa nomination. « Sera-ce Jean-Marc Ayrault ? » Hollande lui aurait répondu, assure

1. Conversation avec l'auteur, le 20 juin 2012.

Cambadélis : « Ce peut être Martine, mais alors il faut qu'elle y mette du sien. »

Beaucoup de « sien », alors, car en réalité il est à peu près certain aujourd'hui que François Hollande n'a jamais vraiment songé à nommer Martine Aubry à ce poste. Il a beau, si on en croit Cambadélis, n'avoir aucun affect, l'histoire, déjà longue, de ses rapports avec Martine Aubry ne laisse pas penser que celle-ci ait eu la moindre chance d'accéder à Matignon.

François et Martine, récit.

A priori, ces deux-là avaient pourtant tout pour se plaire : ils avaient en commun, en quelque sorte, la personnalité et la bénédiction de Jacques Delors, le vrai mentor de François Hollande et le père de Martine Aubry.

Nous sommes alors en 1984. François Hollande a été directeur du cabinet de Max Gallo, alors éphémère porte-parole de l'Élysée. Il sort de cette brève expérience mal à l'aise. Modeste conseiller municipal d'opposition en Corrèze, peu ou pas du tout reconnu par les hiérarques du Parti (il n'a que 30 ans, et la lutte Fabius/Jospin fait rage sans que leur tête-à-tête meurtrier empêche d'autres affrontements, notamment avec Michel Rocard), François Hollande éprouve comme Gallo l'impression pénible que le PS s'embourbe. Entre l'avocat Jean-Pierre Mignard, rencontré à cette occasion[1], le député Jean-Yves Le Drian, et, venu de l'Élysée, l'énarque atypique Jean-Michel Gaillard, auxquels se joint François Hollande, décision est prise d'échapper aux courants qui minent le Parti, courants

1. Voir la biographie de Serge Raffy, *op. cit.*, nouvelle version enrichie après la campagne présidentielle et l'élection de François Hollande à la présidence de la République.

marqués davantage par les « ego » et les ambitions des ténors du PS que par de réelles différences programmatiques. Ainsi naît le mouvement des « transcourants ». La formule convient à François Hollande, qui préfère ne pas lier son sort à une faction plutôt qu'à une autre.

Au PS les uns ricanent, dénonçant dans la manœuvre une volonté d'ajouter un courant nouveau sous prétexte de critiquer ceux qui existent déjà ; les autres tempêtent contre ces petits jeunes qui veulent donner des leçons d'unité à tout le monde. Il n'empêche, les transcourants, qu'a rejoints dès leur gestation Ségolène Royal, commencent à faire parler d'eux. Depuis Bruxelles, Jean-Pierre Jouyet[1] ne quitte pas du regard ses anciens camarades de classe. Il laisse entendre – peut-être prend-il alors ses désirs pour des réalités ? – que leurs thèmes, leur volonté, leurs ambitions intéressent Jacques Delors qui depuis longtemps se sent lui aussi marginal dans le Parti : c'est d'ailleurs une des raisons pour lesquelles il se retrouve à Bruxelles. Un beau poste, certes, qui l'éloigne néanmoins pour longtemps, croit-on, de la direction socialiste. Il ne reste aux conjurés des transcourants qu'à l'attirer à eux. Ce qu'ils font en réservant à Jacques Delors, volontiers sensible à l'admiration qu'on lui manifeste, un accueil de tous les diables à Lorient où se tient, dans une cabine téléphonique à peine agrandie, le premier séminaire des « trans ».

C'est dans la poche : à la tête de son petit club Démocratie 2000, même s'il continue d'animer groupe d'experts sur séminaire de réflexion, François Hollande a trouvé son ancrage ; ce sera Jacques Delors. Voilà l'homme qui lui permet de ne pas participer aux déchirements internes du

1. Jean-Pierre Jouyet vient d'être nommé directeur du cabinet de Jacques Delors, tout nouveau président de la Commission européenne.

PS et d'éviter, de Michel Rocard à Pierre Bérégovoy, la chute fatale qui conduira, en 1993, à la seconde cohabitation. François Mitterrand n'apprécie guère : avec lui, on ne peut avoir qu'un maître. Sinon, on n'est pas, ou plus, c'est le terme qu'il utilise dès qu'on prend du champ par rapport à lui, « fiable ».

Dans ce rapprochement entre le président de la Commission européenne et François Hollande, sans qu'il soit question de marchandage, chacun des deux hommes trouve son compte. Jacques Delors, à Bruxelles, aurait pu disparaître de la scène politique française. Grâce à ces énarques devenus parlementaires ou jeunes ministres, il y garde une place à part. En France, lorsqu'il s'y trouve, il ne participe pratiquement pas à d'autres réunions politiques que celles de Lorient. Justement parce qu'elles ne sont pas à proprement parler politiques. On y échange des idées, on y croise des arguments, on parle de l'avenir de l'Europe, on cherche les points communs entre toutes les écoles de la gauche. On y définit enfin un socialisme de la raison, différent du socialisme passionnel et dogmatique de 1981.

Quant à François Hollande, il a trouvé un mentor, Jacques Delors, moins cynique que François Mitterrand, européen de cœur et pas seulement de raison. Enseignant en sciences économiques à Sciences Po, Hollande est aussi heureux de pouvoir parler économie, fiscalité, budget avec quelqu'un qui, contrairement à François Mitterrand, nage en ces domaines comme un poisson dans l'eau. Celui qui est devenu député de Tulle en 1988 acquiert, à l'ombre amicale de Jacques Delors, une autre dimension que celle du terrain, parcours certes obligé mais insuffisant d'une belle carrière politique.

Lorsqu'il est battu, cinq ans plus tard, en 1993, dans cette circonscription qu'il a sans doute négligée – tandis que Ségolène Royal, elle, a retrouvé son siège dans les Deux-Sèvres –, Mitterrand s'est fait rare, et Rocard l'ignore ; Delors, lui, est toujours là. Plus que jamais même, puisque, fortement poussé par celui qui est à la fois son assistant, son porte-parole et son « veille-au-grain », c'est à ce moment qu'il commence à songer sérieusement à l'élection présidentielle de 1995. Il n'a pas tort.

François Mitterrand, chef de l'État sortant, ne peut pas assurer un troisième mandat. Il a beau ne cesser de dire, malgré sa maladie, en pleine guerre ouverte entre Chirac et Balladur : « Si j'étais jeune, je saurais bien comment battre la droite, moi ! », il n'est plus en mesure de le faire. La droite se déchire. L'un après l'autre, les chefs du PS se sont tués eux-mêmes, aidés en cela par François Mitterrand dans les pièges duquel ils sont l'un après l'autre tombés. La voie semble ouverte pour Jacques Delors, à condition qu'il le souhaite.

Pour cela, François Hollande met les bouchées doubles : à partir de Démocratie 2000, il crée les clubs « Témoins » – témoins de l'irrésistible ascension en France du patron de la Commission de Bruxelles.

Le petit groupe des deloristes croit de plus en plus, en 1994, au destin national de Jacques Delors. Celui-ci y croit-il lui-même ? C'est moins sûr. Lors de la réunion devenue habituelle de Lorient, en 1994, la césure paraît profonde entre le suspense entretenu par Delors et les certitudes de son jeune entourage. Entre Martine Aubry et François Hollande, le climat n'est pas, contrairement à ce qu'on pourrait penser, au beau fixe. La fille de Jacques Delors a la dent dure. Lorsqu'elle lit ici et là qu'elle est méchante, elle proteste avec vigueur. Il est pourtant vrai qu'elle a la flèche rapide et parfois meurtrière. Elle ne loupe pas Hollande, estimant qu'il en fait un peu trop, qu'en poussant son père il pense en fait d'abord à lui. Bref, elle estime qu'il s'agit, de la part de Hollande, d'une captation plutôt que d'une conviction.

Il est certes difficile, en politique, d'être la fille de son père. Position inconfortable assurée ! Ou bien, comme la plupart des dirigeants socialistes, maintenant convaincus des chances d'une candidature Delors, elle s'en va faire allégeance à son père, et c'est rageant quand on a derrière soi une carrière politique qui ne doit rien à personne. En revanche, ne pas le soutenir est plus difficile encore, surtout quand il est en situation de gagner. Mais de là à voir un homme plus jeune qu'elle jouer les rôles de sponsor de son père, il y a une marge ! D'autant qu'elle est plus circonspecte – elle a d'ailleurs davantage de raisons de l'être, peut-être aussi davantage d'informations que Hollande – sur la volonté réelle de Jacques Delors. Il n'est pas impossible non plus que Martine Aubry se soit trouvée ou sentie quasiment en compétition avec son père en 1994.

C'est l'époque où deux hommes politiques d'expérience, François Mitterrand et Jacques Chirac[1], pensent et disent qu'à tout prendre, Martine Aubry serait une meilleure candidate à la Présidence que son propre père. L'un comme l'autre ne croient d'ailleurs pas que Jacques Delors finira par se présenter en 1995.

Dans ces circonstances, le congrès socialiste de Liévin, en 1994, reflète le drôle de climat qui s'est créé entre les deloristes et Martine Aubry. Ce jour-là, Hollande a tout

1. Conversation avec l'auteur, le 24 août 1994. « De toute façon, dit Jacques Chirac, si Delors se présente, je lui donne quinze jours avant de connaître une formidable désillusion. Sa fille, Martine, elle, aurait ses chances : elle est une vraie candidate de gauche, avec des soutiens à droite. Elle est intelligente, elle est compétente et elle a les patrons à ses pieds. Ce serait la meilleure candidate que la gauche puisse trouver. »

fait pour que Jacques Delors soit le héros de la fête. Ce dernier a dit oui. Puis non. Il ne sera pas là, alors que les socialistes, tous courants confondus, l'attendent comme le Messie.

En revanche, Martine Aubry est dans la salle. Et elle parle pour deux. Les temps de parole sont limités à dix minutes, ce qui ne l'empêche pas de parler deux fois plus longtemps, à la grande irritation du président de séance. Congressistes et observateurs sentent confusément qu'elle tente peut-être inconsciemment de se mettre à la place que son père a renoncé à occuper. Ce qui ne fait pas, mais pas du tout l'affaire de ceux qui, comme François Hollande, déploient tous leurs efforts pour que Jacques Delors accepte enfin de faire acte de candidature.

Entre François Hollande et elle, les relations tournent alors à l'aigre. Et plus encore quand Jacques Delors, le 4 décembre, dans l'émission « 7 sur 7 » d'Anne Sinclair, après avoir pendant près d'une heure esquissé des pistes pour bien gouverner la France, annonce qu'il ne sera pas candidat. François Hollande et ses amis ont passé cinq ans de leur vie à mettre un candidat en orbite, et pas n'importe lequel ; ils sont arrivés à l'imposer comme une évidence aux Français, à réunir autour de lui les socialistes qui n'osaient plus rêver d'une possible victoire après la déculottée des législatives en 1993, et voici que le rideau tombe sur l'épisode Delors. Hollande est désormais sans maître. Tout ce qu'il a investi en Delors a disparu en fumée. Le voilà revenu à la case départ, c'est-à-dire à pas grand-chose.

Fin de l'*acte 1* des relations compliquées entre le fils spirituel, ou qui se veut tel, et la fille légitime d'un homme dont on ne sait toujours pas quel président il aurait pu être. Dont on sait simplement qu'il n'a pas voulu combattre, quelles qu'aient été ses raisons, bonnes ou mauvaises, d'esquiver le combat.

Acte 2 : Martine Aubry a été battue en 2002, dans la foulée de la défaite de Lionel Jospin, dans la 5e circonscription du Nord. Échec d'autant plus cuisant qu'elle avait précisément quitté le gouvernement, en 2000, pour se consacrer à la Mairie de Lille où, succédant à Pierre Mauroy, elle a été élue en 2001. Une année plus tard, déception, sanglots dans la voix : Martine Aubry est battue d'un millier de voix dans une circonscription en principe imprenable, depuis des années, par la droite.

Mais elle n'est pas femme à gémir dans le trente-sixième dessous. D'autant que sa défaite personnelle s'inscrit dans une défaite collective, celle de la gauche en 2002. Elle annonce bientôt, pour les élections de 2007, son intention d'être candidate dans une autre circonscription, celle de l'Hôtel de Ville, qu'elle juge plus facile, que détient un autre socialiste, Bernard Derosier. Pas de problème : celui-ci lui a assuré qu'il ne se représenterait pas, que la voie était libre. Mais Martine Aubry a à peine commencé à envisager sa campagne que Derosier se ravise : il se représentera.

François Hollande est alors premier secrétaire du Parti socialiste. C'est à lui que Martine Aubry s'adresse pour régler le différend qui l'oppose à Derosier. Celui-ci est député sortant, il a certes hésité à se représenter, proposant à Martine Aubry de prendre sa place. Il a changé d'avis. Le secrétaire fédéral du Nord lui donne raison. Pierre Mauroy, dont Derosier est l'ami, n'intervient pas en faveur de Martine Aubry. François Hollande prend le dossier avec des pincettes : il sait qu'au cas où le PS investirait Martine Aubry, il risquerait une candidature dissidente de Bernard Derosier. Il se range donc à l'avis du patron des socialistes du Nord. Et à celui de Pierre Mauroy, qui explose en plein bureau national du PS : « Il n'y a pas de problème Aubry, a dit l'ancien Premier ministre de François Mitterrand, il y a un problème Martine, vous voyez ce que je veux dire ! » La maire de Lille ne le lui pardonnera pas avant longtemps.

« Le secrétaire fédéral du Nord était, au moins autant que François Hollande, responsable de son éviction. Mais c'est à lui que Martine Aubry en a voulu. Jacques Delors aussi, explique Jean-Pierre Bel qui a suivi l'affaire de près, puisqu'il était alors secrétaire national aux élections. Il faut voir là un réflexe de père, sans doute, celui qui l'amènera, beaucoup plus tard, aux primaires socialistes de 2011, à dire que François Hollande ne devait pas se réclamer de lui, surtout pas, évidemment, contre sa fille... »

Scène de la vie ordinaire mettant en scène Hollande et Delors, en 2006, après que Bernard Derosier a été réinvesti dans le Nord. Jean-Pierre Bel évoque cette rencontre entre les deux hommes en marge du congrès des socialistes européens, à Lisbonne. Hollande, Ségolène Royal et lui-même avaient préféré sécher le dîner officiel pour souper dans l'hôtel où était descendue la délégation française. Passe Éric Besson que Ségolène invite à leur table. « Nous remarquons alors, continue l'actuel président du Sénat, que Jacques Delors dîne seul à une table du restaurant de l'hôtel. Lorsqu'il a fini son repas, il se lève, va saluer Ségolène, me salue et dit à François Hollande une phrase ambiguë, comme : "Quant à toi, François, je te salue à peine." Il n'ajoute rien, mais chacun des quatre convives – Hollande surtout – a compris à quoi il faisait allusion. »

Acte 3 : c'est le congrès de Reims en 2008. Hollande ne se présente plus, il l'a annoncé, au poste de premier secrétaire. Il a choisi de soutenir la candidature de Bertrand Delanoë sans s'attendre à ce qu'un flot de motions différentes soit déposé dans la perspective du congrès : Bertrand Delanoë, Martine Aubry, Ségolène Royal, Benoît Hamon. Delanoë n'est pas un as de la carte électorale du parti, il ne se préoccupe ni des autres ni de séduire des fédérations entières qui ont annoncé qu'elles apporteraient leurs votes à d'autres que lui. Malgré les conseils qui lui sont prodigués, Delanoë ne parvient pas à dégager un axe majoritaire. Sa motion ne figure pas en tête : elle est devancée par celle de Ségolène Royal, laquelle ne se retirera ni devant lui ni devant Aubry. Bertrand Delanoë, maire de Paris, a, on le sait, un caractère ombrageux, l'humeur fragile et l'épiderme sensible. La seule idée d'un combat peut-être couronné d'insuccès avec Martine Aubry et Ségolène Royal lui fait horreur. Il retire sa candidature après un beau discours qui cache mal une souffrance excessive et une retraite mal préparée.

Ne restent dans un face-à-face suicidaire que l'ex-candidate à l'Élysée, qui veut conquérir ce parti qu'elle accuse de ne pas l'avoir aidée en 2007, et Martine Aubry, qui a l'appui de tous les « éléphants » du Parti pour faire barrage à son élection. Encouragée en coulisses par Laurent Fabius et les amis de DSK, elle a refusé de se retirer devant Delanoë. Elle n'accepte pas davantage de laisser le champ libre à Ségolène Royal qu'une majorité du Parti ne souhaite pas voir porter une fois encore les couleurs de la gauche à la future présidentielle de 2012.

Martine Aubry n'a pas le choix. Alors que le congrès bruisse de son possible abandon, qu'on en parle à mots couverts dans les couloirs de Reims, peut-elle se retirer sans que cela évoque, dans l'inconscient collectif socialiste, l'abandon de son père en 1994 alors qu'une voie royale vers l'Élysée lui était offerte ? Ne dirait-on pas alors qu'elle est tout aussi irrésolue que lui ? Mais persévérer, n'est-ce pas une manière de faire resurgir une séquence qui a profondément frustré les socialistes ? Martine Aubry entend ces bruits, ces interrogations qui la condamnent à l'action. Elle ne sera pas comme son père, elle ira au combat. Même si la « guerre des dames » est sororicide...

Si encore l'une avait gagné largement contre l'autre en fin de congrès ! Mais non, faute d'un accord à Reims, il faudra attendre le vote des militants, le 21 novembre, pour que Martine Aubry soit déclarée élue après une de ces folles soirées dont le PS a le secret. Longtemps, ce soir-là, Ségolène a été en tête, annoncée comme victorieuse par son équipe et par les chaînes d'information continue, tenues au courant par SMS de sa victoire alors que le dépouillement n'est pas encore terminé. Tout cela pour qu'après minuit le vent tourne, grâce aux voix de sa propre fédération, celle du Nord, en faveur de Martine Aubry, finalement gagnante à 42 voix près !

Accusations de fraudes réciproques, la fédération de l'Hérault ou celle de la Guadeloupe étant accusées d'avoir triché en faveur de Ségolène, tandis que celle des Bouches-du-Rhône, semble-t-il, s'est montrée plus complaisante que prévu vis-à-vis de Martine Aubry ; menaces d'actions en justice, comptes et recomptes de chiffonniers, rien ne manque : à trois ans et demi de l'élection présidentielle, avec une première secrétaire affaiblie par les conditions de sa victoire, le PS apparaît, sans candidat potentiel, en proie à une guerre des chefs plus agressive que jamais.

François Hollande espérait passer le flambeau à Bertrand Delanoë, ce qui aurait calmé pour un temps l'affrontement entre Martine et Ségolène, et lui aurait permis de préparer sa propre candidature sans avoir à redouter l'action de la direction du Parti socialiste. Martine a déjoué tous ses plans et il voit derrière l'opération Aubry tout ce qui, dans cette manœuvre, émane des adversaires de Ségolène Royal et des siens, pour éliminer le couple, même séparé, et priver l'une ou l'autre de tout espoir pour 2012.

Pour une sortie ratée, c'est une sortie ratée.

Pourquoi, à peine élue, Martine Aubry s'en prend-elle à François Hollande, accusé par elle d'avoir laissé le PS en friche de 1997 à 2008 ? Pourquoi à lui, qui a jeté l'éponge, et pas à Ségolène Royal, qui l'a relevée ? À cause de la candidature ratée de 2007 ? C'est une vieille affaire ! Plus vieille affaire encore, le procès en captation d'héritage à propos de Jacques Delors en 1994 ? Quoi qu'il en soit, en débarquant rue de Solferino, la maire de Lille trouve toutes les occasions d'accabler son prédécesseur, accusé de tous les maux. S'est-elle tant retenue de le faire, pendant ces onze années, qu'elle saisisse la première occasion pour le lui faire payer ? Certes, François Hollande ne s'est guère préoccupé du renouveau intellectuel et programmatique du PS. Certes, il n'a pas voulu répondre à la question capitale : pourquoi la gauche a-t-elle perdu, et de cette façon, en 2002 ? Toutes questions qui mériteraient d'être posées, mais peut-être pas à lui seul. Les « éléphants » ne sont-ils pas responsables, eux aussi, d'avoir laissé en déshérence le programme socialiste ? François Hollande a en effet rapetassé le PS plus qu'il ne l'a changé. La faute à qui ? À son tempérament accommodant, ou aux divisions de ses leaders ?

« Hollande n'a rien fait », ne cesse de ressasser Martine Aubry lorsqu'elle vient occuper le bureau de son prédécesseur. « Martine n'a eu de cesse de se différencier de moi », dit Hollande lorsqu'on l'interroge sur cette phase de leurs relations. « Cela m'a rendu encore plus libre. Cela aurait pu me nuire ; cela m'a au contraire aidé. »

Acte 4 de ce feuilleton politique orageux : les primaires d'octobre 2011. Hollande, on l'a vu, a littéralement encerclé Martine Aubry, attirant à lui, depuis le début de l'année, les soutiens nécessaires à sa victoire. Premier tour : Hollande arrive en tête, devançant la première secrétaire. Sa victoire est cependant relative : il pensait réunir 45 % des suffrages, il n'en obtient que 40 %. Il lui reste pour le second tour à faire ce qu'il a toujours fait depuis 2008 : encercler Martine Aubry en s'assurant du ralliement des quatre autres candidats[1]. En trois jours, c'est fait. Avec plus ou moins de bonne volonté du coté des ralliés, mais c'est fait, Ségolène Royal apportant, en dernier, un soutien résolu et médiatisé. Martine Aubry, loin d'être prudente dans la situation où elle est, sans beaucoup d'espoir de l'emporter au second tour, en rajoute au contraire dans ses attaques contre François Hollande. Le « flou » et le « mou », « il y a un loup » : elle a des mots, pendant ces journées-là, que l'opposition se fera un malin plaisir de répéter pendant les mois qui vont suivre.

Au second tour, François Hollande réunit sur son nom plus de 56 % des voix de la gauche. C'est un peu sa revanche, même s'il se garde d'afficher un air triomphant : il devance ce soir-là celle qui a pris sa place trois ans plus tôt. Il a beau appeler, devant les militants rassemblés à Solferino au soir du second tour, Martine Aubry à venir le rejoindre sur les marches du perron, le revers n'en est pas moins rude pour sa concurrente. Martine Aubry se plie à l'invitation, sans plaisir. Sans mauvaise grâce non plus. Plus exactement avec un senti-

1. Se sont présentés aux primaires : Martine Aubry, Jean-Michel Baylet, président du parti radical, François Hollande, Arnaud Montebourg et Manuel Valls. Voir plus haut.

ment amer de fin de partie. Ainsi commence, fin 2011, la campagne présidentielle qui verra Hollande accéder à l'Élysée.

Le *dernier acte* des relations Aubry/Hollande est passé plus inaperçu, mais il a indigné les lieutenants du candidat, et sans doute Hollande lui-même. Peut-être est-ce l'« acte manqué » par excellence, comme le qualifie Manuel Valls : il s'agit du meeting du candidat socialiste à Lille, le 17 avril, à cinq jours seulement du premier tour de la présidentielle. Le meeting devait être le dernier de la campagne. Il était prévu qu'il se tienne au Zénith, le vendredi 20. Quelques jours avant cette date, l'équipe de Martine Aubry, à Lille, fait savoir qu'elle préférerait une salle plus vaste, que celle-ci n'est pas libre le vendredi, et que le meeting, du coup, devrait être avancé au mardi précédent, le 17, donc. Ce qu'accepte le QG de campagne. Lorsque François Hollande, escorté de Manuel Valls, pénètre dans la salle, il constate que celle-ci est loin d'être comble. Le Zénith aurait donc suffi. Les commentateurs ne se priveront pas de constater que François Hollande, à Lille, n'a pas fait le plein. Martine Aubry prononce le discours d'ouverture « avec un enthousiasme mesuré », selon un des « hollandais » présents. Le candidat socialiste intervient après elle. Comme à son habitude, il parle longuement. Trop longuement, sans doute : lorsqu'il termine, Martine Aubry a déjà quitté la salle avec tous les socialistes du Nord qui l'escortaient. Décontenancés, Hollande et les siens remontent dans leurs voitures et regagnent Paris dans la nuit.

La victoire aura-t-elle suffi pour effacer d'un coup tant de combats peu glorieux ? La confiance peut-elle exister entre deux dirigeants politiques, voire deux êtres tout simplement, qui ont tant guerroyé ?

Le 14 mai 2012, François Hollande a donné rendez-vous à Martine Aubry à 19 heures à la questure de l'Assemblée nationale. Quelques heures auparavant, il s'est adressé pour la dernière fois (« avant cinq ans », a-t-il souligné) aux membres du conseil national du PS. Il n'y est passé que quelques minutes pour remercier les « chers camarades » d'avoir contribué à son élection et les mobiliser dans la perspective des législatives. Il leur a demandé de se battre pour lui donner « une majorité large, solide et loyale ». Auparavant encore, il s'est invité aux adieux de Manuel Valls au service de communication de la campagne, assurant les journalistes présents qu'il continuerait d'avoir des relations privilégiées avec eux. À 19 heures, terminés, les ronds de jambe ! Inutile de tourner autour du pot avec Martine Aubry : il a décidé que Jean-Marc Ayrault serait son Premier ministre, et il le lui dit sans fioritures. « Je le savais, dit-elle sans sourire, c'est logique… C'est logique, répète-t-elle comme pour mieux s'en convaincre. Depuis le début. »

Derrière le « c'est logique », on trouverait, en creusant bien, tout ce qu'ils ne se sont jamais dit. Logique, en effet, qu'après tout ce qui les a séparés depuis tant d'années, Hollande ne la choisisse pas à ce poste du moins en début de quinquennat : il n'a jamais existé de confiance entre l'un et l'autre, il n'y en aurait pas davantage, et sans doute encore moins, s'ils se retrouvaient l'un à l'Élysée, l'autre à Matignon. Martine Aubry a beau avoir été loyale pendant la campagne – à l'exception peut-être du meeting de Lille –, cela n'a pas suffi.

Hollande fait partie de ceux qui pardonnent mais n'oublient pas. Martine Aubry aussi. Le 14 mai au soir, elle n'est pas grinçante, mais déçue, tout simplement. Car, malgré tout, elle pensait – et, avec elle, de nombreux dirigeants du PS – être la femme de la situation. L'annonce faite par François Hollande met un terme définitif à cet espoir. Il y a de quoi accuser le coup. Pour l'atténuer, celui qui sera demain président en exercice propose à son interlocutrice un grand ministère de l'Éducation nationale, de la Recherche, de la Culture. De l'intelligence, en un mot. Elle refuse tout net : « J'ai déjà été numéro 2 du gouvernement Jospin, je ne veux pas être numéro 2 du gouvernement Ayrault. » Elle ajoute qu'elle a déjà joué les méchantes comme ministre de l'Emploi de 1997 à 2000 et qu'elle n'a aucune envie de recommencer. Elle avait beaucoup souffert, après avoir quitté le gouvernement Jospin, de la réputation de « dame des 35 heures[1] » qui lui avait été faite pour lui nuire. Elle ne sera pas vice-Premier ministre. Surtout pas de Jean-Marc Ayrault, qu'elle appelle, dit-on, dès qu'elle a quitté François Hollande, le « nase ».

Hollande lui fait valoir que le contexte a changé, mais il n'est pas surpris par l'attitude de Martine Aubry. Ce soir-là, il n'insiste pas vraiment. Après tout, si elle ne veut pas, il n'a aucune raison, encore moins envie de la forcer. L'entretien ne dure pas longtemps : Martine Aubry ne revient pas sur sa position, elle se contente de demander qu'un de ses proches, François Lamy, entre au gouvernement. François Hollande n'a rien contre ce dernier. Dès le départ de Martine Aubry, il téléphone à Jean-Marc Ayrault : il commente avec lui les réactions de Martine Aubry et demande d'ajouter le député-maire de Palaiseau à l'équipe gouvernementale. Il demande également au futur

1. Cf. le livre de Philippe Alexandre et Béatrix de L'Aulnoit, *La Dame des 35 heures*, Robert Laffont, 2002.

Premier ministre de revoir Martine Aubry, le lendemain, pour être sûr qu'elle n'a pas changé d'avis.

Commentaire d'un des proches de Hollande : « Même si Jean-Luc Mélenchon avait obtenu un score plus important, je suis persuadé qu'il n'aurait pas fait de Martine Aubry son Premier ministre. Je suis convaincu aussi qu'il lui a fait des propositions pour qu'elle les refuse. Sa présence au gouvernement aurait été un cauchemar pour Ayrault. »

Le 14 au soir, à la veille de la passation des pouvoirs, le gouvernement dans ses grandes lignes – ou, plus exactement, pour ce qui est des grands ministères – est constitué. Laurent Fabius est aux Affaires étrangères : il n'a jamais été question, contrairement à ce que la presse murmure ce jour-là, que l'ancien Premier ministre, seul « mitterrandien historique » du gouvernement, occupe un autre ministère. « J'avais réglé ça au lendemain du second tour de la primaire, affirme François Hollande, au moment où je lui ai demandé de travailler avec moi. Je lui ai demandé ce qu'il avait envie de faire, il m'avait répondu qu'il souhaitait s'occuper des relations extérieures de la France. Il n'a jamais été question qu'il aille ailleurs. » Laurent Fabius n'en a d'ailleurs jamais douté, qui a commencé ses tournées à travers le monde pendant la campagne et dès le second tour de l'élection, persuadé que sa stature d'ancien Premier ministre, connu dans le monde entier, ajouterait plusieurs cordes à son arc. François Hollande l'a appelé dès le 6 mai pour lui confirmer la place qui l'attendait au sein du gouvernement.

Manuel Valls obtient l'Intérieur, ce qu'il souhaitait. D'ailleurs, sans attendre, dès la semaine qui a suivi son élection, François Hollande l'a déjà chargé de prendre un contact informel avec tous les syndicats de police. Manuel Valls a vu dans cette mission le signe d'une prochaine nomination Place Beauvau. Il a fait partie du petit groupe de ministres auxquels François Hollande en personne a appris leur future nomination au gouvernement. Valls, lui, se l'est entendu signifier le 15 mai. Pour le nommer, François Hollande a dû trancher entre lui et le maire de Dijon, François Rebsamen. Celui-ci, « hollandais » de toujours ou presque, avait certes participé à l'équipe de campagne de Ségolène Royal en 2007, mais ç'avait été avec la bénédiction de François Hollande. Ancien directeur du cabinet de Pierre Joxe au ministère de l'Intérieur en 1984, c'est là qu'il avait tissé des liens avec les hauts fonctionnaires de la police et était devenu attentif aux problèmes de sécurité. C'est en effet la compétence que François Hollande lui reconnaît puisque, pendant sa campagne, le candidat a chargé le maire de Dijon de ces questions. Pour ces raisons et bien d'autres encore, et notamment qu'il est franc-maçon, ce qui est assez bien vu dans la police, François Rebsamen se serait bien imaginé, lui aussi, Place Beauvau. Mais François Hollande lui préfère Manuel Valls, devenu incontournable depuis novembre 2011, présent sur tous les fronts, courant de la cale aux écoutilles, des ponts supérieurs à la salle des machines, briquant les cuivres et préparant la manœuvre, en véritable Monsieur Loyal de la campagne.

Donc, Rebsamen n'aura pas le ministère de l'Intérieur. C'est pour lui une grosse déception. François Hollande lui propose le ministère de la Réforme de l'État. Il refuse, préférant rester sénateur et maire de Dijon. Pour l'Intérieur, il aurait accepté de quitter la mairie et le Sénat. Pas pour ce ministère dont le pouvoir réel n'est pas certain.

François Hollande a-t-il hésité sur le duo Michel Sapin/Pierre Moscovici ? Après avoir été, sous Lionel Jospin, ministre des Questions européennes, Moscovici guigne, en début de semaine, le Quai d'Orsay où les observateurs l'annoncent régulièrement depuis le 6 mai. Mais Hollande a déjà choisi Fabius. Moscovici aura donc les Finances. Rien d'anormal dans cette nomination : le directeur de campagne de François Hollande a été pendant des années son complice en matière de finances et de fiscalité. Ils ont écrit un livre ensemble, ont enseigné ensemble l'économie à l'Institut d'études politiques. « Je savais, convient François Hollande, que Pierre Moscovici pensait aux Affaires étrangères, mais la composition d'un ministère est toujours injuste. Dans l'architecture choisie pour le gouvernement Ayrault, Mosco était aux Finances : voilà tout. »

Et Michel Sapin, lié à François Hollande depuis les premières années de l'ENA, ami de toujours, dont on a dit depuis le 6 mai qu'il serait à Bercy ? « Il avait déjà été aux Finances, avec Pierre Bérégovoy, dans des conditions très difficiles, je trouve qu'il n'est pas bon, lorsqu'on a exercé des responsabilités dans un ministère, d'y retourner vingt ans plus tard », commente Hollande.

Sapin héritera donc du ministère du Travail, de l'Emploi et du Dialogue social. Il aura à ses côtés un ministre des Affaires sociales et de la Santé. Il l'apprend le 15 mai, vers 16 heures, de la bouche même de François Hollande. Sur le coup de 17 heures, Jean-Marc Ayrault, à peine nommé lui-même à Matignon, le lui confirme.

Peut-on voir dans cette nomination au ministère du Travail, un peu inférieur dans la hiérarchie gouvernementale et dont les compétences seront de surcroît scindées, une sorte de sanction infligée à Michel Sapin pour avoir mal assuré la négociation de l'accord entre socialistes et écologistes ? François Hollande n'en souffle mot lorsqu'il indique à Michel Sapin quel sera son ministère. Pourtant, signé entre Martine Aubry et Cécile Duflot, secrétaire nationale d'Europe Écologie Les Verts, le 15 novembre 2011, moins d'un mois après le second tour des primaires socialistes, cet accord, baptisé « contrat de mandature », avait sérieusement perturbé la campagne, à peine commencée, du candidat socialiste. Essentiellement parce qu'il contenait, au chapitre de la transition énergétique, la reconversion de la filière et de la fabrication du combustible nucléaire MOX. Disposition qui aurait de graves conséquences économiques sur le nucléaire civil français et la place de cette industrie dans le monde.

François Hollande avait annoncé sur France 2, début novembre 2011, en pleines négociations entre les deux partis, qu'il préserverait la construction d'un EPR (un réacteur nucléaire de troisième génération), montrant ainsi qu'il voulait certes réduire sensiblement la part du nucléaire, mais n'entendait pas la voir disparaître. La reconversion du MOX n'est pas dans sa ligne. Il exigera sur l'heure que ce passage de l'accord sur le combustible nucléaire soit retiré, bien qu'il ait été paraphé en bonne et due forme par Martine Aubry et Cécile Duflot.

Or, ce paragraphe sur le MOX aurait été ajouté dans le texte de l'accord par Michel Sapin lui-même, chargé par le candidat socialiste de suivre de près son élaboration. Sa suppression, après signature, a semé un beau désordre, en novembre, entre l'état-major du candidat, la direction du PS et les Verts, ceux-ci indignés de voir jeter aux orties un engagement signé la veille.

Il est un second aspect, électoral, de l'accord à propos duquel Hollande tord le nez : les Verts seront candidats uniques de la gauche dans 63 circonscriptions ! Soixante-trois circonscriptions dans lesquelles les socialistes laisseront la place aux écolos lors des futures législatives de

2012 ! C'est beaucoup, peut-être même excessif, au regard du pouvoir de nuisance très relatif des écologistes, alors qu'au surplus le parti Vert a maintenu sa candidate, Eva Joly, dans la course présidentielle. C'est en tout cas condamner autant de socialistes à ne pas se présenter et à laisser d'autres qu'eux tirer les marrons du feu d'une éventuelle victoire de François Hollande. Cela n'aboutira-t-il pas aussi à fabriquer à tire-larigot des candidatures dissidentes partout où les socialistes n'accepteraient pas de se faire hara-kiri face à des Verts moins bien placés qu'eux devant les électeurs ?

« C'était oublier, remarque le négociateur du côté des Verts, le sénateur Jean-Vincent Placé[1], que tous les accords précédents entre les socialistes et nous avaient été très largement bénéfiques aux socialistes. Notamment l'alliance pour les élections sénatoriales, où l'on a gagné 7 sièges et le PS, 20. Cet accord a donc été gagnant-gagnant. Pas de raison de ne pas le reproduire ! Peut-être l'entourage de François Hollande a-t-il eu l'impression que 63 circonscriptions, c'était beaucoup. Mais la vérité est que Hollande lui-même n'a pas voulu le renégocier. »

Mauvais accord, donc, à tous points de vue, politique et programmatique ? Gaffe ou inattention de Michel Sapin, chargé par Hollande de veiller au grain dans le cours d'une négociation qu'il ne menait pas ? Ou, au contraire, assurance donnée à François Hollande d'une majorité « large, solide et loyale » dont le nouveau président aspirait à se doter ? En tout cas, sur le moment, en novembre 2011, la confusion sur le MOX et ce qui apparut comme un « troc » entre réduction de la part du nucléaire et circonscriptions

1. Conversation avec l'auteur, le 25 juin 2012.

électorales marqua de façon négative les premiers pas de Hollande dans la course présidentielle.

Michel Sapin, en tout cas, ne fait aucune allusion – même si la plupart de ses collègues au gouvernement ne s'en privent pas – à une sorte de sanction exercée à son encontre en le dotant du ministère des Affaires sociales.

À la veille de la passation des pouvoirs, le 14 mai, l'ossature générale du gouvernement est constituée. Il reste bien sûr beaucoup de pions à déplacer ou permuter sur l'échiquier gouvernemental. Notamment à résoudre le cas de la présence ou de l'absence en son sein de Martine Aubry. À ajuster dans sa composition le curseur de la parité entre ministres femmes et hommes, ce à quoi s'est engagé avant son élection le candidat Hollande, et à faire leur place aux alliés verts et radicaux du PS.

En tout cas, il est évident que c'est François Hollande et non Jean-Marc Ayrault qui a dessiné cette première ébauche gouvernementale. C'est lui qui s'est chargé de prévenir Valls, Fabius, Mosco et Sapin, avant que le Premier ministre ne les appelle. « Il a davantage constitué le gouvernement que ne l'avait fait François Mitterrand en 1981, relève Jean-Christophe Cambadélis. En ce sens, ajoute-t-il, c'est un hyper-président débonnaire. » L'expression est sans doute à retenir en vue d'une réutilisation…

Adieux solennels aux socialistes, constitution du cabinet présidentiel, composition de l'embryon gouvernemental : les « onze jours » de Hollande ne se résument pas à son action intérieure. L'action extérieure au cours de cette période a été au moins aussi importante. Dès le lundi, donc, après les premiers coups de fil de chefs d'État étrangers, l'activité au QG de campagne a majoritairement tourné autour de la préparation des échéances internationales.

C'est qu'un calendrier dément attend le Président : rencontres avec Angela Merkel, avec Barack Obama, sommet du G8 les 18 et 19 mai à Camp David, dans le chalet niché au cœur du Maryland où les présidents américains font régulièrement retraite, sommet de l'OTAN les 20 et 21 mai à Chicago, dans l'État dont Barack Obama fut le sénateur. S'ajoutent à ces déplacements le Conseil européen de Bruxelles, prévu à ce moment-là pour la fin mai, et enfin, le mois prochain, le sommet de Los Cabos, au Mexique.

Ce ne serait rien si ces prochaines rencontres, annoncées depuis longtemps, ne s'inscrivaient dans un contexte de crise européenne et mondiale aiguë. La coalition de gauche a été victorieuse, le dimanche précédent, en Grèce, mais les partis qui la composent sont hostiles au plan de rigueur imposé par la « troïka » FMI, BCE, Commission européenne : les marchés plongent dès le 8 mai tandis que le ministre allemand de l'Économie, Wolfgang Schäuble, affirme ne pas craindre un éventuel retrait de la Grèce de la zone euro : « L'Europe, affirme-t-il avec fermeté, ne craint pas la sortie de l'euro de la Grèce ; elle ne sombrerait pas aussi facilement. »

Le chômage, cependant, après l'Espagne, menace l'Italie. Exemple sinistre : la ville de Civita Castillana, proche de Rome, a vu le nombre de ses chômeurs faire un bond de 460 % en six mois. La péninsule italienne compte 500 000 chômeurs de plus que l'année précédente. Ajoutons à cela que Bruxelles fait publiquement savoir que la Commission ne croit pas que le plan transmis fin avril par les équipes de Nicolas Sarkozy soit de nature à réduire le déficit public en 2013. « Des efforts additionnels, écrit-elle, seront sans doute nécessaires pour tenir le cap des 3 % en 2013. » Le désaveu de Sarkozy se retourne ainsi en avertissement adressé à François Hollande.

Voilà pourquoi le bureau de François Hollande, au premier étage de l'avenue de Ségur, ne désemplit pas. Dès le 9, il rencontre Herman Van Rompuy, président du Conseil européen, qui lui propose de repousser le Sommet européen prévu pour la semaine suivante à la fin juin. Puis, le lendemain, c'est le tour de Jean-Claude Juncker, président de l'Eurogroup.

Van Rompuy est donc le premier dirigeant étranger reçu par le nouveau président français, Juncker le second. Ce n'est pas un hasard de calendrier mais une façon pour Hollande d'afficher sa priorité, l'Europe et l'euro. C'est aussi une manière de reconnaître que les instances européennes sont non seulement légitimes, mais incontournables. Façon aussi, entre les lignes, de prévenir Angela Merkel qu'il ne croit pas seulement, pour sortir l'Europe de l'ornière, au tête-à-tête entre la France et l'Allemagne, et qu'il a bien l'intention d'élargir à d'autres pays les contacts qui se sont établis depuis 2007 entre Nicolas Sarkozy et la chancelière allemande.

Si elle a invité François Hollande à venir discuter avec elle à Berlin, Angela Merkel n'en affirme pas moins son hostilité à ce qu'elle appelle « la croissance à crédit ». Elle emploie l'expression à l'occasion d'une réunion de son parti, façon de faire savoir au président français, avant même leur rencontre, que son plaidoyer pour la croissance ne saurait être accueilli par elle sans scepticisme. À bon entendeur, salut ! Elle le répète à dessein : il faut d'abord, comme elle l'a fait, combattre le manque de compétitivité des entreprises européennes en général, et françaises en particulier. Elle le maintient : les traités ne seront pas renégociés.

En dehors des responsables européens – les plus importants, car l'urgence est là –, on voit également défiler avenue de Ségur l'ambassadeur des États-Unis et celui de Chine. L'ambassadeur américain, Charles Rivkin, arrive à 14 h 35 et reste trois quarts d'heure dans le bureau de François Hollande. Lorsqu'il en sort, l'ambassadeur de Chine, Kong Quan, convoqué pour 15 heures, fait le pied de grue dans l'antichambre. Il n'en mène pas large : cela fait des mois qu'il envoie à Pékin des télégrammes assurant à sa hiérarchie que Nicolas Sarkozy sortira gagnant de l'élection et qu'il est inutile de rencontrer Hollande auparavant. Il faut qu'il se rachète. Prudemment, de toute façon, après le voyage en demi-teinte qu'y avait effectué Laurent Fabius, Hollande avait pris la précaution de dépêcher à Pékin, un peu plus tard, Hubert Védrine qui connaît bien le personnel politique chinois et sait que celui qui a l'air le plus important dans l'Empire du Milieu ne l'est pas forcément.

Depuis le début de la matinée, les chefs d'État du monde entier félicitent le nouveau président : d'Albert de Monaco au président ukrainien Viktor Ianoukovitch, du président irakien au Premier ministre israélien Benjamin Netanyahou, en passant par le président palestinien Mahmud Abbas, du Conseil de transition libyen – qui n'a pas oublié la fastueuse réception réservée naguère par Nicolas Sarkozy à Muammar Kadhafi – au président de la Fédération de Russie, chacun y a été de son billet doux, assurant, comme Angela Merkel, que Hollande sera accueilli en Allemagne à « bras ouverts », ou, comme Vladimir Poutine, qu'il est prêt « à travailler activement » avec le président français.

Les visiteurs, ambassadeurs ou pas, sont logés à la même enseigne : pour être admis dans le petit immeuble qui abrite l'antenne présidentielle, ils doivent se frayer un chemin au milieu des badauds et des journalistes, attendre au premier étage dans une antichambre, plutôt un petit couloir, entre les imprimantes et les ordinateurs, s'asseoir dans des fauteuils tout juste confortables. Parmi ceux qui, en rangs serrés, font le siège du nouveau président, il n'y a pas que des ambassadeurs. Tandis que les collaborateurs passent et repassent avec leurs dossiers, entrant à tour de rôle et parfois ensemble dans le bureau de François Hollande ou dans celui, voisin, de Pierre Moscovici, se pressent aussi les futurs membres des cabinets ministériels, à Matignon ou à l'Élysée. Ceux-ci ne savent pas encore, le plus souvent, quel rôle exact ils auront, ils accourent néanmoins. Et puis il y a les amis proches que le nouveau président souhaite consulter.

En réalité, dans les quelques jours précédant sa rencontre avec la chancelière, François Hollande se concentre sur les premières minutes qu'il passera avec elle, dès le mardi soir puisqu'il a avancé leur rendez-vous d'un jour. Il n'était pas prévu qu'il passe brièvement au pot de départ offert le 14 mai par son service de presse. Il s'y rend néanmoins, à l'invitation de Manuel Valls, et y parle plus longuement que prévu. Aux journalistes qui le suivent depuis le début de la campagne, il apparaît à présent plus soucieux que joyeux, comme si déjà sa jovialité habituelle cédait la place à la gravité.

Il n'a pas vraiment changé depuis le 6 mai, il n'a pas encore mis – peut-être cela viendra-t-il ? – une grande distance entre les représentants de la presse et lui. Mais enfin, personne ne songerait à lui taper dans le dos. L'autre jour, lorsqu'il a présidé la dernière réunion de son comité de campagne, élargi à ses alliés Jean-Michel Baylet et Jean-Pierre Chevènement, ce dernier, le plus ému de voir se reproduire des scènes déjà vécues en 1981, lui a déjà dit que, de façon républicaine, après l'avoir tutoyé pendant des années, il s'adresserait désormais au président de la République comme il sied, en le voussoyant[1].

Hollande est déjà dans sa fonction de président sans encore avoir le droit de l'exercer. S'il change, c'est à l'intérieur de lui-même. Il ne cache pas aux journalistes, ce 14 mai, qu'il a l'esprit occupé ailleurs, moins par la passation des pouvoirs du lendemain que par sa première visite, prévue pour le 15 au soir, à Angela Merkel : « Demain, ce sera une prise de contact, leur confie-t-il, le lundi 14, une façon de nous connaître, de dire ce que nous pensons de l'avenir de l'Europe. » Il se montre plus disert sur les relations à établir avec Angela Merkel que sur le tête-à-tête qui l'attend avec Nicolas Sarkozy. Il répond néanmoins aux questions sur la transmission entre présidents du fameux code atomique ; non, il n'y a pas qu'un seul code, sauf dans l'imagination de la presse, mais plusieurs : un code d'identification du Président, une identification biométrique, et bien d'autres encore ; non, le président Nicolas Sarkozy n'est pas obligé de lui remettre dès le lendemain la fameuse mallette dont tout le monde s'attend à ce qu'elle change de mains à l'occasion de leur rencontre officielle.

Parmi la flopée des télégrammes plus diplomatiques les uns que les autres et les coups de téléphone passés du monde entier, un message a attiré entre tous son attention. Il ne s'agit pas du coup de téléphone d'un chef d'État

1. Conversation avec l'auteur, le 12 juin 2012.

étranger, mais de celui de l'ancien président de la République française, Jacques Chirac. Celui-ci a appelé François Hollande en fin de matinée, le 7 au matin : « Je vous souhaite, pour vous et pour la France, a-t-il dit, une très grande réussite. » Il a ajouté qu'il mesurait la difficulté de la tâche. Quelques mots en apparence polis, anodins ; mais l'essentiel était le ton sur lequel ils ont été prononcés, chaleureux, presque amical.

Entre les deux hommes, quelle aventure ! Quel chemin parcouru entre le moment où le jeune Hollande, frais émoulu de la Cour des comptes, est venu défier, en 1981, dans son fief, la Corrèze, dans sa circonscription même, le marquis de Carabas des lieux, celui que ses électeurs appelaient « le Grand », et la chaleur affichée depuis 2010 par Jacques Chirac à l'égard de celui qui l'a remplacé peu à peu dans le cœur des Corréziens : député, maire de Tulle, président du conseil général, Hollande a marqué pas à pas son territoire, tout en engageant une longue stratégie de rapprochement avec Jacques Chirac. Laquelle passait, entre autres gentillesses « républicaines », par une courtoisie affichée envers Bernadette Chirac, élue de Corrèze, objet d'attentions constantes de la part de celui qui avait remplacé son mari à la tête du département.

Le résultat ? Une sorte de sympathie entre l'ancien chef de l'État, malade et affaibli, et celui qui ne l'était pas encore, comme si l'un et l'autre se reconnaissaient de la même race, la race de ceux qui ne cessent de labourer le terrain, serrant les mains de leurs concitoyens et se préoccupant du prénom de leur femme, de leur mari, de leurs enfants et petits-enfants. Combien de revers n'ont-ils pas surmontés en se lançant, chaque année ou presque, dans un vaste tour de France politique dont ils sont toujours sortis ragaillardis ? L'ancien président issu du RPR et le président socialiste n'appartiennent-ils pas, quelque part, au fond d'eux-mêmes, à la famille des grands leaders républicains radicaux du XXe siècle, les pieds sur terre, concrets, pragmatiques et finalement modérés ?

Mais, en réalité, plus qu'une convergence d'idées ou de tempérament politique, ce qui a rapproché le plus sûrement Jacques Chirac de François Hollande tient peut-être à leur commun ressentiment envers Nicolas Sarkozy : même affaibli, Chirac n'a pas oublié leur rupture de 1995, ni l'agressivité dont il fit preuve à son encontre dans la campagne de 2007. Lorsque Sarkozy parlait de « rupture », n'était-ce pas de rupture avec son prédécesseur qu'il s'agissait ? Quant à Hollande, qui ne sait à quel point il a été humilié, exaspéré plutôt, d'avoir été d'abord pris pour quantité négligeable, puis décrit à longueur de campagne comme un cavalier mou et flou de l'Apocalypse ? « Ce salaud ! », aurait-il dit en parlant de son concurrent, à un moment donné de la campagne, mot qu'il a nié avoir prononcé et qui sans doute a franchi ses lèvres par mégarde, un jour qu'il ne se surveillait pas.

Depuis plusieurs années, Jacques Chirac, qui ne s'est jamais exprimé en public sur son successeur, pensait que deux personnalités seulement pouvaient en 2012 gagner le combat contre lui : « Ce sera, disait-il à l'été 2009, ou Ségolène Royal ou François Hollande. La première parce qu'elle est la plus déterminée, ou le second parce qu'il est le plus intelligent[1]. »

De là à dire, le bras gentiment posé sur l'épaule de Hollande, lors d'un vernissage au musée de Saran, le 11 juin 2011, qu'il voterait pour lui à la présidentielle, dans une scène hilarante retransmise en boucle par toutes les télévi-

1. Conversation avec l'auteur, août 2009.

sions, il y a une marge[1]. N'était-ce qu'une boutade, comme François Hollande lui-même a tenté de le faire accroire ? À voir la réaction désolée de Bernadette Chirac lors de cette sortie de son époux, on ne peut le croire. Était-ce le propos livré par un homme à la santé chancelante ? Ou bien Chirac s'autorisait-il à lâcher pour la première fois depuis le début du quinquennat Sarkozy ce qu'il avait gardé d'amertume sur le cœur après sa rupture personnelle, presque plus sentimentale que politique, avec Nicolas Sarkozy en 1995 ?

Le fait est que beaucoup de proches de Jacques Chirac, dont son biographe Jean-Luc Barré, ou encore Jean-Jacques Aillagon, ont, plus d'une fois pendant la campagne, assisté à des meetings de François Hollande, sachant sans doute que, malgré les dénégations de Bernadette Chirac, « le Grand » ne portait plus Nicolas Sarkozy dans son cœur.

La transition a donc commencé par une avalanche de coups de téléphone. Elle s'achève le 14 au soir par l'entrevue difficile entre Martine Aubry et le président élu. Dans l'intervalle, Hollande a pris, le vendredi, un avion de ligne – signe des nouveaux temps – pour dire au revoir aux Corréziens. Il s'est dit « fier et nostalgique » à l'idée de quitter ses électeurs, qui, au second tour, ont voté, record absolu, à près de 65 % pour lui. Ultime coup de chapeau à ceux que, jure-t-il, il « n'abandonnera pas » et dont il loue en riant le sens politique : « Les Corréziens ? Ils sont intelligents, dit-il aux journalistes qui l'accompagnent. La preuve : ils ont fait élire deux présidents[2]. »

1. Chirac n'avait fait qu'une réserve : il reconsidérerait son vote si Alain Juppé se présentait, car, ajouta-t-il, il aimait bien Alain Juppé.

2. Le 22 juillet, François Hollande a de nouveau rendu visite à Jacques Chirac en Corrèze.

On l'a dit, François Hollande croit à la force des symboles. Aussi son équipe s'est-elle donné beaucoup de mal pour ajouter aux cérémonies officielles prévues quelques manifestations plus personnelles. Nicolas Sarkozy, élu cinq ans auparavant, avait choisi, le jour de son investiture, lors d'une cérémonie au monument de la cascade du bois de Boulogne, de faire lire par une lycéenne la lettre bouleversante du jeune résistant Guy Môquet, écrite quelques heures avant son exécution par les Allemands. François Hollande, lui, a choisi de rendre hommage, dans l'après-midi du 15, à deux personnages : Jules Ferry, qui incarne à ses yeux l'école gratuite, laïque et obligatoire mise en place au début de la IIIe République, et Marie Curie, d'origine polonaise, immigrée en France en 1891, première femme chargée de cours à la faculté des sciences de la Sorbonne, prix Nobel 1911 pour ses découvertes sur le radium et la radioactivité. Symbole fort, à de multiples titres, que celui de Marie Curie. Symbole immédiatement contesté que celui de Jules Ferry, considéré par une fraction de l'opinion de gauche comme le colonialiste qui instaura des protectorats en Tunisie et en Annam, et dit un jour sa conviction que les « races supérieures » avaient le devoir de civiliser « les races inférieures ». Pas de chance, donc, avec Jules Ferry. Aquilino Morelle devra reprendre en hâte le discours préparé pour le Président et ajouter un paragraphe sur l'ambivalence du ministre de la IIIe République. Preuve que les symboles sont à manier avec prudence[1].

1. La lecture de la lettre de Guy Môquet avait aussi suscité des commentaires critiques : l'arrestation du jeune lycéen avait eu lieu alors qu'il distribuait des tracts pacifistes dans le contexte du pacte germano-soviétique.

Le temps que soit publiée par le Conseil constitutionnel, comme c'est désormais obligatoire, sa situation patrimoniale à la veille de son entrée en fonctions – un patrimoine de 1,17 million d'euros, juste au-dessous du montant ouvrant à l'impôt sur la fortune – et François Hollande tourne la page de la transition : demain il s'installe à l'Élysée.

Chapitre III

L'installation

Les Français aiment les cérémonies de passation des pouvoirs présidentiels. Monarchie et république s'y marient dans le faste et le luxe des palais. L'un s'en va, en voiture officielle ou à pied, tandis que l'autre, à peine son prédécesseur a-t-il le dos tourné, s'installe. Les invités du nouveau président arrivent, salués par la garde républicaine, et gagnent la salle des fêtes, au moment où tant d'autres, ex-ministres, ex-membres de cabinet ou familiers, plient bagage, sachant qu'ils ne remettront pas les pieds avant longtemps à l'Élysée. Tout cela, enthousiasmant pour les uns, déprimant pour les autres, se jouant dans une tension quasi théâtrale, explique le poids de cette première journée de pouvoir et l'intérêt que tous les Français, vissés ce jour-là devant les écrans de télévision, y portent.

Depuis les débuts de la Ve République, ces cérémonies qui se suivent de sept ans en sept ans, puis de cinq ans en cinq ans, ne se ressemblent pas tout à fait.

Lorsque François Mitterrand entre sous le porche principal de l'Élysée, le 21 mai 1981, un tapis rouge de soixante mètres de long a été déployé, recouvrant le gravier de la cour d'honneur. Giscard, sur le perron, le regarde passer devant la garde républicaine et, sans bouger, le laisse gravir une à une les marches qui l'amènent à lui. Poignée de main appuyée, puis montée au premier étage du palais présidentiel où les deux hommes s'isolent pour la cérémonie – à deux celle-là – de passation des pouvoirs. Giscard remet ce jour-là en héritage quatre secrets d'État à François Mitterrand[1] et la fameuse « clef » du code atomique. Mitterrand racontera plus tard à Jacques Séguéla qu'il a failli la perdre. Il l'avait tout simplement glissée dans la poche de son costume, parti le lendemain chez le teinturier. « On est un peu prisonnier ici », lui avait confié Giscard tandis que Mitterrand, à sa manière, l'avait consolé en l'affligeant davantage : « C'est très dangereux, lui avait-il dit, ne pouvant s'empêcher de lui dispenser un conseil politique, de se représenter au terme d'un septennat : personne ne pouvait m'empêcher d'être élu. Si vous ne vous étiez pas représenté, vous m'auriez succédé dans sept ans. »

Plus chaleureuse est, quatorze ans plus tard, le 17 mai 1995, la cérémonie mettant en scène François Mitterrand et Jacques Chirac. Les deux hommes se saluent avec cordialité avant de pénétrer tous deux dans le bureau présidentiel. « Sans déroger à sa réserve habituelle, écrira plus tard Jacques Chirac[2], le chef de l'État manifeste une cor-

1. Valéry Giscard d'Estaing transmet à François Mitterrand ce qui suit : il l'informe de l'opération que prépare le président égyptien Sadate pour renverser Muammar Kadhafi, de l'état de la coopération nucléaire franco-américaine, il lui communique le nom du probable successeur de Leonid Brejnev, ainsi que la décision du Conseil de la magistrature sur le cas d'un condamné à mort.

« Le testament, note Chirac de manière acide dans le second tome de ses Mémoires, ce n'est souvent que la liste des protégés que le président sortant souhaite voir reclasser. Mitterrand me remet la sienne, qui ne me paraît pas exorbitante. »

2. Jacques Chirac, *Le Temps présidentiel*, *Mémoires*, t. 2, Nil, 2011.

dialité qui n'a rien de feint ni d'ostentatoire. » Dans un geste presque amical, Mitterrand a discrètement fait réaménager, sans le lui dire, le bureau présidentiel tel qu'il était au moment où le général de Gaulle avait quitté le pouvoir, et fait remettre aux mêmes emplacements le mobilier de l'époque. Dans le bureau présidentiel, ils parlent moins de secrets d'État que de l'avenir des canards colverts que François Mitterrand, ami des bêtes, a fait barboter dans un bassin du parc : « Je sais que vous avez un labrador, dit-il à Jacques Chirac, essayez de faire en sorte qu'ils ne soient pas dévorés dans les deux jours. »

Lorsqu'il descend les marches du perron, d'une démarche précautionneuse, Jacques Chirac l'accompagne jusqu'à la voiture qui l'attend, capot dirigé vers la sortie ; les deux hommes se serrent la main. L'un sait que la maladie ne laissera pas beaucoup de temps à François Mitterrand, l'autre se dit de même façon, en donnant le change, qu'une page se tourne ce jour-là, et pas seulement celle de l'Élysée.

En 2007, contraste : c'est le président sortant qui ne dit pas un mot, ou presque, et le nouveau président élu mais pas encore investi, Nicolas Sarkozy, qui tient le crachoir. Nicolas Sarkozy rappelle à Jacques Chirac ses débuts en politique. C'était aux assises du RPR à Nice[1], il avait alors 20 ans et Chirac était déjà, lui, le patron du mouvement gaulliste. « Qui aurait pu croire, demande le cadet à son aîné, que, ce jour-là, deux présidents de la République étaient à la tribune ? » Pas sûr que ce souvenir ait fait un plaisir excessif à son prédécesseur, qui se borne à prodiguer un seul conseil à son successeur : « Ne prends pas Bernard Kouchner comme ministre des Affaires étrangères. » Celui-ci fut nommé dans les deux jours.

1. Le 14 juin 1975.

Il est 10 heures pile lorsque François Hollande pénètre dans la cour de l'Élysée, ce mardi 15 au matin. Le temps est incertain. Il marche lentement devant la garde républicaine, sur le tapis rouge qui barre la cour ; Nicolas Sarkozy est descendu en bas des marches du perron pour l'accueillir. Mêmes costumes bleus, mêmes cravates, même âge. Les deux hommes se serrent la main devant les photographes avant de monter dans le bureau présidentiel pour le traditionnel tête-à-tête. Celui-ci va durer plus de quarante-cinq minutes. Nicolas Sarkozy parle longuement, comme il l'a déjà fait au téléphone avec François Hollande, le 6 mai, en laissant à peine son interlocuteur placer quelques phrases. Il a pris, dit-il, beaucoup de plaisir à cette campagne dont on a dit, à tort, qu'elle ne mobilisait pas les Français. Il ne cache cependant pas que cette période a été pénible pour lui, pour sa famille surtout, pour sa vie personnelle. Il a surtout jugé la presse, redoutable, presque charognarde.

« Protège-toi », recommande-t-il à François Hollande. Le « testament » qu'il laisse oralement, comme c'est toujours le cas, à François Hollande est de veiller à ce que ses ex-collaborateurs ne soient pas mal traités : dans la courte liste, Xavier Mosca, le général Puga, Guillaume Lambert, son chef de cabinet. Il sait déjà qu'Henri Guaino et Claude Guéant ont choisi de se présenter aux prochaines élections législatives ; il n'évoque donc pas leur cas. Parmi les secrets d'État échangés, une indication, qui sera précieuse à son successeur, sur les otages français retenus de par le monde.

Puis c'est déjà la fin. Sur les cinquante minutes qu'a duré l'entretien, confiera un peu plus tard François Hollande au journaliste Denis Jeambar qui l'interroge pour le journal *Marianne*, Nicolas Sarkozy a parlé quarante-cinq minutes. Le président sortant termine en disant à son interlocuteur

– lequel ne le croit pas vraiment – que, pour lui, la politique c'est fini, que sa décision était déjà prise. Les deux présidents descendent l'escalier et se retrouvent sur le pas de la porte vitrée qui fait face à la cour. C'est à l'un maintenant de partir, à l'autre de rester. Carla Bruni et Valérie Trierweiler les rejoignent à ce moment. Carla Bruni a elle aussi évoqué les coups qu'avait pris son mari pendant la campagne, ceux qui l'avaient touchée elle-même, et elle est apparue comme ayant beaucoup souffert, elle aussi, du traitement que lui a réservé la presse au cours de toute cette période.

François Hollande a-t-il conscience de ne pas en avoir assez fait avec son prédécesseur alors que les deux femmes s'embrassaient devant les photographes, par exemple de ne pas l'avoir raccompagné jusqu'à sa voiture, de s'être contenté de lui adresser un salut, de loin ?

« J'ai raccompagné Sarkozy jusqu'au perron, explique-t-il quand on lui pose la question, pas au-delà. Il avait, lui, c'est vrai, raccompagné Jacques Chirac jusqu'à sa voiture, mais les choses n'étaient pas comparables, ce n'étaient pas des ennemis politiques, ils ne venaient pas de se combattre. Moi, j'ai fait les choses le plus simplement et le plus naturellement possible. »

Sans chaleur, certes, en se gardant soigneusement, comme il l'avait déjà fait le 8 mai place de l'Étoile, de manifester la moindre complicité. Les partisans de Nicolas Sarkozy et lui-même, sans doute, en sortant, jugent que François Hollande a fait le minimum syndical. « Sarkozy, proteste celui-ci, n'en a pas été surpris ! » S'il ne se plaint pas, Nicolas Sarkozy dira néanmoins, quelques jours plus tard, que la rencontre n'avait pas été tellement « sympathique ».

Lorsqu'il revient sur ses pas, laissant la voiture de Sarkozy gagner la sortie, François Hollande retrouve ses invités, lesquels se sont fait copieusement huer, à leur entrée, devant le palais présidentiel, par des troupes de l'UMP mobilisées à cet effet. Ces invités personnels sont bien moins nombreux que ceux de François Mitterrand en 1981 : une soixantaine au lieu de cinq cents. Là aussi, Hollande a souhaité réduire la voilure. Il sait que ceux qui n'ont pas été invités le lui reprocheront longtemps. Il sait aussi que, s'il avait ouvert les portes de l'Élysée à des cohortes trop importantes, il aurait risqué de passer pour trop fastueux. La normalité est à ce prix.

Un candidat normal, au fait, qu'est-ce que c'est au juste ? François Hollande s'est ainsi défini pour la première fois en décembre 2010, le jour où il s'était interrogé en ces termes devant les journalistes, qui étaient alors bien peu nombreux : « Est-ce que je suis normal ? Oui, je crois que le temps d'un Président normal est venu[1]. » Normal, c'est-à-dire ? Quel message veut-il faire passer, Hollande, en cette fin de l'année 2010, alors qu'il n'est plus premier secrétaire du Parti, pas encore candidat, pas encore investi, pas encore reconnu ? Pourquoi, par la suite, avant les primaires socialistes, après, pendant sa campagne, en avoir fait presque une carte de visite : Monsieur Normal ?

Le mot a suscité tant de railleries au sein du parti majoritaire d'alors, Hollande a été si brocardé pour l'avoir prononcé, qu'on peut se demander, aujourd'hui encore, s'il a commis, en se définissant ainsi, une lourde bévue, ou s'il a eu au contraire un trait de génie. Comme si un président de la République pouvait être normal, comme s'il ne fallait pas un grain de folie pour solliciter les suffrages des Français, comme si « Monsieur Tout le monde » pouvait accéder à

1. In *L'homme qui ne devait pas être président*, de Karim Rissouli et Antonin André, Albin Michel, 2012.

l'Élysée les doigts dans le nez ! C'est vrai, le terme employé est d'une rare fadeur. Aucun Français ne peut aimer quelqu'un de normal alors même qu'il le porte à la magistrature suprême. Certes, les hommes providentiels, personne n'y croit plus depuis belle lurette, en fait depuis de Gaulle, rappelé au pouvoir en 1958 après la capitulation de la classe politique devant la guerre d'Algérie, mais enfin, tout de même... De là à désigner pour la Présidence un homme qui se résume lui-même par cet adjectif, il y a de la marge...

Le mot aurait pu lui être fatal, comme la « bravitude » l'avait été pour Ségolène Royal. Seulement voilà : il y a beaucoup de non-dits dans cette revendication de normalité. Hollande n'emploie pas ce terme au hasard, il dessine d'un trait une sorte de contre-portrait de son adversaire. Normal, pour le candidat socialiste, dans un langage subliminal, cela veut dire le contraire de ce qu'est Nicolas Sarkozy : normal et pas agité, normal et pas Batman, normal et pas Jupiter tonnant !

Un homme normal est aussi quelqu'un qui vit normalement, quelqu'un qui ne part pas en vacances sur le yacht d'un ami, qui ne fête pas sa victoire avec les personnalités du CAC 40. C'est ainsi que ses électeurs l'ont compris. Sans peut-être voir qu'au moment où François Hollande employait cette expression pour la première fois, en 2010, il visait presque autant son concurrent au PS que son rival de l'Élysée. C'est un de ses proches qui l'a souligné : lorsqu'il a usé de ce mot, « Hollande voulait évoquer à 70 % Sarkozy, à 30 % Strauss-Kahn ». Et à 10 % Ségolène Royal ?

« Je ne me fais pas d'illusions, confie celle-ci, des semaines après l'élection[1] : lorsque Hollande a dit qu'il

1. Conversation avec l'auteur, le 24 juillet 2012.

voulait être un candidat normal, il me visait aussi. Sarko et moi étions dans son collimateur, nous étions tous les deux des candidats anormaux. »

Même s'il n'a pas visé Ségolène – il s'en défend –, il est évident que, de ce simple mot, *normal*, Hollande a davantage stigmatisé ses concurrents qu'il ne s'est caractérisé lui-même.

Le voilà donc qui pénètre aujourd'hui peu avant 11 heures dans la salle des fêtes de l'Élysée pour la cérémonie d'investiture. Il est suivi à quelques pas du président du Sénat, son ami Jean-Pierre Bel, plutôt ému, et du président de l'Assemblée nationale, Bernard Accoyer, qui fait nettement la tête.

Dans la salle où ses invités l'attendent depuis 10 heures du matin, Martine Aubry plaisante avec Pierre Moscovici ; Laurence Parisot, patronne du MEDEF, parle avec François Chérèque, secrétaire général de la CFDT ; les anciens Premiers ministres de la gauche restent groupés : tout le monde a remarqué la fatigue qui marque les traits de Pierre Mauroy, convalescent, l'allure toujours sportive de Lionel Jospin, la sérénité de Lionel Fabius, l'émotion d'Édith Cresson.

Une grande absente dans cet aréopage politique : Ségolène Royal. François Hollande et elle se sont mis d'accord, a-t-elle expliqué auparavant, pour que ni elle ni les enfants qu'elle a eus avec lui ne soient présents à l'Élysée. « Vous imaginez les commentaires, franchement ? », a-t-elle remontré à ceux qui s'en étonnaient. En réalité, elle le dira plus tard, elle a été plus que touchée, presque blessée par cette mise à l'écart qu'elle a acceptée – le moyen de faire autrement ? – sans broncher. Comme, dira-t-elle, lorsqu'elle a été « éliminée du film projeté au meeting du Bourget, en janvier 2012 ».

En revanche, Jean-Marc Ayrault est présent dans la salle. Il se fait discret. Le président de la République doit faire annoncer tout à l'heure par le secrétaire général de l'Élysée que le maire de Nantes, nommé Premier ministre, est chargé de constituer le gouvernement. Il devrait donc, en principe, se fondre dans la foule de ceux qui attendent François Hollande sans être l'objet de soins particuliers. Seulement voilà : le matin vers 7 h 50, Jean-Pierre Jouyet a craché le morceau. Il se défendait tant bien que mal sous le feu roulant des questions de Jean-Michel Aphatie, prêt à tout pour lui extorquer le nom du Premier ministre ; l'ami du Président, évidemment au parfum de la nomination d'Ayrault, s'est emberlificoté dans ses réponses et a livré son nom comme sur un plateau au chroniqueur de RTL[1]. C'est assez pour que, dans les salons de l'Élysée, alors même que Nicolas Sarkozy et François Hollande n'ont pas terminé leur conversation, Ayrault soit déjà le héros de la fête, ce dont il se défend de plus en plus mollement au fur et à mesure que la matinée avance. Le suspense sera levé en début d'après-midi.

En attendant, il est 11 heures, François Hollande fait face au président du Conseil constitutionnel : « Vous devenez aujourd'hui le 24e président de la République... Vous incarnez la France, vous symbolisez la République... » À dire vrai, Jean-Louis Debré n'a pas l'air mécontent de voir

1. *J.-M. Aphatie* : « Des sources privées confirment ce que la presse peut dire à propos du favori pour être Premier ministre. Il sera nommé tout à l'heure ?

J.-P. Jouyet : Je pense qu'il sera nommé tout à l'heure, oui.

J.-M. Aphatie : Voilà, il s'agit de Jean-Marc Ayrault, maire de Nantes, c'est moi qui le dis, ce n'est pas vous.

J.-P. Jouyet : Non, c'est vous qui le dites, mais comme vous êtes mieux informé que moi, donc, voilà, si c'est vous qui le dites, c'est vrai. »

le président socialiste ici et aujourd'hui devant lui. Il arbore même un large sourire, soulagé sans doute à l'idée de ne pas avoir à féliciter Nicolas Sarkozy, qu'il n'aime guère et qui ne l'aime pas.

Après qu'il s'est vu remettre, comme tous les présidents avant lui, le lourd collier de grand maître de la Légion d'honneur, voici venu le temps du discours d'investiture dans lequel un observateur, même peu attentif, n'a pas de mal à constater que le nouveau chef de l'État se démarque fortement, une fois encore, de son prédécesseur. Le ton est assuré, pas un mot plus haut que l'autre dans la courte allocution d'à peine dix minutes qu'il prononce, mais il est loin d'être celui d'une transition tranquille. Tout ce que dit, à sa manière placide, le président de la République est une critique globale, sans aménité, de Nicolas Sarkozy. On comprend mieux qu'il n'ait pas voulu se livrer à des démonstrations chaleureuses en le raccompagnant, tout à l'heure, sur le perron de l'Élysée, et en restant au haut des marches, tandis que le couple Nicolas-Carla marchait vers la voiture qui les attendait au bout du tapis rouge : c'est en adversaire politique que Hollande a fait sa campagne, c'est en adversaire politique qu'il s'adresse aujourd'hui, au milieu des corps constitués, à un parterre d'amis socialistes : « Je fixerai les priorités, mais je ne déciderai pas de tout, pour tout et partout », dit le nouveau président, qui parle d'« apaisement, de réconciliation, de rassemblement », de jeunesse et de justice sociale. Même s'il évoque aussi à cette occasion la « réduction nécessaire des dépenses publiques », pas de doute : il dessine en creux une Présidence qui ne ressemble pas à la précédente. D'ailleurs, c'est de la façon la plus expéditive qu'il conclut la longue phrase où il rend hommage à ses prédécesseurs lorsqu'il en vient à Nicolas Sarkozy : il salue tour à tour « Charles de Gaulle, qui mit son prestige au service de la France, Georges Pompidou, qui fit de l'impératif industriel un enjeu national, Valéry Giscard d'Estaing, qui relança la modernisation de la société, Jacques Chirac, qui marqua son attachement aux valeurs de la République » puis se contente de formuler pour Nicolas Sarkozy « des vœux pour la nouvelle vie qui s'ouvre devant lui ». On pouvait faire plus chaleureux.

Tandis que, ce discours à peine terminé, retentissent dans Paris les vingt et un coups de canon traditionnellement tirés depuis les Invalides, le président adoubé s'en va serrer les mains de ses invités, officiels et amis proches. Surprise : Valérie Trierweiler lui emboîte le pas ; aucune épouse, aucune compagne ne l'avait fait avant elle. Anne-Aymone Giscard d'Estaing, éperdue de timidité, était comme paralysée, en 1974 ; Danielle Mitterrand, vêtue comme une jeune fille, était restée aux côtés de sa sœur, Christine Gouze-Rénal, tandis que le président élu avait fait le tour de la salle des fêtes, ayant un mot pour chacun ; en 1995, Bernadette Chirac, grave, tout de clair vêtue, avait écouté attentivement le discours du nouveau président avant que Jacques Chirac, accompagné de celui qui était encore Premier ministre, Édouard Balladur, ne salue ses invités selon le cérémonial prévu ; et en 2007, Cécilia Sarkozy, entourée de ses enfants et de ceux de son président de mari, s'était réfugiée dans une indifférence appuyée, pour ne pas dire hostile. Valérie Trierweiler rompt délibérément avec l'attitude de celles qui se sont trouvées à sa place auparavant.

La première dame de France n'a pas, on le sait, de statut officiel dans la République française : c'est à elle, donc, de définir, en tâtonnant, la conduite à tenir. S'il n'est pas interdit à sa compagne de suivre le président de la République dans son salut aux corps constitués, rien non plus, dans le protocole, ne l'autorise. Permis ou pas, chacun des invités a compris que Valérie Trierweiler, qui a été de tous les meetings de la campagne, ne se ferait pas oublier une fois Hollande parvenu à la Présidence.

Pour le reste, ce 15 mai restera, pour ceux qui l'ont vécu, éminemment symbolique. Tout, dans cette première journée, est placé sous le signe du symbole.

Après la montée des Champs-Élysées vers la tombe du Soldat inconnu, figure imposée de cette matinée d'investiture, François Hollande a réuni à déjeuner (pressé de langoustines aux agrumes, côte de bœuf vigneronne, fromages et macarons aux fraises) les anciens Premiers ministres socialistes, Pierre Mauroy, Laurent Fabius, Édith Cresson, Lionel Jospin. Michel Rocard, lui, n'arrivera qu'au café ; il est revenu quelques jours auparavant d'un déplacement « personnel » en Iran qui n'a été apprécié ni par le ministre sortant des Affaires étrangères, Alain Juppé, ni par celui qui prendra sa place le lendemain, Laurent Fabius. En revanche, Jean-Pierre Bel est là, ainsi que Valérie Trierweiler, Sylviane Agacinski, l'épouse de Lionel Jospin, et, symbole vivant, Yvette Roudy, ancienne ministre des Droits de la femme de François Mitterrand, qui combat depuis 1981, et même avant, pour la place des femmes et la parité à laquelle longtemps elle n'a même pas osé croire. Valérie Trierweiler fait face à François Hollande ; celui-ci est séparé, à sa droite, de Lionel Jospin par Édith Cresson à qui Laurent Fabius fait face.

Déjeuner détendu, au cours duquel Lionel Jospin est particulièrement en verve, cependant que Pierre Mauroy reste silencieux ; mais déjeuner avant tout politique. Autour de la table, en effet, ne sont réunis que des socialistes : les autres anciens Premiers ministres, Raffarin, Fillon, Juppé, Dominique de Villepin (bien qu'il ait appartenu à l'ENA à la fameuse promotion « Voltaire »), n'ont pas été invités. Il n'est pas anormal que le président juste élu convie exclusivement ses amis Premiers ministres, mais le fait est hautement significatif : François Hollande n'oublie pas un instant, derrière sa bonhomie, que le combat politique n'est pas fini. Voilà pourquoi il n'a pas voulu se livrer à la moindre démonstration de complicité vis-à-vis de Sarkozy tout à l'heure ; voilà pourquoi il a réuni, ce jour-là, l'ensemble de ceux qui ont gouverné le Parti socialiste en même temps que la France. « C'était un déjeuner intime, dira quelques minutes plus tard Lionel Jospin[1], nous avons évoqué 1981 et parlé politique, par exemple des élections législatives... Nous nous sommes dits, ajoute-t-il, qu'il fallait qu'il dispose d'une majorité au Parlement, sinon, que signifierait d'avoir changé d'homme ? Je pense que nous devons nous mobiliser pour la victoire. » Quand on demande à l'ancien Premier ministre s'il a trouvé, à cette table, un autre François Hollande que celui qu'il connaissait, il répond sobrement qu'il était le même, mais dans un autre contexte : « Lui ne changeant pas, ce qui lui est arrivé le change. » « J'espère, ajoute-t-il, qu'il goûte ces moments. »

On n'en finirait pas d'épiloguer sur les pensées des convives réunis autour de la table : en dehors de Lionel Jospin qui a mis en 1997 le pied à l'étrier à François Hollande, au grand mécontentement des caciques du Parti, ils n'étaient pas nombreux, dans cette assistance, ceux qui auraient prévu, imaginé même, il y a quelques années, que le plus jeune d'entre eux allait succéder à l'Élysée à François Mitterrand. Pierre Mauroy, le plus ancien, avait

1. Échange avec l'auteur en marge de la retransmission de la première journée présidentielle de François Hollande sur France 2, après-midi du 15 mai 2012.

soutenu aux primaires Martine Aubry pour des raisons géographiques – ils sont « nordistes » tous les deux. Laurent Fabius, soutien également de Martine Aubry, n'est venu à Hollande qu'après les primaires de 2011. Rocard est resté erratique tout au long de la campagne. Seule Édith Cresson s'est déclarée favorable à François Hollande depuis le début 2011. Et pourtant, ils sont tous là, plaisantant et félicitant le vainqueur. Preuve que, comme l'a répété François Hollande tout au long de la campagne, « il ne faut pas avoir de mémoire quand on fait ce métier ! ».

Quoi qu'il en soit, autour de la table ronde de la salle à manger de l'Élysée, chacun a fini par apporter sa pierre à la victoire. Laurent Fabius a adapté au programme de François Hollande le calendrier de la première année de la présidence socialiste, qu'il avait rédigé auparavant pour le PS. « Ce n'était pas, assure-t-il, un roman feuilleton » : trois tomes de plus de 700 pages ! Pierre Mauroy a fini par le soutenir après que Martine Aubry eut perdu les primaires, Lionel Jospin a oublié qu'il avait été très mécontent, à l'été 2006, de ce que François Hollande n'organise pas son retour dans la compétition politique pour la présidentielle de 2007.

Le déjeuner, rapide, est à peine terminé que François Hollande et Valérie Trierweiler se rendent au jardin des Tuileries : le Président doit déposer une gerbe au pied du monument de pierre blanche érigé en hommage à Jules Ferry, ministre de l'Instruction publique de la IIIe République. Là aussi, visite très symbolique. Sur une petite tribune montée en plein jardin, Hollande célèbre le courage et la ténacité de celui qui a fait voter deux lois républicaines essentielles : la gratuité de l'école, en 1881, et son caractère laïque et obligatoire en 1882. Le symbole est certes brouillé par l'accusation de colonialisme et de racisme qui, les jours précédents, a été abondamment ressassée par la presse. François Hollande prend soin de déminer le terrain d'une phrase : « Je n'ignore rien, dit-il, des errements de Jules Ferry », pour pouvoir plus aisément, à la phrase suivante, s'indigner de ce que le Président et le gouvernement précédents aient passé par pertes et profits ce que Ferry décrivait comme la préparation professionnelle aux « délicates fonctions d'enseignant ».

Lorsqu'il parle, un homme l'écoute avec une particulière attention dans l'assistance, c'est Vincent Peillon. Il n'a pas été invité à l'Élysée, le matin, ce qu'il a pris « l'amertume au cœur[1] », quoique Aquilino Morelle lui ait fait parvenir deux jours auparavant le discours préparé pour cet hommage à Jules Ferry. Tandis que François Hollande parle, Peillon est sans doute moins sensible au rappel symbolique de l'action de Jules Ferry qu'au sort qui lui sera réservé, à lui. C'est à lui, en effet, que depuis près d'un an François Hollande a confié le dossier de l'Éducation et de la Recherche. Il lui a même demandé, comme il l'a fait avec Manuel Valls pour les syndicats de police, d'entrer en contact, sans attendre le mois de mai, avec les syndicats enseignants. En février, à Orléans, Peillon était aux côtés du candidat socialiste lorsque celui-ci, sur ses conseils, a rendu hommage à un autre ministre de l'Éducation de la IIIe République, Jean Zay, assassiné par la Milice en 1944. À ses côtés aussi, lorsque, à Strasbourg, François Hollande a prononcé son discours sur la jeunesse. Là, devant la statue de Jules Ferry, Vincent Peillon ne sait pas encore s'il est tombé en disgrâce ou si Hollande en fera son ministre de l'Éducation nationale.

Il ne le sait pas et ne peut pas le savoir, car, à l'instant précis où il se pose la question, le Premier ministre, Jean-

1. Conversation avec l'auteur, le 10 juillet 2012.

Marc Ayrault, déjeune avec Martine Aubry pour la convaincre d'accepter un grand ministère regroupant précisément la Recherche et de l'Éducation. Lourd suspense pour Vincent Peillon, qui s'étonne en effet de ne rien voir venir ni de Matignon ni du « Château ». Cette après-midi encore, Hollande le laisse dans l'ignorance.

Le nouveau président est déjà parti pour un autre hommage au moins aussi symbolique que le précédent : celui qu'il tient à rendre à Marie Curie pour la quadruple raison qu'il s'agit d'une femme, d'une femme immigrée, d'une des premières femmes agrégées de mathématiques, enfin de la première femme à avoir été récompensée, avec son mari Pierre et Henri Becquerel, par un prix Nobel de physique en 1903.

Dans la foulée, voici l'hôtel de ville de Paris où, l'accueillant, Bertrand Delanoë paraît bouleversé par l'émotion : un maire de la capitale socialiste accueillant un président socialiste, c'est une première en France ! À Paris, 55 % des électeurs ont voté pour le candidat socialiste : Hollande se sent en terrain connu dans les immenses salles baroques de la mairie de Paris. Occasion pour lui, devant cette assistance composée en majorité de socialistes invités de Bertrand Delanoë, de tourner la page des querelles du passé et de répéter une nouvelle fois son credo : « Rien ne sera facile, rien ne nous sera donné, mais rien n'est inaccessible à la volonté », et d'évoquer l'enterrement de Victor Hugo dont le corbillard fut suivi, le 1er juin 1885, de l'Étoile au Panthéon, par des centaines de milliers de Français. Sarkozy avait annexé Jean Jaurès, qui appartenait à la gauche ; Hollande préfère Victor Hugo, qui appartient à tout le monde.

Après ses félicitations à Bertrand Delanoë qui se demande lui aussi s'il va être, le lendemain, ministre de la

Justice, après son salut amical à Ségolène Royal dont la foule – et Valérie Trierweiler – le sépare, le moment est venu pour le chef de l'État de s'envoler pour Berlin où l'attend la chancelière.

Il le sait : c'est à son voyage allemand, suivi de sa visite à Barack Obama, du G8 et du sommet de l'OTAN, dans cet agenda fou qui commence le 15 à Berlin, que le monde l'attend au tournant. Ses adversaires politiques ont souligné à l'envi, pendant la campagne, son inexpérience, opposée à l'expérience internationale de Nicolas Sarkozy, à l'aise dans les sommets bilatéraux, multilatéraux, perpétuel sauveur d'une Europe qui, sitôt les G7, G20 et autres réunions planétaires terminés, retombait dans la crise.

Eh bien, voici Hollande au pied du mur ! La montée des marches de l'Élysée, le discours d'investiture devant Jean-Louis Debré et le gratin politique parisien, la formation du gouvernement, tout cela, il sait faire ! Il s'y prépare depuis des années. Il n'a rien d'un émotif. C'est un homme qui, au contraire, connaît, prévoit, organise dans sa tête depuis longtemps le chemin qui va de l'opposition à la majorité. Il en a vu d'autres depuis le début de sa carrière ! Mais là, en quelques jours, ce tour du monde ! Et avec les plus grands !

Comme Angela Merkel, Barack Obama, tout démocrate qu'il est, ne l'a pas reçu avant son élection. Et puis il y a tous les autres qu'il doit rencontrer dans trois jours à Camp David, dans le Maryland. Après le G8 où il n'aura pas en face de lui que des amis politiques, ce sera l'OTAN où il doit annoncer, conformément à ses engagements électoraux, le retrait des forces françaises d'Afghanistan.

Il le sait, c'est là que les Français, comme d'ailleurs le reste du monde, l'attendent : quel président sera-t-il ? « Fera »-t-il président ? Comment expliquera-t-il à ces leaders mondiaux qui déjeunent, dînent, se réunissent, se téléphonent tous les jours depuis des années, qu'il est, sur tous les points ou presque, différent de celui qui l'a précédé ? En dehors des leaders sociaux-démocrates qu'il rencontre depuis longtemps au sein de l'Internationale socialiste, c'est vrai, il connaît peu ou pas les dirigeants de la planète. C'est pourtant à la façon de leur serrer la main, de passer les troupes en revue, de marcher, de saluer, de sourire, un peu mais pas trop, que François Hollande doit se préparer à subir un nouvel examen de passage.

Le voyage en Allemagne est le premier qu'il entreprend en tant que président de la République française. Ce n'est pas un hasard si François Hollande inaugure son quinquennat par ce déplacement à Berlin. Sous la IVe République, les présidents du Conseil, sitôt désignés, s'envolaient pour les États-Unis. Aujourd'hui, crise européenne oblige, la priorité est à l'Allemagne. Et à la rencontre avec sa chancelière, Angela Merkel, avec qui Nicolas Sarkozy a si souvent affiché une amicale complicité qu'on a pu baptiser « Merkozy » leur couple improbable. Angela Merkel qui s'était portée volontaire pour participer à la campagne électorale du président sortant. Angela Merkel, enfin, qui vient tout juste de rappeler à François Hollande que rien n'est mieux, pour réduire la dette, que de procéder à des réformes de structure.

N'importe, il faut en passer par là. François Hollande a bien reçu en premier les dirigeants de Bruxelles, Van Rompuy et Juncker, pour montrer qu'il jouera, lui, contrairement à Nicolas Sarkozy, le jeu des instances européennes, mais il sait bien que rien ne peut se faire aujourd'hui en Europe sans l'Allemagne : jusqu'ici, celle-ci domine la crise, mais chacun craint qu'un beau jour elle refuse de continuer à payer pour les autres. François Hollande a plaidé pendant toute sa campagne pour la renégociation du pacte de discipline budgétaire, qui, selon lui, ne soutient pas assez la croissance. Angela Merkel ne veut pas entendre parler d'une renégociation de ce traité, signé par la France en mars dernier. Le nouveau président estime que l'Allemagne ne peut pas refuser à la fois les eurobonds, les obligations européennes qu'il propose pour financer des projets industriels importants, et le refinancement direct des dettes par la BCE. Angela Merkel, elle, est fermement hostile à ces propositions.

On imagine dans quel état d'esprit François Hollande se dirige, sitôt la chaleureuse cérémonie de l'Hôtel de Ville terminée, vers Villacoublay où l'attend l'avion qui doit l'emmener avant la fin de l'après-midi dans la capitale allemande. Entre la constitution du gouvernement, qui peut attendre demain, et le voyage à Berlin, incontournable, il a choisi. Le gouvernement attendra. Berlin, c'est tout de suite.

La crise a conféré une ampleur démesurée au « domaine réservé » du président de la République française. Il ne s'agit plus de consacrer son temps à quelques visites plus ou moins officielles en Europe, d'en organiser les retours en France ; désormais, il s'agit de gouverner ensemble, dans une Europe déstabilisée, des pays différents qui ne peuvent plus se passer les uns des autres. Le domaine réservé de François Hollande, ce sera donc d'abord l'Europe.

En grimpant dans l'avion, un Falcon FX d'une quinzaine de places à bord duquel ses collaborateurs l'attendent déjà, François Hollande s'accorde un répit. Il a tellement plu, tout au long de cette journée, qu'il a dû se changer entièrement plusieurs fois. Enfin il est au sec.

Lorsqu'il est monté en fin de matinée dans la DS5 décapotable en direction de la tombe du Soldat inconnu, à l'Étoile, il était porté par l'événement et s'est à peine rendu compte des intempéries qui s'abattaient sur lui : la foule massée sur les Champs-Élysées, les vivats, les applaudissements, les honneurs militaires, tout cela l'a si bien absorbé qu'il a à peine constaté qu'il pleuvait à verse : il est revenu à l'Élysée pour son déjeuner trempé comme une soupe, avec un complet à tordre, sans presque même s'en apercevoir. Rebelote dans l'après-midi : il n'a cessé de pleuvoir, il y a même eu un orage de grêle lorsqu'il a déposé sa gerbe devant le monument à la gloire de Jules Ferry. Il aura encore plu lorsqu'il se sera agi de célébrer la mémoire de Marie Curie, et toujours lorsqu'il sera entré à la mairie de Paris.

Donc, le voici dans l'avion présidentiel. Les ceintures sont attachées, l'appareil décolle. Les membres de la cellule qui ont préparé, autour de Paul Jean-Ortiz, conseiller diplomatique du Président, le déplacement avec un soin qu'on imagine ouvrent leurs dossiers, le chef de l'État feuillette dépêches et articles de la journée, lorsque le Falcon est secoué par une déflagration.

« Très spectaculaire : nous décollons pour Berlin à 17 h 15, raconte Christian Gravel, passager de l'avion présidentiel[1]. Cinq minutes après, au moment où l'avion est à peine stabilisé, nous entendons une forte détonation, et dans la seconde qui suit un rayon lumineux traverse l'avion. L'avion n'a pas bougé ; nous-mêmes, pas rassurés, non plus. »

Un steward vient aussitôt avertir poliment le Président que le Falcon a été foudroyé. *Foudroyé !* Quel funeste présage pour la rencontre avec la chancelière ! Mais personne n'a envie de faire de l'humour. D'autant que le commandant de bord leur dit, formel, que le protocole exige, dans ce cas, un changement d'appareil. « Vous êtes sûr ? », demande simplement Hollande, contrarié à l'idée de voir

1. Conversation avec l'auteur, le 29 juin 2012.

son rendez-vous décalé. Le commandant lui dit que oui, il en est sûr, et rebrousse chemin. Il n'y a pas de volonté présidentielle qui résiste à un commandant de bord.

Un autre avion, un Falcon 900, part une demi-heure plus tard, sans incident, pour la même destination. Hollande arrive donc avec près d'une heure de retard à ce premier rendez-vous tandis que le monde entier sait – les dépêches sont évidemment tombées – que le mandat du président Hollande a failli être le plus court de l'histoire de France.

Accueil militaire à la Chancellerie, baptisée par les Allemands eux-mêmes le Kohlosseum[1], au 1 de la Willy-Brandt-Strasse. Un imposant bâtiment de 73 000 mètres carrés (huit fois la taille de la Maison-Blanche à Washington), conçu pour donner une image forte de l'Allemagne, et, en l'occurrence, de sa chancelière. De l'avis des Français qui l'accompagnent, François Hollande n'est nullement impressionné par la dimension spectaculaire du bâtiment qui se dresse devant lui : « Il était, dira l'un d'eux, tellement porté par la légitimité de son nouveau mandat, tellement absorbé par ce premier contact qu'il marchait sur l'eau ! »

Revue des troupes : Angela Merkel a bien fait les choses, les détachements de trois corps d'armée sont disposés dans la cour. La chancelière entraîne ensuite le Président dans son bureau qui donne, au septième étage, sur le palais du Reichstag.

« Je lui ai dit, raconte François Hollande, que je comprenais très bien qu'elle ne m'ait pas reçu auparavant. Elle-même a dit qu'elle ne voulait pas me rendre les choses difficiles avant les élections législatives. "Je sais, a-t-elle

---

1. Allusion à Helmut Kohl qui n'y a jamais résidé mais en avait ordonné la construction.

ajouté, que vous devez éviter la cohabitation qui, de toute façon, n'est jamais facile pour les relations internationales." »

Décidément, les politiques se reconnaissent entre eux ; l'un et l'autre pensent qu'il ne servirait à rien de vider maintenant une querelle dépassée. Comme aime à le dire François Hollande lui-même, c'est ce qui lui a servi de viatique dans sa vie politique : la détestation est une « perte de temps ». La rancune, avec lui, est directement « jetée à la rivière », d'autant qu'il est rare, à ce stade, qu'on ne puisse trouver un bout de chemin à faire ensemble.

Angela Merkel se montre affable, souriante même, mais, toujours selon les témoins français, « elle veut garder la main », c'est-à-dire imposer son rythme aux séances de travail, bref, montrer qu'elle est ici chez elle. Au moment où les deux dirigeants vont vers la salle de presse où ils doivent donner une conférence commune après l'entretien, elle remettra d'ailleurs sur sa route, d'un léger coup d'épaule, le président français qui a tendance à ne pas marcher sur le tapis rouge disposé à cet effet. Derrière les pupitres, face aux journalistes, ils vont même jusqu'à manifester une certaine complicité, voire un début d'humour. Leur accord est total pour garder la Grèce dans la zone euro à condition qu'elle y mette du sien. En dehors de cette convergence certes importante, Angela Merkel n'a pas bougé d'un pouce. Elle s'est contentée d'écouter les positions de son interlocuteur et de rappeler les siennes.

François Hollande est pourtant satisfait de cette première rencontre. Il est venu dans le but d'évoquer le problème grec, certes, mais surtout de parler croissance avec la chancelière. Ce qu'il a fait, martelant ce mot à plusieurs reprises. Pour lui, pour la délégation française conviée au dîner qui suit, les objectifs sont atteints. « Il a dit qu'il était d'accord sur la nécessité de l'intégration européenne, y compris avec le contrôle des budgets nationaux, résume un des invités français au dîner, à condition qu'on le fasse dans un objectif de croissance. »

« Cela étant, commentera François Hollande, elle n'a rien lâché de ce qu'elle voulait au départ. C'est quelqu'un de très tenace, qui sait très bien négocier. » Sous-entendu : moi aussi.

Trois jours plus tard, le vendredi, à 8 heures du matin, François Hollande s'envole pour Washington. À son agenda : rencontre avec Barack Obama à la Maison-Blanche, départ pour le sommet du G8, puis pour celui de l'OTAN à Chicago. Une différence avec le voyage de Berlin : les membres de la cellule internationale ne sont plus seuls ; dans l'intervalle, le gouvernement a été nommé : Laurent Fabius et Pierre Moscovici participent donc au déplacement. L'avion qui emmène la délégation française est cette fois l'appareil baptisé ironiquement « Air Sarko 1 », par allusion précisément à celui du président américain, Air Force1. Il s'agit d'un Airbus 330-200 acquis pour 176 millions d'euros et aménagé par et pour Nicolas Sarkozy. François Hollande demande à tout visiter de ce palace volant qu'il ne connaît naturellement pas et dont il a souligné à plusieurs reprises, pendant sa campagne, à quel point il était grotesque et dispendieux. Mais enfin, l'avion est là, il a été remis à neuf, on ne va pas l'envoyer à la casse : autant l'utiliser. D'autant qu'Angela Merkel voyage à bord d'un Airbus A340-600 plus gros encore, et trois fois plus cher, et que le fameux Air Force1 d'Obama est un Boeing 747. Le petit Falcon 7X aurait fait, à leurs côtés, sur le tarmac, carrément misérable. En tout cas, François Hollande emprunte l'Airbus présidentiel. Personne autour de lui ne s'en plaint.

Ce voyage aux États-Unis n'aurait pas d'autre intérêt que de faire connaître François Hollande aux Américains que ce serait déjà une réussite. Outre-Atlantique, dans le meilleur des cas, il est à peu près totalement inconnu. À moins que certains éditorialistes américains accolent à son nom l'affreuse épithète « socialiste ». Et nombreux parmi eux sont ceux qui regrettent le départ de « Nicolas Sarkozy l'Américain », s'interrogeant dans leurs colonnes sur la fermeté de Hollande en temps de crise. On a d'ailleurs pu se demander en France, dix jours avant le premier tour de la présidentielle, si Barack Obama lui-même ne cachait pas en son for intérieur, sans intervenir dans la campagne, un petit faible pour Nicolas Sarkozy : dans une visioconférence à laquelle, comme par hasard, avaient pu participer des journalistes de l'AFP et de France Télévisions, il s'était dit « admiratif » de la campagne menée par son homologue français.

Pas de mémoire, il ne faut pas avoir de mémoire en politique, *bis* !

Lorsque Barack Obama fait entrer le président français, accompagné de Laurent Fabius et de Pierre Moscovici, dans son bureau ovale de la Maison-Blanche, François Hollande paraît pour la première fois impressionné. Il est vrai que les deux hommes qui l'accompagnent, de leur propre aveu, le sont aussi. « Dix ans d'opposition, raconte Pierre Moscovici[1], des centaines de fêtes de la Rose, les primaires, la campagne pendant laquelle nos adversaires avaient longuement dénoncé l'inexpérience de Hollande en matière internationale, et être là… Oui, la sensation était intense ! »

La rencontre a été préparée entre les deux tours de la présidentielle, les 10 et 11 mai, par une réunion bipartite

1. Conversation avec l'auteur, le 27 juillet 2012.

entre Laurent Fabius, Pierre Moscovici, Jean-Yves Le Drian et Paul Jean-Ortiz, d'une part, et les représentants du président américain pour l'Europe et la Défense, Antony Blinken, Phil Gordon et Mike Froman, de l'autre. Ce qui explique que, les premiers instants d'émotion passés, Obama et Hollande en soient venus directement aux sujets que l'un et l'autre avaient inscrits à leur ordre du jour. Après, bien sûr, que l'un, le président français, eut assuré d'entrée de jeu son interlocuteur que la France, soucieuse de son indépendance, n'en était pas moins l'amie des États-Unis, et que l'autre, le président américain, en ait pris acte, le peuple américain « chérissant » – c'est le mot de la traductrice officielle – le peuple français.

Les premiers propos du président américain sont pour féliciter François Hollande de son élection. Puis il aborde d'emblée le lourd problème du retrait des troupes françaises d'Afghanistan. Curieusement, Obama met tout de suite son interlocuteur à l'aise. Il admet fort bien que la France veuille partir d'Afghanistan. « La décision vous appartient, dit-il, je ne la contesterai pas. » Lui-même, après tout, avait bien fait campagne avant son élection contre l'intervention des États-Unis à Bagdad. Sa seule inquiétude est que le geste de François Hollande soit interprété comme une rupture de la politique française à l'égard de l'OTAN. « Mon seul souci, insiste Obama, est de faire comprendre que vous restez bien avec nous, dans l'OTAN. »

« À partir du moment, convient François Hollande, où je retirais les troupes combattantes tout en maintenant la présence française dans le cadre des hôpitaux, des aéroports, cela ne faisait pas problème pour lui. »

Hamid Karzai lui-même a déjà fait savoir aux Américains que le retrait français ne poserait pas de difficultés pour la sécurité en Afghanistan.

Dans la deuxième partie de ce long entretien, Obama et Hollande abordent le problème de la crise de la zone euro, de l'Europe et de la Grèce. Cette crise inquiète d'autant plus Barack Obama qu'aux États-Unis la campagne pour sa réélection prochaine a commencé : il craint une nouvelle aggravation des choses qui pèserait sur l'élection américaine. Il est déjà gagné à la nécessité de la croissance : « Votre analyse de la zone euro, a-t-il dit, je la partage : il est nécessaire de retrouver de la croissance. » Il assure à François Hollande qu'il mettra le sujet sur la table au G8, à Camp David.

En fin de conversation, et par souci de se montrer complice, Barack Obama prend le temps de faire étalage de sa connaissance de la personnalité de François Hollande : il cite – preuve que ses collaborateurs ont bien fait leurs fiches – l'étude rédigée par François Hollande lui-même lorsqu'il était étudiant, en 1974, sur l'économie des fast-foods. Hollande rétorque sur le même ton qu'il n'a jamais voulu rien dire de désagréable sur les cheeseburgers, et la rencontre s'achève.

Conclusion, optimiste, de François Hollande :

« Obama, dira-t-il plus tard, a été très sympathique avec moi, il est très inquiet de la situation européenne, il pense que mon élection est de nature à favoriser le règlement de la question européenne grâce à la croissance, il sent que Mme Merkel a besoin d'être convaincue, et il est prêt à m'aider. »

Après la Maison-Blanche, François Hollande, Laurent Fabius et Pierre Moscovici sont invités à déjeuner à la résidence de Blair House, sur Pennsylvania Avenue, par Hillary Clinton. La secrétaire d'État américaine dira aux journalistes qu'elle a passé « un moment merveilleux dans une journée merveilleuse ». Jugement de Laurent Fabius, à peine plus nuancé, qui décrit Barack Obama comme « remarquable, intelligent, intellectuel avec charme et conviction » « Hillary Clinton, ajoute-t-il, est de la même eau, peut-être moins affable[1]. »

Le déjeuner terminé, voici François Hollande à Camp David. Il arrive bon dernier dans cette résidence de campagne des présidents américains. En dernier et en cravate à l'entrée de la Laurel Lodge où l'attend, sur le seuil, Barack Obama. Celui-ci, pantalon marron et veste bleu marine, a demandé à tous les participants au sommet du G8 et de l'Union européenne de venir en tenue de week-end. Il s'esclaffe : une cravate, ici, dans les bois, à 600 mètres d'altitude ? Hollande a beau faire remarquer qu'il s'est habillé de cette façon pour ne pas susciter de critiques des photographes et cameramen français qui l'accompagnent, c'est le seul moment, depuis qu'il a quitté Paris, où il paraît pris en faute, comme s'il ne connaissait pas – ce qui est d'ailleurs le cas – les codes de Camp David. Pas sûr qu'il ait apprécié l'humour de Barack Obama mettant involontairement le doigt sur son manque d'expérience des sommets en matière vestimentaire. Quelques minutes plus tard, la cravate a disparu.

Mais c'en est fini du bizutage : au cours du dîner, assis à la droite d'Obama, face à Angela Merkel en rose saumon, il est peut-être le dernier venu, mais il n'est déjà plus le petit nouveau. Car, fidèle à ce qu'il lui avait assuré la veille, Barack Obama a ouvert les discussions en mettant l'accent sur la croissance nécessaire de la zone euro, faisant ainsi une fleur à François Hollande qui s'en est fait l'apôtre depuis le début de sa tournée internationale. De ce point de vue, la complicité naissante entre Obama et Hollande

1. Conversation avec l'auteur, le 26 juin 2012.

est claire, surtout pour Mme Merkel. Surprise : Mario Monti, président du Conseil italien et grand libéral européen, se range du côté des présidents américain et français. Lui aussi parle des menaces qu'une trop grande austérité ferait peser sur les économies européennes, donc sur la sortie de crise. Par un curieux retour des choses, c'est la chancelière, cette fois, qui se retrouve isolée. Encore qu'elle ne soit pas hostile à la croissance, mais, comme elle l'a dit à Berlin et répété à Camp David, elle craint que celle-ci ne se fasse à crédit. David Cameron est le seul à ne pas cacher ses réticences politiques, sinon personnelles, vis-à-vis de François Hollande.

Deuxième haie passée, donc, pour ce dernier qui s'est imposé, à sa manière, souple, dans l'aréopage international : on attendait une fracture en Europe sur ce thème de la croissance ; rien de tel ne s'est produit, et en faisant sien le thème récurrent de son homologue français, Obama lui a donné plus de poids.

Troisième étape : le sommet de l'OTAN. Là, à Chicago, il y a davantage de monde. Les chefs d'État l'accueillent comme s'il avait toujours fait partie de la famille, à l'exception du Mexicain qui lui bat froid, à cause de l'affaire Florence Cassez[1]. Le Premier ministre turc se montre le plus chaleureux avec François Hollande : il n'oublie pas le vote de la loi sur le génocide arménien, dont il tient Nicolas Sarkozy pour responsable. « Je suis ravi de vous voir ici, lui dit sans ambages Erdogan, mais je suis encore plus ravi de ne pas y voir votre prédécesseur ! » La

1. La Française Florence Cassez, accusée de complicité d'enlèvement, de séquestration et de délinquance organisée, a été condamnée par la justice mexicaine en 2009 à une peine de soixante ans de prison. Les interventions du gouvernement français pour obtenir son rapatriement sont restées lettre morte.

plupart d'entre eux ont déjà suivi de près les deux premières étapes du Président et en ont conclu qu'après tout, il savait se tenir. Pourtant, le secrétaire général de l'OTAN, Anders Fogh Rasmussen, avait paru d'abord plus que réticent à l'annonce unilatérale par François Hollande du retrait des troupes françaises combattantes d'Afghanistan. Mais il s'est sans doute laissé convaincre par Obama puisque avant même la réunion plénière, il s'est incliné devant la volonté française : « C'est une promesse électorale, a-t-il dit ; il faut toujours qu'un homme politique tienne ses promesses. » À partir de là, l'affaire est dans le sac. Il ne reste plus, pour le président français, qu'à préciser quelles garanties il donne de la continuité de la politique de Paris vis-à-vis de ses alliés de l'Alliance atlantique. La chose se négociera plus tard entre sherpas et autres conseillers.

Au fond, cette séquence internationale enchaînée à un rythme ultrarapide est presque une chance pour François Hollande, qui a pu, en quelques jours, rencontrer en Europe et ailleurs l'ensemble des chefs d'État de la planète. Il aurait pu mettre des mois, devoir faire des dizaines d'allers et retours, moyennant des nuits d'avion, pour faire leur connaissance ; il lui a suffi d'une poignée de jours. De l'avis général, y compris pour la presse étrangère qui n'a guère été tendre envers Nicolas Sarkozy, le parcours est sans faute. Il est vrai qu'aucune décision n'a été prise lors de ces différents sommets. Les deux messages que voulait faire passer Hollande – croissance et désengagement en Afghanistan – n'en ont pas moins été reçus sans que personne en prenne ombrage.

Le fait que le Président ait quitté la France sitôt élu est révélateur : en période de crise européenne, il faut éteindre des feux qui couvent ailleurs, sans oublier pour autant les foyers qui risquent de s'aggraver à domicile.

Retour à Paris. Le Président est rentré de Berlin le mardi soir vers minuit, avant de repartir le vendredi matin, tôt, pour Camp David : François Hollande et Jean-Marc Ayrault se sont donné la journée de mercredi pour composer définitivement l'équipe gouvernementale.

Les grandes lignes du gouvernement, on l'a vu, ont déjà été fixées durant la période de transition. Avec plusieurs contraintes.

La première, aucun autre président avant lui, sous toutes les républiques, qu'il s'agisse de la IIIe, de la IVe ou de la Ve, ne l'avait fixée : il s'agit de la parité, soit la présence d'un nombre égal d'hommes et de femmes au sein du gouvernement. Il est loin le temps des congrès socialistes qui accordaient avec générosité 10, 20 ou 30 % des candidatures aux femmes ! Le temps où Yvette Roudy, députée de Lisieux avant d'être chargée du ministère des Droits de la femme, soulevait les rires lorsqu'elle réclamait l'égalité absolue entre hommes et femmes aux élections législatives. Loin aussi le temps des « jupettes », du nom donné à ces ministres femmes nommées par Alain Juppé en 1995, qui avaient été expulsées du gouvernement six mois plus tard, comme enveloppées dans un même paquet ! Le premier gouvernement Ayrault doit donc être paritaire.

Il doit également incarner le changement. Pas question d'afficher les mêmes têtes qu'en 1997 ! De ce point de vue, Laurent Fabius, le seul à savoir, depuis la période de transition, qu'il sera ministre en charge des Affaires étrangères, est une exception qui confirme la règle. Seront limités à la portion congrue les ministres qui ont derrière eux une expérience gouvernementale.

Le gouvernement doit ensuite refléter les forces qui ont soutenu Hollande pendant la campagne : les Verts, le Parti radical doivent y avoir leurs représentants. En même temps, il doit faire sa place à toutes les sensibilités du nuancier quasi infini du Parti socialiste.

Autre obligation : récompenser ceux qui, depuis plus d'un an, ont investi toute leur énergie dans la campagne du candidat socialiste. Ceux-là sont jugés « incontournables ».

Enfin, l'équipe gouvernementale doit faire sa place aux représentants de la diversité.

Autant dire que François Hollande et Jean-Marc Ayrault se sont fixé un nombre redoutable de contraintes : la formation du gouvernement a tout du casse-tête. Ce sera pourtant assez vite fait, puisque avec seulement deux heures de retard, juste une petite demi-heure avant les journaux télévisés de 20 heures, Pierre-René Lemas pourra en communiquer la composition.

C'est que François Hollande, on l'a dit, avait pris un peu d'avance. Les grands ministères – Affaires étrangères, Finances, Travail, Intérieur – ont été pourvus depuis au moins le 14 mai, le plus souvent avant.

Restait un problème capital : le cas de Martine Aubry. Avant de s'envoler pour l'Allemagne, François Hollande a chargé Jean-Marc Ayrault, le 14 au soir, de régler définitivement la question de la présence de la maire de Lille au gouvernement. Cette question revient à savoir s'il est préférable de la compter au nombre des ministres plutôt que de la voir jouer cavalière seule. Elle a annoncé qu'elle abandonnerait à l'automne le premier secrétariat du Parti socialiste, mais est-ce si sûr ? Hollande et Ayrault se demandent s'il ne vaudrait pas mieux l'avoir à l'intérieur de leur équipe qu'en dehors. Ayrault a donc déjeuné avec elle le 15, juste après la cérémonie de l'Élysée. Elle a redit non et non.

Rien à faire ! Pas de Martine, donc, au ministère de l'Intelligence.

Aussi sera-ce Vincent Peillon. Dès le mois de novembre précédent, celui-ci a déjà reçu, à la demande de François Hollande, les syndicats enseignants. Depuis le 6 mai, plus de nouvelles du QG de campagne : silence radio ! Inquiétant... Le 16 au matin, un de ses amis lui signale par SMS l'article du *Canard enchaîné* faisant état d'une lutte acharnée entre Martine Aubry et lui pour le ministère de l'Éducation nationale. Trop tard : l'affaire Aubry est réglée depuis la veille, mais Peillon ne le sait pas encore. Mercredi, le coup de téléphone de François Hollande le surprend à l'heure du déjeuner au moment où il s'apprête à sortir de chez lui : le Président lui propose enfin le ministère de l'Éducation nationale. Ce que Jean-Marc Ayrault lui confirmera en fin d'après-midi.

Le coup n'est pas passé loin : Peillon a bien failli rester le bec dans l'eau. Le refus de Martine Aubry l'a sauvé. Comme le dit François Hollande, « la constitution d'un gouvernement est toujours cruelle ». Il le sait d'autant mieux que, n'ayant jamais été lui-même appelé à y siéger, il lui est sans doute arrivé d'en souffrir.

Après le refus de Martine Aubry, le gouvernement se retrouve déséquilibré : il ne compte pas de femme à occuper un ministère régalien. Incompatible avec la notion de parité absolue ! La presse aurait beau jeu de souligner qu'il y a certes des femmes dans l'équipe, et peut-être même 50 %, mais pas de femme à un poste éminent. Reste la Justice.

La Place Vendôme avait-elle été promise un temps à Bertrand Delanoë ? Le maire de Paris croyait-il, le mardi 15, lorsqu'il a reçu François Hollande à l'Hôtel de Ville, qu'il serait garde des Sceaux le lendemain ? Il semble que le poste lui ait en effet été proposé, mais qu'il ait demandé le temps de réfléchir : après tout, la Mairie de Paris, même s'il ne sollicitera pas d'autre mandat, vaut bien qu'on hésite un brin avant de l'abandonner. De toute façon, Delanoë a sans doute à peine le temps de se poser la question que Hollande et Ayrault cherchent une femme pour le poste. Pourquoi pas Christiane Taubira ? On le sait peu, mais un combat vieux de dix ans l'associe à Jean-Marc Ayrault : députée de Guyane, c'est elle qui porta en 2001 la loi qui, suscitant au début beaucoup de scepticisme, a fait de la traite et de l'esclavage un crime contre l'humanité. Depuis, cette loi porte son nom. Le maire de Nantes – avec Bordeaux, ville clé de la traite des Noirs – s'était engagé à ses côtés dans cette bataille parlementaire.

Début novembre 2011, François Hollande a demandé à la voir. Certes, elle avait été candidate à la présidentielle de 2002, contribuant plus qu'on ne l'a dit, en tout cas plus que la candidature de Jean-Pierre Chevènement, à l'échec de Lionel Jospin, mais la page est tournée, le président du Parti radical, Jean-Michel Baylet, s'est lui-même présenté aux primaires socialistes, ce qui signifie qu'il n'y aura pas de candidat radical contre celui du PS en 2012. François Hollande demande alors à Christiane Taubira de l'aider dans sa campagne. Il connaît son talent oratoire et a jugé de son tempérament de combattante, de « redoutable tueuse », comme disent ses amis du Parti radical. « Je l'ai arrêté tout de suite, raconte-t-elle[1]. Je lui ai dit que je voulais la faire, cette campagne, en France et ailleurs ; que je voulais ajouter quelque chose à son électorat, mais qu'après, je souhaitais ne pas me représenter aux législatives en Guyane, et quitter la politique. »

1. Conversation avec l'auteur, le 6 juillet 2012.

Christiane Taubira a accompagné le candidat socialiste outre-mer, en Guyane, Guadeloupe et Martinique, au long de la campagne. Elle a distribué des tracts, raconte-t-elle, à Lille, Roubaix, en Seine-Saint-Denis ; elle a enchaîné les visites de marchés, les réunions publiques, parlé sous bien des chapiteaux. Le 6 mai, elle est à Cayenne, elle fête la victoire de François Hollande en Amazonie, elle en revient pour la journée nationale de la traite et de l'esclavage, quai Branly, lorsque, le 13, un ami commun lui assure qu'on parle d'elle pour la Justice. D'autres lui parlent du ministère de l'Égalité. Le coup de téléphone de François Hollande, le 16 au matin, doublé d'un appel de Jean-Marc Ayrault deux heures plus tard, lui confirme qu'elle sera garde des Sceaux.

Elle raconte : « François Hollande m'a dit : "J'ai envie de faire un acte fort, qui ait beaucoup de sens, un acte fort pour la justice." Je lui ai répondu, jouant sur les mots : "On a encore le droit d'avoir des émotions fortes." "Oui, oui, m'a-t-il répondu, on a encore le droit !" J'étais émue, ce qui n'est pas mon genre, et j'ai balbutié : "Honorée, très honorée..." Je raccroche. J'ai un puits qui me monte aux yeux... »

Le temps pour le Président de prévenir Christiane Taubira que Delphine Batho sera nommée à ses côtés comme ministre déléguée, Jean-Marc Ayrault l'appelle pour fixer le contenu des décrets d'attribution la concernant.

Lorsqu'on demande à Christiane Taubira si elle a conscience d'avoir été nommée à ce poste par défaut, en quelque sorte, parce que Martine Aubry l'a refusé, elle proteste : « François Hollande n'est pas un improvisateur, répond-elle, il savait que j'avais beaucoup aimé son discours sur la justice[1], que je l'avais fait écouter dans les

1. Discours prononcé par François Hollande devant le Club DJS (Droit, Justice et Sécurité), le 6 février 2012.

milieux judiciaires, partout en outre-mer, et que je partageais sur ce sujet la plupart de ses engagements. »

Peut-être, mais Hollande a-t-il pensé à elle depuis le début pour ce poste ? Rien n'est moins sûr. « Beaucoup de gens ont changé de portefeuille dans la journée de mercredi, confesse d'ailleurs Jean-Marc Ayrault. Christiane Taubira était de ceux-là. »

En tout cas, que le chemin la conduisant Place Vendôme ait été direct ou pas, la voici à la Justice. Mais une radicale à la Justice, cela signifie un radical qui s'en va : dans l'équilibre gouvernemental, accorder deux ministères pleins aux radicaux serait un de trop. Exit, donc, Jean-Michel Baylet du ministère de l'Agriculture où on le disait pratiquement nommé. Une de ses fidèles, Sylvie Pinel, sera nommée ministre déléguée, chargée de l'Artisanat, du Commerce et du Tourisme. Voilà qui devrait suffire au Parti radical.

Quant aux Verts, du coup, ils se contenteront, pour faire balance égale, d'une ministre, Cécile Duflot, en charge du Logement et de l'Égalité des territoires, et d'un ministre délégué au Développement, Pascal Canfin.

Revenons à l'Agriculture. Alors qui, pour ce ministère ? François Hollande pense tout de suite à Marylise Lebranchu. En la nommant au gouvernement, François Hollande doit penser qu'il ferait coup double : d'une part, il ferait une ouverture en direction de Martine Aubry, dont elle est l'amie ; d'autre part, il baliserait le terrain pour Ségolène Royal : celle-ci a annoncé prématurément qu'une fois élue à La Rochelle, elle briguerait la présidence de l'Assemblée nationale, Marylise y a peut-être songé aussi, du moins le raconte-t-on rue de Solferino. Si elle entre au gouvernement, le terrain sera dégagé pour Ségolène. François Hollande lui propose donc l'Agriculture, mais il ne la sent pas motivée pour ce poste. Bretonne, élue du Finistère, elle n'a aucune envie de devoir affronter les agriculteurs.

Hollande n'insiste pas. Quand on lui fait remarquer que François Mitterrand, dans ce cas, aurait exigé d'elle qu'elle accepte, ou se serait passé définitivement de ses services, il veut bien le reconnaitre. Mais, pour sa part, il pense – c'est un trait important de son caractère – que les hommes et les femmes ne sont pas performants quand ils ne sont pas motivés. Il lui propose alors le poste dont n'a pas voulu Rebsamen, le ministère de la Réforme de l'État et de la Fonction publique. Elle accepte.

Du coup, le ministère de l'Agriculture revient à Stéphane Le Foll. Un miraculé, Le Foll ! François Hollande l'avait prévenu le matin même qu'il ne pourrait pas le faire entrer tout de suite au gouvernement. Il lui avait fait la proposition de rester à ses côtés à l'Élysée. « Gagne d'abord un siège de député[1], lui recommande-t-il, on verra après ! »

Autour du chef de l'État, beaucoup trouvaient cette décision injuste vis-à-vis d'un homme qui s'est totalement investi dans la campagne. François Rebsamen, qui a fait son deuil du ministère de l'Intérieur, fait part de ce sentiment d'injustice à François Hollande qu'il vient voir à l'Élysée le mercredi 16 dans l'après-midi. Justement, il tombe bien : Le Foll sera ministre de l'Agriculture. « J'ai sauvé deux ministres ! », triomphera Rebsamen dans la cour de l'Élysée au sortir de son entrevue avec le Président : il fait allusion à Stéphane Le Foll ainsi qu'à Jean-Yves Le Drian, à ce moment-là toujours ignorant de son

1. Stéphane Le Foll avait en effet été battu en 2007 par François Fillon dans la Sarthe. Responsable de l'organisation de la campagne de François Hollande, il est premier secrétaire fédéral du PS pour la Sarthe depuis novembre 2008.

sort mais qui n'a, semble-t-il, jamais été vraiment concurrencé à la Défense.

À noter, pour évoquer l'angoisse des futurs ministres qui attendent l'annonce officielle et définitive de leur nomination – angoisse partagée par leur entourage –, que la visite de Rebsamen à François Hollande a beaucoup inquiété, dans l'après-midi, l'épouse de Manuel Valls : celle-ci regardait BFM-TV chez elle. Apprenant par la télévision que le maire de Dijon était convoqué à l'Élysée, elle a craint que le Président n'ait changé d'avis sur la nomination de son époux à l'Intérieur. Elle appelle Manuel : non, pas de changement. Sa femme ne sera cependant totalement rassurée qu'en écoutant Pierre-René Lemas égrener, vers 19 h 30, depuis le perron de l'Élysée, le nom des différents ministres.

Pour le reste du gouvernement, deux grands viviers :

D'abord celui du Parti socialiste et des différents courants qui le composent ; chacun d'eux y a son ou ses correspondants. Représentant de son propre courant, Arnaud Montebourg se trouvait dans un restaurant près des Invalides, L'Esplanade, lorsqu'il a été appelé une première fois par François Hollande sur le coup de 15 heures. Il y déjeunait avec un investisseur éventuel de la firme Lejaby, menacée de liquidation judiciaire, et n'a pas entendu sonner son téléphone. Ce n'est qu'une heure plus tard, vers 16 heures, que le Président le joint enfin. « Je voudrais te nommer ministre, lui dit-il. – Pour quoi faire et avec qui ?, demande Montebourg. – Je voudrais que tu sois chargé, sous l'autorité de Jean-Marc Ayrault, du redressement productif ». Le redressement au sens rooseveltien du terme. « Tu ne préfères pas "industriel" ? », demande Montebourg. Réponse de François Hollande : « Non, le mot "productif" est plus fort. Tu auras deux ministres délégués », précise-t-il[1], comme pour vaincre les dernières hésitations d'Arnaud Montebourg. Au gouvernement, Martine Aubry peut compter sur Pascal Lamy et Marylise Lebranchu ; le courant Fabius est représenté par Fabius lui-même ; Ségolène Royal n'est pas au gouvernement, mais deux de ses anciennes porte-parole y sont : Delphine Batho et Najat Vallaud-Belkacem ; Benoît Hamon enfin est éberlué lorsque le Premier ministre l'appelle, le mercredi 16, pour lui proposer le ministère de l'Économie solidaire : « C'est quoi, ça ? », demande-t-il. Ce qui ne l'empêche pas d'accepter sur-le-champ la proposition de Jean-Marc Ayrault.

Deuxième vivier où puiser des membres du gouvernement : l'organigramme de campagne. On y retrouve, à quelques exceptions près, le nom de tous les autres ministres de l'équipe Ayrault. Trois des quatre porte-parole en font partie : Najat Vallaud-Belkacem, Delphine Batho et Bernard Cazeneuve, maire de Cherbourg. Celui-ci a été officiellement contacté par Jean-Marc Ayrault, le mercredi 16 à 15 heures, pour lui proposer les Affaires européennes auprès de Laurent Fabius, mais, « pour être honnête, confie-t-il, j'avais déjà été appelé par un de ses collaborateurs, quelques jours auparavant, qui m'avait sondé. J'avais dit que oui, je pourrais rendre des services. Et puis Laurent Fabius m'avait appelé le samedi précédant la formation du gouvernement : "On me dit que vous allez être aux Affaires européennes, c'est une bonne chose et nous nous entendrons bien" ». Les deux hommes ont en effet en commun d'avoir voté non au référendum de 2005 sur le Traité constitutionnel européen. « Leur présence, dira un des ministres, un tantinet ironique et peut-être

1. Il s'agit de Fleur Pellerin et de Sylvia Pinel.

jaloux, montre qu'il vaut mieux faire faire le fédéralisme européen par des gens qui étaient hostiles à l'intégration que par des gens qui y ont toujours été favorables ! »

En tout cas, elle montre que François Hollande a passé l'éponge sur les anciennes divergences européennes, considérant qu'elles n'ont plus aucune signification dans la crise européenne actuelle. Le problème est moins de faire l'Europe que de savoir comment elle ne se défera pas.

La majorité des responsables des 20 pôles thématiques de la campagne se retrouvent ainsi au gouvernement : notamment Aurélie Filippetti à la Culture, Kader Arif, Jean-Yves Le Drian, Victorin Lurel, Fleur Pellerin, Marisol Touraine, Jérôme Cahuzac, Vincent Peillon, ainsi que Marylise Lebranchu qui copilotait, elle, le conseil des élus.

Ce qui rend évidemment les autres animateurs de ces pôles, ceux qui ne se retrouvent pas au gouvernement, soit moroses, soit indignés.

Michel Destot, maire de Grenoble, avait en charge, avec Marylise Lebranchu, le conseil des élus. Le mercredi 16 au matin, il pense entrer au gouvernement, mais le téléphone ne sonne pas ; il apprend le soir qu'il n'en fait pas partie. « C'est dur », confiera-t-il sur l'antenne d'une radio.

Même si sa situation locale en Aquitaine est importante[1] et relève du cumul, Alain Rousset est sans doute tout aussi navré que Destot. Il avait beaucoup travaillé, pendant la campagne, sur un thème essentiel, celui de l'industrialisation. Il en a frayé les premières pistes en confiant notamment à un cabinet privé, le cabinet Roland Berger, une réflexion sur la réindustrialisation. Celui-ci avait déterminé 6 secteurs et 80 filières à aider en priorité. Alain Rousset

1. Il est actuellement président du conseil régional d'Aquitaine, député de la Gironde et président de l'Association des régions de France.

pensait sans doute pouvoir piloter le projet au sein du gouvernement ; il a été coiffé par Arnaud Montebourg.

Pour André Vallini, le choc est plus violent. Proche de François Hollande, responsable pendant la campagne des problèmes de justice, il se voit préférer, sur le fil du rasoir, Christiane Taubira. Il est plus que déçu, indigné du comportement du Président à son endroit. Dans un SMS qu'il envoie à un ami, le 16 au soir, il écrit : « Je n'ai aucune raison de le défendre. Le coup est tellement rude que je vais mettre du temps à m'en remettre, si j'y parviens. »

Oui, cruelle, pour ceux qui n'en sont pas, la formation d'un gouvernement ! Ceux qui en sont, en revanche, sont plutôt heureux de se retrouver, le lendemain jeudi, pour leur premier Conseil des ministres.

Le résultat des courses est un gouvernement de trente-quatre ministres, dix-sept hommes, dix-sept femmes : du jamais vu, donc ! Une femme à un poste « régalien », mais aussi des ministères importants pour les autres : Affaires sociales, Culture, porte-parolat, Réforme de l'État. Seuls cinq ministres sur les trente-quatre[1] ont une expérience gouvernementale, Laurent Fabius étant le plus capé d'entre eux. Les alliés du Parti socialiste, radicaux et écolos, y trouvent leur place. Les représentants de la diversité aussi.

Il ne reste plus, d'ici au premier Conseil des ministres, fixé au jeudi après-midi, qu'à se livrer à la cérémonie, pénible pour les uns, roborative pour les autres, de la pas-

1. Ces cinq ministres sont : Laurent Fabius, ancien Premier ministre de François Mitterrand ; Marylise Lebranchu a été garde des Sceaux de 2000 à 2002 dans le gouvernement Jospin ; Jean-Yves Le Drian fut secrétaire d'État à la Mer dans le gouvernement Cresson ; Pierre Moscovici fut ministre délégué aux Affaires européennes de 1997 à 2002 ; Michel Sapin a été ministre des Finances de 1992 à 1993 dans le gouvernement d'Édith Cresson, puis chargé de la Réforme de l'État dans le gouvernement Jospin.

sation des pouvoirs. Cérémonies auxquelles les partants doivent se soumettre par esprit démocratique, et que les entrants doivent assurer dans la plus grande cordialité.

Entre François Fillon et Jean-Marc Ayrault, l'échange est courtois. Fillon a souvent été accroché à l'Assemblée nationale depuis cinq ans par Jean-Marc Ayrault. Il n'en paraît rien lorsque, à 10 heures, le mercredi matin, l'ancien Premier ministre qui – un record depuis Georges Pompidou – sera resté cinq ans à l'hôtel Matignon, accueille le nouveau : même costume bleu marine, même sourire un peu contraint, chemise rose pour le sortant, bleue pour l'entrant. Pas d'effusion entre les deux hommes. Service minimum. Seul message de Jean-Marc Ayrault : se mettre au travail pour le redressement de la France dans la justice.

Bien différente, presque complice, est la passation des pouvoirs entre Laurent Fabius et Alain Juppé, le 17 mai. Il est vrai – d'ailleurs, Fabius y fera allusion – que les deux hommes présentent quelques analogies. Pas seulement physiques, encore que depuis des années les caricaturistes insistent sur leur commune calvitie. Il est aussi vrai qu'au-delà des dessins plus ou moins bienveillants, Juppé est un peu, à droite, ce que Fabius a longtemps été à gauche : l'un et l'autre sont respectés, considérés par leurs pairs, mais pas forcément aimés. Ils ont tous deux été Premier ministre, ils ont dû tous deux affronter la Justice dans des conditions différentes, mais, à coup sûr, douloureuses pour les deux, l'un dans les affaires de la Mairie de Paris, l'autre dans celle du sang contaminé. Si on ajoute qu'ils sont tous deux anciens élèves de l'École normale supérieure et de l'ENA, oui, on peut penser que s'ils ne sont pas tout à fait les mêmes, comme les humoristes les représentent l'un et l'autre – ce qui d'ailleurs les agace prodigieusement –, il y a entre eux plus que des ressemblances : une même façon de s'être lancés dans la politique, l'un à droite, l'autre à gauche, dès leur sortie des grandes écoles, et d'y être restés malgré les sévères difficultés auxquelles l'un et l'autre ont dû faire face. « Je vous souhaite une bonne navigation sur la mer des tempêtes ! », dit Juppé. « Cher Alain Juppé, répond Laurent Fabius, les pouvoirs passent, mais les intérêts de la France demeurent. Je sais que l'avenir vous est ouvert, je sais que nous nous retrouverons, je vous souhaite tout le succès que vous méritez. »

François Baroin procède dans la même journée à deux passations de pouvoirs : la première, cordiale, vers 8 h 45, avec Arnaud Montebourg auquel il remet les clefs du ministère de l'Industrie ; la seconde, un peu plus tard dans la matinée, avec Pierre Moscovici à qui il cède celles des Finances. Souriant, presque enjoué, Baroin, qui coiffait les deux charges, a l'air presque soulagé de retourner à l'Assemblée nationale et à sa mairie de Troyes.

Un seul ministre ne s'adressera pas à son collègue de gauche nommé à sa place : Éric Besson. Lorsqu'il a sauté le pas, celui-ci, transfuge du PS avant d'être ministre de l'Identité nationale, puis de l'Industrie de Nicolas Sarkozy, était un ami très proche de François Hollande. Parmi ceux qui ont bien imprudemment, somme toute, lâché ce dernier, Besson, qui avait quitté les instances dirigeantes du PS en pleine campagne électorale, est le seul à qui le nouveau président de la République n'a pas pardonné sa défection. Il a retrouvé comme si rien ne s'était passé Jean-Pierre Jouyet après son escapade gouvernementale. Sur Éric Besson, il a eu ce mot terrible, inhabituel chez lui tant il s'applique d'ordinaire à paraître lisse et sans rancune, en rendant visite aux ouvriers de Still Saxby, à Montataire, en avril dernier : « Vous savez, un destin de traître, ça vous suit toute votre vie. Vous portez l'étiquette jusqu'au bout. »

La façon dont Besson a claqué la porte, un beau jour de 2007, et surtout la rapidité avec laquelle il s'est retrouvé, les jours d'après, à la tribune derrière Nicolas Sarkozy, en pleine campagne présidentielle, est presque unique dans les annales, même s'il est exact qu'il connaissait celui-ci depuis longtemps. En politique on peut changer de camp, et Dieu sait que cela arrive, mais pas aussi rapidement ni aussi violemment. Il faut respecter certaines formes. C'est pourquoi Éric Besson, parti prématurément en vacances aux États-Unis, est le seul à n'être pas rentré en France pour rencontrer son successeur à l'Industrie, Arnaud Montebourg, et voilà pourquoi François Baroin s'est gentiment prêté à deux passations de pouvoirs dans la même journée.

Le temps des cérémonies est terminé. Nicole Bricq, ministre de l'Écologie et de l'Énergie, s'est aperçue qu'il n'y avait plus eu de ministère de l'Écologie dans le gouvernement Fillon, NKM ayant été appelée à d'autres fonctions auprès du candidat Sarkozy depuis février. C'est donc Benoist Apparu, ex-ministre du Logement, qui lui passe des pouvoirs qu'elle n'a pas dans ses attributions. Lequel Apparu, comme Baroin, a également assuré le même jour une passation de pouvoirs avec Cécile Duflot, ministre du Logement et de l'Égalité des territoires.

Tout cela, c'était le jeudi matin. À 15 heures, tous les nouveaux ministres, n'ayant pas encore tout à fait réalisé, pour les plus néophytes, ce qui vient de leur arriver, certains ayant été prévenus par Jean-Marc Ayrault juste avant 20 heures la veille au soir, sont à l'heure au rendez-vous du Conseil des ministres. Se coulant tous dans le moule de la normalité, certains d'entre eux ont pris le métro, comme Cécile Duflot dont le jeans fait sensation ; d'autres sont arrivés sans voiture officielle. Fabius, Le Drian, Yamina

Benguigui arrivent à pied au milieu des badauds. Comme il se doit, Jean-Marc Ayrault, sitôt arrivé, a été introduit dans le bureau présidentiel. Malgré la parité affichée, les femmes arrivent le plus souvent ensemble, par groupes de cinq ou six : Aurélie Filippetti en robe noire ajustée, avec Nicole Bricq en strict tailleur gris, et Geneviève Fioraso, députée de l'Isère, inconnue hier, devenue ministre de l'Enseignement supérieur et de la Recherche. Arnaud Montebourg passe, en vedette déjà habituée au charivari des photographes massés dans la cour à droite des marches du perron. Les ministres qui l'ont déjà été connaissent la salle du Conseil, ils n'ont pas besoin que les huissiers leur montrent le chemin. Aucun des cinq n'était pourtant certain, il y a de cela dix mois, d'y remettre un jour les pieds.

Selon la tradition, les ministres, plus ou moins émus, sont déjà installés autour de la table lorsque François Hollande et Jean-Marc Ayrault entrent dans la salle. L'ordre protocolaire est strictement respecté : pas question de s'asseoir n'importe où. Fabius est à la gauche de François Hollande, Christine Taubira à sa droite. Jean-Marc Ayrault est assis en face du Président, Vincent Peillon à sa droite, Pierre Moscovici et Aurélie Filippetti à sa gauche.

Très vite, François Hollande donne le ton : on n'est pas ici, comme l'avait dit naguère François Mitterrand, au comité directeur du Parti socialiste. Le Président le fait savoir assez fermement : « Nous étions tous assez impressionnés, raconte Bernard Cazeneuve. Il n'y avait pas beaucoup d'anciens ministres autour de la table. Tous les autres étaient des novices. C'était fort et émouvant. Avec une réelle solennité, François Hollande a dit : “Je n'accepterai rien ici qui ne soit pas en adéquation avec les lieux.” En même temps, il y avait une lueur espiègle dans son regard, qui voulait dire : “Attention, je vous ai à l'œil.” » « J'étais en face de lui, à deux places du Premier ministre, indique Michel Sapin[1]. Il a laissé son regard circuler en s'attardant sur quelques-uns d'entre nous, et il a eu cette phrase : "J'ai ici devant moi des gens que je connais depuis très longtemps, d'autres que je connais depuis moins longtemps ; l'amitié perdurera ici, pas la familiarité." » Il le dit sur un ton tel que ceux de ses proches qui sont au gouvernement ont le sentiment qu'une page vient de se tourner. C'est le cas, par exemple, de Jérôme Cahuzac, ministre du Budget, après avoir longtemps été président de la Commission des finances à l'Assemblée nationale : « On espère la même amitié qu'avant, et en même temps on se dit qu'un Président, une fois élu, doit prendre de la hauteur, tout en restant proche... C'est compliqué[2]. »

Tout le monde a compris : pas question de continuer à tutoyer François Hollande, au moins en public. Le Président est le Président.

Dans la foulée, celui-ci précise les règles du jeu : solidarité et collégialité, concertation et transparence, impartialité et exemplarité.

Il s'agit d'abord de rappeler aux ministres présents qu'ils sont liés par la solidarité gouvernementale. Cela n'a l'air de rien, mais, pour des gens, hommes et femmes, habitués des réunions de courants et de contre-courants socialistes, à qui il arrive, depuis des années, de se chamailler et de se contredire, d'entamer des controverses et de se réconcilier bruyamment après des ruptures violentes et publiques, ce rappel à la solidarité ne va pas de soi. La concertation est la règle, et pas l'exception. L'exemplarité concerne tout le

1. Michel Sapin changera de place autour de la table du conseil dans le gouvernement Ayrault 2 après les législatives.

2. Conversation avec l'auteur, le 3 septembre 2012.

monde autour de la table du Conseil. Exemplaires dans leur comportement et leurs actions, les ministres le seront aussi dans leurs émoluments et leur train de vie. On voit bien, à ces propos, que la campagne électorale est encore proche : Nicolas Sarkozy a été attaqué depuis des mois par ses adversaires socialistes sur ses relations avec le monde de l'argent. Des attaques lourdes, répétées, qui ont contribué à nourrir l'antisarkozysme et qui se sont révélées déterminantes dans la victoire de François Hollande. Pas question d'oublier les reproches faits à Sarkozy et à son équipe sans en tirer la moindre conséquence. C'est la parole présidentielle qui serait battue en brèche. D'autant que personne, autour de la table du Conseil, n'a oublié les dérives rapides, de ce point de vue, de certains ministres socialistes de 1981. Hollande l'a montré depuis son élection : il croit à la force des symboles, comme Mitterrand croyait à celle de l'esprit, et il entend que les ministres mettent leurs pas dans les siens. Dans la foulée, il annonce la baisse immédiate de 30 %, par décret, de la rémunération des ministres, à l'instar de celle du Président et du Premier ministre. Inutile de dire qu'on entendrait, pendant qu'il parle avec une autorité que beaucoup ne lui connaissaient pas, une mouche voler. Mêmes mesures sur la baisse du train de vie des cabinets dont la dotation financière est réduite de 10 %.

Quant à la charte de déontologie que le Premier ministre et lui demandent aux membres du gouvernement de signer, elle tient en deux pages très directives et commence par ces phrases : « Le bon fonctionnement de la démocratie passe par l'existence d'un lien de confiance entre les citoyens et ceux qui les gouvernent. Elle se construit jour après jour, au vu de l'action du gouvernement et de l'image donnée par ceux qui en sont membres.

Un manquement isolé peut, à lui tout seul, suffire à l'entamer durablement... »

On y rappelle que les membres du gouvernement doivent prévenir tout soupçon d'intérêt privé, s'abstenir de donner suite à toute invitation pour un séjour privé qui émanerait d'un gouvernement étranger, remettre au service des Domaines tous les cadeaux d'une valeur supérieure à 150 euros, enfin s'abstenir de toute intervention concernant la situation d'un membre de leur famille ou d'un proche.

En creux, ce texte évoque pêle-mêle le voyage en Tunisie de MAM, l'affaire de l'EPAD, et toutes celles qui, sous toutes les républiques et notamment sous la Ve, ont terni la réputation des hommes politiques.

Enfin, pas question que les ministres conservent leurs mandats exécutifs locaux : le cumul des mandats est interdit. Curieusement, c'est cette recommandation qui a l'air de faire le plus problème, au moins dans l'immédiat, à ceux qui sont autour de la table.

Les ministres inexpérimentés s'aperçoivent que le Conseil n'a rien à voir avec une réunion interne du PS et qu'ils seront désormais sur la sellette, comme ils y ont mis depuis des mois les ministres de Nicolas Sarkozy et Nicolas Sarkozy lui-même. Ceux qui connaissent déjà le cérémonial du Conseil disent en sortant qu'ils n'ont jamais vécu un moment de ce genre, dans des circonstances analogues. Aucun ne s'est d'ailleurs jamais vu proposer une charte de déontologie.

L'atmosphère est presque lourde quand vient la récréation : c'est la séance de photo officielle à laquelle tous se prêtent, presque soulagés de quitter la salle et de respirer l'air du jardin. Après l'heure de gravité, Hollande a recouvré son sourire. Il attrape par le bras Bernard Cazeneuve, ministre des Affaires européennes, qui a été son porte-parole et qu'il n'a plus vu depuis le 6 mai : « Cherbourg, lui dit-il, c'est près de l'Angleterre, j'ai regardé sur une carte : voilà pourquoi tu es ministre des Affaires européennes ! »

Sur la photo officielle, les hommes ont reboutonné d'un même mouvement leur veste, les femmes ont arboré leur plus joli sourire. Pour eux comme pour elles, les difficultés commencent. La première : les législatives qui arrivent. Là aussi, le Président a été clair : il n'y aura pas, dans le prochain gouvernement, de ministre battu par le suffrage universel. Prudemment, certaines et certains choisissent de ne pas se représenter ; d'autres, au contraire, vont au combat la fleur au fusil.

Le surlendemain du Conseil, Vincent Peillon annonce la semaine des cinq jours à l'école, sans concertation et sans en avoir parlé au Premier ministre. Christiane Taubira alimente une vive polémique en parlant trop vite de la suppression des tribunaux de mineurs, à laquelle François Hollande s'était engagée. Entre Delphine Batho et elle, la guerre des compétences fait déjà rage. Manuel Valls accorde à la presse une interview sur la sécurité avant que ne s'exprime sur le sujet Jean-Marc Ayrault. Ainsi va la vie de tout gouvernement : les ratés, les bévues, les emballements font partie de l'apprentissage. Encore convient-il que celui-ci ne se prolonge pas outre mesure.

Chapitre IV

Les législatives

Nicolas Sarkozy a décidé de prendre du champ. Encore ceux qui étaient près de lui le 6 mai au soir – Édouard Balladur et Henri Guaino – ont-ils déployé beaucoup d'énergie pour le convaincre de ne pas annoncer, comme Lionel Jospin l'avait fait en 2002, son retrait définitif de la vie publique. Visage marqué, sourire vissé aux lèvres, il s'est adressé à ses troupes en général vaincu, quelques minutes à peine après avoir félicité sportivement François Hollande par téléphone. Comme pour consoler ses militants dont beaucoup pleuraient, il a revendiqué la défaite dont, a-t-il assuré avec force, il « porte toute la responsabilité ». « Ma place, a-t-il ajouté au milieu d'applaudissements plaintifs, ne pourra plus être la même après trente-cinq ans de politique, dix ans de responsabilités gouvernementales, cinq ans à la tête de l'État ; mon engagement sera sans doute différent. »

Sur un « Je vous aime, merci à tous ! », Nicolas Sarkozy a accepté son échec, mais il n'a pas injurié l'avenir. Le lendemain, il réunit autour de lui ceux qui l'ont accompagné pendant la campagne : il y a là François Fillon, Jean-François Copé, Jean-Pierre Raffarin, Jean-Louis Borloo,

Xavier Bertrand, NKM et Valérie Pécresse. « La famille, leur a-t-il répété, se trouvera un nouveau chef. »

Il le redit le 9 à ses ministres réunis pour la dernière fois en Conseil à l'Élysée, laissant à François Fillon, qui, malgré bien des scènes de ménage, sera resté cinq ans son Premier ministre, le soin de faire une dernière fois le bilan du quinquennat. Lui se contente de parler du tout dernier acte, celui de son départ. Depuis lors, il a repris du poil de la bête. Il analyse avec optimisme, tous comptes faits, le scrutin du dimanche précédent : 51,7/48,3, c'est une défaite, ça n'est pas une déroute. Un million deux cent mille voix l'ont séparé de son adversaire. Cela implique un basculement de seulement 600 000 électeurs. C'est assez pour quitter le pouvoir, pas assez pour penser qu'on ne pourra jamais le reprendre. Depuis la fin 2011, les sondages n'avaient-ils pas longtemps prévu pire ? Après le discours de François Hollande au Bourget, au début de 2012, Nicolas Sarkozy n'était crédité que de 40 % des suffrages. S'il n'a pas gagné en mai, il n'en a pas moins effectué, entre-temps, une sérieuse remontée. Conclusion : tout est possible dans cinq ans sinon pour lui, du moins pour d'autres.

Sarkozy, donc, c'est provisoirement fini. Le temps, le 15, après avoir demandé à François Hollande de prendre soin de Xavier Musca, le secrétaire général de l'Élysée, qui quitte le Palais avec lui, d'insister auprès de Jean-François Copé pour qu'il réserve une investiture à Henri Guaino, grognard fidèle et passionné de l'épopée sarkozyste, dans une circonscription législative proche de Paris, et puis il a tourné la page : nouveaux locaux en vue, pas trop éloignés de l'Élysée ; et le Conseil constitutionnel dans sa ligne de mire : pour la rentrée, il a déjà dit qu'il siégerait en tant qu'ancien président, et le voilà parti.

L'échec est rude pour les leaders de l'UMP, mais leurs sentiments sont à la fois complexes et différents. Pour François Fillon s'ouvre une autre période où il pourra se montrer plus libre vis-à-vis de celui qu'il ne reconnaissait pas comme son « mentor », tout en n'étant pas – ou plus – accusé de trop se démarquer de lui. Toute sa carrière politique s'est faite en parfait numéro 2 : il a débuté comme assistant parlementaire d'un ami de son père, Joël Le Theule, député gaulliste de la Sarthe et maire de Sablé. Un vrai parrain en politique qui, en mourant, lui a laissé son siège de député et a fait de lui, en 1981, le benjamin de l'Assemblée nationale. Puis il y a eu Philippe Séguin dont il a été le porte-parole officieux et peut-être le seul confident. Enfin, Nicolas Sarkozy dont il a été cinq ans Premier ministre non sans avoir frôlé le découragement ou l'exaspération. On s'est longtemps demandé à quoi servait François Fillon tant il semblait lisse, docile et dévoué. C'est oublier qu'il ne l'est pas tant que cela, et que, lorsqu'il était jeune, il avait été par deux fois exclu de son établissement scolaire, au collège d'abord, au lycée ensuite, pour indiscipline, chahut et insubordination devant son professeur d'anglais. Pour lui, c'est maintenant ou jamais. Fini la dissimulation : Sarkozy est parti, vive Fillon !

Un sentiment d'une autre nature anime Jean-François Copé. Longtemps il est apparu comme tenant tête à Nicolas Sarkozy. Ancien « bébé » Chirac converti par nécessité, président du groupe parlementaire puis hissé, sans grand appui du Château, au secrétariat général de l'UMP, il est déjà tout entier dans son combat présidentiel de 2017, presque maladroit tant ses ambitions sont limpides. Aujourd'hui persuadé que la dérive baptisée « droitière » de Nicolas Sarkozy dans le dernier mois de sa campagne a empêché une Berezina au lieu, comme l'ont dit certains, de précipiter sa chute, il est convaincu que la France vote à droite pour peu que celle-ci soit capable de trouver un modus vivendi honorable avec l'extrême droite. Son rêve évident, un peu trop lisible : faire du Sarkozy sans Sarkozy. Son interrogation : y a-t-il un héritage de Nicolas Sarkozy ? Est-il possible de se réclamer de lui, ou, au contraire, faut-il s'en démarquer ? Pour l'heure, Jean-François Copé n'a pas la réponse à ses questions. Lui que l'on disait le plus libre, le plus irrévérencieux de la famille, a joué le jeu à fond pendant la campagne présidentielle : meetings, réunions publiques, c'est un de ceux qui, suivant l'expression politique du moment, a le plus « mouillé la chemise » pour un Président boudé par les sondages. Une forme de fidélité ou un sens aigu de ce qui lui serait le plus profitable après l'échec ? Avec cet ambitieux élevé par Chirac mais grandi sous Sarkozy, on ne sait jamais.

Entre les deux, Jean-Pierre Raffarin balance. Plusieurs semaines avant le premier tour, il était déjà convaincu de l'inéluctabilité de la défaite de Nicolas Sarkozy. Question de comportement, disait-il en privé. Par conviction, il serait plutôt proche de François Fillon : plus redistributif, plus social, vieux fonds séguiniste oblige. Mais Fillon a été son ministre des Affaires sociales en 2003 et Raffarin ne lui a jamais pardonné son attitude, qu'il a jugée peu solidaire, au moment de la réforme des retraites en 2003. Pour lui, l'ancien Premier ministre de Nicolas Sarkozy est définitivement un homme seul, et qui doit le rester : « La seule ligne qu'il suit, c'est la sienne », a jugé Raffarin dans un livre publié pendant la campagne[1]. » Du coup, en ce début de campagne des législatives, le voilà qui se rapproche de Jean-François Copé. Il a bien dit que l'heure du bilan de Sarkozy viendrait. Mais plus tard : élections et prudence obligent.

---

1. *Je marcherai toujours à l'affectif*, Flammarion, 2012.

Et Alain Juppé ? Lui qui voulait faire la synthèse entre Fillon et Copé, entre Chirac et Sarkozy, lui dont on disait qu'il était le « troisième homme », en attendant de devenir le premier ? Eh bien, il ne sera pas candidat à l'élection législative dans la 2e circonscription de la Gironde. Pas besoin d'en chercher longtemps la raison : au second tour de l'élection présidentielle, François Hollande a obtenu près de 60 % des suffrages à Bordeaux. L'ancien Premier ministre ne veut pas prendre le risque d'un second échec législatif après celui de 2007 où il avait dû quitter le gouvernement. Il a reconquis la mairie de Bordeaux, il s'en tiendra là. C'est renoncer à se mesurer à Fillon et à Copé ? Bordeaux vaut bien une messe. Pour le reste, on verra plus tard, là encore, rien ne presse.

Pour l'heure, cependant, pas question d'afficher les divisions : celles-ci aussi peuvent attendre. Le lundi 7, tandis que la transition s'organise du côté socialiste, Jean-François Copé réunit le bureau politique de l'UMP. Pas de guerre des chefs : c'est la consigne donnée. Un million et deux cent mille voix d'écart à la présidentielle : les reprendre aux législatives, est-ce hors de portée ? Et si, après tout, une cohabitation était possible ?

Cohabitation : le mot fait rêver un instant les leaders de l'UMP. Elle n'est pas totalement loufoque, cette idée : il n'est pas dit que l'antisarkozysme baptisé « primaire », qui a abattu Nicolas Sarkozy, rejaillisse sur les députés qui faisaient sa majorité. S'il n'y a pas eu de « vague rose » pour la présidentielle, peut-être peut-il y avoir un moindre reflux de la « vague bleue » ?

« Il nous est arrivé, raconte Jean-Pierre Raffarin après la mi-mai, de nous demander tous les six[1] : qu'est-ce qu'on

1. Jean-François Copé, François Fillon, Bernard Accoyer, Christian Jacob, Alain Juppé et lui.

fait si on gagne[1] ? Ou de plaisanter à demi en nous disant : parmi les choses qui peuvent se passer, c'est qu'on peut gagner ! » Quel Premier ministre, dans ce cas ? Réponse nette : « Soit Jean-François Copé, leader du Parti, soit Alain Juppé, le plus haut gradé… »

La situation n'est pas si évidente, en effet, pour la gauche : l'Assemblée nationale issue du scrutin de 2007 reflète la victoire qui fut à l'époque celle de Nicolas Sarkozy. Avec 320 députés UMP et 23 du Nouveau Centre, la majorité présidentielle d'alors disposait de la majorité absolue des suffrages, même si le groupe socialiste, dont la candidate venait d'être battue, avait tiré son épingle du jeu avec 200 élus. Nicolas Sarkozy disposait donc d'une totale liberté de manœuvre avec l'Assemblée, liberté dont il profita pendant tout son quinquennat. C'est cette Assemblée-là, dont les députés sortants UMP se représentent pour la plupart que le nouveau pouvoir socialiste entend bien changer. S'il veut être libre de ses mouvements, il faut à François Hollande plus de 289 députés socialistes, soit 89 de plus qu'en 2007. Ce n'est pas rien !

Même si, sous la Ve République, on a toujours vu des législatives tenues dans la foulée d'une présidentielle donner la victoire à une majorité de candidats se réclamant du président tout juste élu[2], celle-ci n'est nullement gravée dans le marbre. Au moment où la campagne des législatives commence, l'incertitude n'en est pas moins grande du côté de la

1. Conversation avec l'auteur, le 24 mai 2012.

2. En 1981, 1988, 2002 et 2007. VGE n'avait pas procédé à des élections législatives à son arrivée au pouvoir, pas plus que Jacques Chirac en 1995. Il est vrai que Chirac, lui, disposait en 1995 d'une majorité gaulliste (élue en 1993) et ne ressentait donc pas la nécessité de risquer de nouvelles élections. Lorsqu'il prit ce risque en 1997 en décidant la dissolution de la Chambre, il perdit et c'est la gauche qui gagna.

majorité sortante. Beaucoup d'élus UMP voient devant eux une élection difficile, notamment Jean-François Copé lui-même à Meaux, en Seine-et-Marne. Il est loin d'être la seule personnalité de droite à être menacée : Xavier Bertrand dans l'Aisne, Laurent Wauquiez en Haute-Loire, Nathalie Kosciusko-Morizet dans l'Essonne le sont au vu des résultats de la présidentielle qui a donné dans leurs circonscriptions une confortable avance à François Hollande.

Mais à gauche aussi tous les ministres du premier gouvernement de Jean-Marc Ayrault ne sont pas assurés de leur victoire en juin. Vingt-cinq d'entre eux ont à affronter des matches difficiles en des lieux où François Hollande n'a pas fait merveille à la présidentielle : c'est le cas de plusieurs ministres clés dans le dispositif Ayrault, qu'il s'agisse de Pierre Moscovici ou d'Aurélie Filippetti. Le ministre des Finances se présente dans le Doubs où Nicolas Sarkozy est arrivé en tête aux premier et second tours de la présidentielle, et la ministre de la Culture en Moselle où François Hollande a figuré en troisième position derrière Nicolas Sarkozy et Marine Le Pen.

Les résultats de la présidentielle ne laissent pourtant pas place à un doute excessif : François Hollande est arrivé en tête dans 333 circonscriptions sur 577. Il faudrait vraiment un fort mouvement en sens inverse du vote exprimé par les Français le 6 mai pour renverser la tendance.

Pourtant, dans chaque camp, les experts formulent trois hypothèses avant que les ordinateurs des instituts de sondage n'entament leur travail d'analyse et de prospectives.

La première est la plus simple : entraînés par la victoire de Hollande à l'Élysée, les électeurs donnent une majorité absolue aux candidats socialistes. Dans ce cas, le gouvernement et le Président auraient les mains libres pour appliquer le programme de François Hollande. À noter que ce serait la première fois dans l'histoire de la Ve République que la gauche cumulerait tous les pouvoirs : présidence de la République, majorité à l'Assemblée nationale et au Sénat, auxquelles viendraient s'ajouter les présidences de régions et de conseils généraux, et sa prédominance dans les villes de plus de 100 000 habitants.

Deuxième hypothèse : le Parti socialiste ne dispose pas, le 17 juin, de la majorité absolue : la sienne est relative. Hypothèse d'autant plus plausible que l'accord électoral signé entre Martine Aubry et Cécile Duflot en 2011 offre dans un bouquet de fleurs 63 circonscriptions gagnables aux Verts. Sans compter les cadeaux de même nature accordés, en échange de leur soutien à la présidentielle, aux radicaux (32 circonscriptions) et aux chevènementistes (9). Même si, en certains endroits – à Lyon, par exemple –, la consigne nationale n'est pas respectée, même si des dissidents socialistes contestent l'accord et font acte de candidature malgré les consignes de la direction nationale, cela fait une bonne soixantaine de circonscriptions de moins pour les socialistes. Dans ce cas, le gouvernement Ayrault serait tributaire de l'appui de ses alliés, les Verts ou le Front de gauche, dont on imagine qu'ils en profiteraient volontiers pour peser sur lui. Mais peut-on dire que le Front de gauche est un allié ? Difficile à affirmer, avec ce diable d'homme qu'est Mélenchon, qui, au surplus, n'a pas digéré les petits 11 % des suffrages que lui ont accordés les Français dans la course à l'Élysée[1].

Une majorité relative, dans ces conditions, signifierait des compromis permanents, et autant de surenchères à désamorcer. L'opposition UMP/Nouveau Centre retrouverait en ce cas une certaine liberté de manœuvre en exploitant les failles de la majorité en place.

1. Voir, plus loin, la campagne Marine Le Pen/Jean-Luc Mélenchon.

Puis, troisième hypothèse : celle qui verrait les élus UMP, sous la houlette de ses chefs, Jean-François Copé et François Fillon, unis comme les deux doigts de la main, remporter la bataille des législatives. L'issue serait donc la cohabitation. Pas beaucoup de chances que les choses se passent ainsi, mais enfin, ça n'est pas impensable.

Ce 7 mai, lorsqu'ils se quittent à l'issue du bureau politique, les ténors de l'UMP se prennent à penser que, peut-être, si les Français, comme ils en sont persuadés, ont avant tout voté *contre* Sarkozy, pas *pour* François Hollande, ils ont une petite chance de reprendre la main.

Cette hypothèse, celle de la cohabitation, répétons-le, est la moins probable. Elle se heurte à l'arithmétique électorale du premier tour à laquelle s'ajoutent deux écueils : celui de la proximité entre les deux scrutins, présidentiel et législatif, qui devraient emporter l'électorat dans un même mouvement ; celui de la présence du Front national dont nombre de candidats pourront se maintenir au second tour puisque Marine Le Pen a recueilli plus de 12,5 % des inscrits dans 353 circonscriptions. Celle-ci, qui a obtenu près de 19 % des voix au premier tour de la présidentielle, va-t-elle pouvoir transformer l'essai aux législatives ?

On comprend pourquoi, à droite, l'heure n'est pas aux règlements de comptes : si l'UMP se divisait aujourd'hui, si même elle était seulement tentée de contester la façon dont Sarkozy a mené sa campagne en essayant, comme il l'avait fait en 2007, de « siphonner » les voix du Front national – sans y parvenir, cette fois –, c'en serait fini de la cohabitation rêvée. Donc, surtout pas de droit d'inventaire !

Pourtant, très vite, dès le milieu de la semaine de transition, ce mot de « cohabitation » fait problème au sein de l'UMP. Jean-François Copé, qui sent le vent, préfère employer le mot « rééquilibrage ». C'est que la notion même de cohabitation divise le mouvement gaulliste ou ce qu'il reste de gaulliste dans le mouvement. D'aucuns, certes pas parmi les plus jeunes, mais chez les « historiques », rappellent l'hostilité, qu'ils partagent, du général de Gaulle à la cohabitation. Que Chirac ait pu s'en accommoder en 1997 au bout de deux ans à l'Élysée, passe. Encore y eut-il alors des voix pour regretter que le président de la République ne quitte pas ses fonctions après un scrutin législatif qui avait vu triompher la gauche. De là à faire campagne aujourd'hui pour la cohabitation, il y a de la marge. Il faudrait savoir quel souvenir les Français en ont gardé : bon, mauvais, passable ? Plutôt mauvais, semble-t-il. Au surplus, ceux qui ont plaidé pour le 7 à 5, c'est-à-dire pour le passage du septennat au quinquennat, ont justement souligné que cette réforme était indispensable pour aligner la majorité présidentielle sur la majorité législative. Ce serait se contredire, selon eux, d'axer la future campagne sur une possible cohabitation alors même qu'en instaurant le quinquennat, ils l'ont condamnée.

Une deuxième considération, réaliste, conduit les dirigeants de l'UMP à renoncer à l'emploi du mot : les premières prévisions des sondages et des experts électoraux – il y en a dans chaque parti – ne vont pas dans ce sens-là. Chargé de pointer les circonscriptions où la majorité sortante a des chances de l'emporter compte tenu des résultats obtenus par François Hollande les 22 avril et 6 mai, Sébastien Chenu, jeune cadre « montant » de l'UMP, a terminé ses calculs autour du 20 mai. Il en rend compte à Claude Guéant et lui livre ses pronostics : seuls 230 députés UMP seraient réélus. « Ça ne fait pas le compte », lui répond Guéant, déçu mais pas étonné. « Et encore, ajoute aujourd'hui Sébastien Chenu, je ne lui avais pas dit que sa victoire à lui, à Boulogne, était loin d'être assurée ! »

Outre Jean-Marc Ayrault, pratiquement assuré de sa réélection, vingt-cinq membres du gouvernement, même menacés de devoir abandonner leur ministère s'ils sont battus, choisissent de se présenter. C'est le cas de Stéphane Le Foll, battu dans la Sarthe en 2007, qui livrera néanmoins bataille dans la même circonscription en 2012, sans y défier cette fois François Fillon, candidat à Paris. Pas d'hésitation non plus pour Aurélie Filippetti, ni pour Pierre Moscovici, pourtant en situation incommode, on l'a vu. Candidate dans les Bouches-du-Rhône face à l'UMP Renaud Muselier, dauphin de Jean-Claude Gaudin à la mairie de Marseille depuis des années, Marie-Arlette Carlotti, ministre déléguée aux Personnes handicapées, n'hésite pas à annoncer sa candidature. François Hollande n'a pourtant obtenu dans sa circonscription que 50 % des voix et des poussières. Elle n'avait appris qu'au tout dernier moment, le mercredi 16 mai aux alentours de 16 heures, sa nomination au gouvernement. Ça n'était pas, dit-elle, pour abandonner le terrain à Marseille où elle fait de la politique depuis quarante ans.

Parmi ceux qui ne se présentent ou ne se représentent pas[1], la jeune porte-parole du gouvernement, Najat Vallaud-Belkacem, conseillère générale et adjointe au maire de Lyon, a préféré éviter le combat dans la 4e circonscription du Rhône, jugée difficile pour la gauche[2] : le

1. Parmi les 34 membres du gouvernement Ayrault, 10 ministres ne se présentent pas aux législatives. Outre Najat Vallaud-Belkacem et Christiane Taubira, il s'agit des eurodéputés Vincent Peillon et Pascal Canfin, de la sénatrice Nicole Bricq, d'Arnaud Montebourg, du président du conseil régional de Bretagne, Jean-Yves Le Drian, de la maire du IVe arrondissement de Paris, Dominique Bertinotti, de Yamina Benguigui, adjointe au maire de Paris, et de Fleur Pellerin.

2. Ce sera d'ailleurs la candidate UMP Dominique Nachury qui y sera élue en juin.

6 mai, Nicolas Sarkozy y a obtenu 54 % des voix. Prendre le risque serait suicidaire. Elle ne le prend pas.

La ministre de la Justice, Christiane Taubira, la « surprise » du gouvernement Ayrault puisqu'on ne l'attendait pas à ce poste régalien, prend la même décision. Avant d'être nommée au gouvernement, elle avait d'ailleurs fait savoir qu'elle abandonnerait son siège : trop loin, trop fatigant. La garde des Sceaux a d'autres chats à fouetter en France : dès les premiers jours de sa nomination, elle a fait l'objet d'une polémique incessante avec la droite. L'objet de cette polémique ? Un peu tout, à vrai dire. Notamment son annonce, faite dans la foulée de sa nomination, de la suppression des tribunaux correctionnels pour mineurs. Elle n'aurait pas dû la faire si tôt, elle en convient elle-même, mais bon, elle a été interrogée par la correspondante de l'AFP à l'issue d'une visite de deux heures, le dimanche 21 mai, dans une permanence pour mineurs. Elle était avec Pierre Joxe, reconverti après la Cour des comptes dans la défense des jeunes délinquants, lorsque la journaliste lui a demandé si elle allait supprimer les tribunaux pour mineurs. « Oui, a-t-elle répondu, c'est un engagement du président de la République. » Elle a même ajouté : « Et toutes les mesures qui visent à rapprocher la justice des mineurs de la justice des majeurs seront revues. » « C'est alors, raconte-t-elle, que les choses sont parties dans tous les sens[1]. » Jean-François Copé a sauté sur l'occasion pour dénoncer le laxisme de la gauche. Argument électoral de bonne guerre : installés par Nicolas Sarkozy, les tribunaux correctionnels pour mineurs ont été considérés à droite comme une panacée pour répondre à la délinquance sans cesse croissante des moins de 18 ans.

---

1. Conversation avec l'auteur, le 6 juillet 2012.

La polémique anti-Taubira enfle les jours suivants : cette ancienne indépendantiste guyanaise n'a-t-elle pas trouvé anodin – elle l'aurait déclaré sur la chaîne de radio internationale RFI – qu'un drapeau français ait été brûlé à la Bastille, le 6 mai dernier ? Elle juge inutile de démentir. Elle a certes été indépendantiste en d'autres temps, avant 1981, mais, depuis, elle a été candidate aux élections européennes aux côtés de Bernard Tapie en 1994, et candidate à la présidence de la République française en 2002. Au surplus, elle n'a pas prononcé sur RFI la phrase qu'on lui prête : « Brûler des drapeaux français est un geste de liesse pardonnable », et, par ailleurs, il n'y a pas eu le moindre drapeau brûlé à la Bastille[1].

En revanche, le vendredi qui suit sa nomination place Vendôme, elle s'en va – c'est sa première sortie officielle – assister à Paris-Bercy à la finale du challenge national de basket pénitentiaire organisé chaque année, depuis trois ans, entre détenus et personnels pénitentiaires. Pas de chance pour la ministre : un jeune Géorgien de 22 ans, venu de Fleury-Mérogis, en profite pour fausser compagnie aux surveillants au nez et à la barbe de la garde des Sceaux ! « Première sortie de Mme Taubira, première évasion réussie », rigole le lendemain un élu de la Droite populaire.

Coïncidence ou provocation ? Le temps de se poser la question, et Éric Zemmour, éditorialiste du petit matin sur RTL, lui consacre un de ces brefs papiers dont il a le secret, mêlant la bonne et la mauvaise foi, ironisant sur les deux priorités de la nouvelle ministre. La première, on l'a vu, est la suppression des tribunaux correctionnels pour mineurs. Tiens ! Il y est hostile. La seconde est la lutte

1. L'image diffusée du drapeau français brûlé ne daterait pas du 6 mai 2012, mais de 2006, et elle n'aurait pas été prise à la Bastille, mais à Ramallah…

contre le harcèlement sexuel : Zemmour y voit la condamnation de l'homme blanc – par une femme noire –, en même temps, par un saisissant raccourci, que la défense des récidivistes de banlieue !

Beaucoup plus combative que ne le laisseraient supposer son sourire charmeur et son langage lyrique, la ministre enrage. Passe encore d'être la souffre-douleur de la droite, elle en a vu d'autres dans sa carrière. On ne fait pas si facilement son trou politique en France quand on vient de Guyane, qu'on est noire et radical-socialiste ! Non, ce qui la gêne le plus, c'est de ne pas pouvoir répliquer. Elle tourne comme une lionne en cage dans son bureau de la place Vendôme. Elle s'est toujours battue, et aujourd'hui, alors que la campagne des législatives bat son plein sans elle, la voici la cible d'une droite qui trouve en elle la coupable idéale, l'image même de cette gauche pleine de bons sentiments qui se préoccupe de la psychologie des délinquants plutôt que du droit des victimes.

« La violence des coups était telle, confiera-t-elle quelques jours plus tard[1], que Jean-Marc Ayrault a pensé qu'il était mieux que je ne réponde pas. J'ai obéi au Premier ministre. » Cela ne l'enchante visiblement pas. « Je ne suis pas une pacifiste, ajoute cette dompteuse des mauvais esprits de la forêt guyanaise[2], il ne faut pas qu'ils me donnent l'occasion d'avoir envie de me les faire ! » Texto…

Paradoxe : les ministres qui se lancent dans l'empoignade électorale nourrissent beaucoup moins la polémique que Christiane Taubira ! Les leaders de la majorité sortante comptaient beaucoup enfoncer le clou en insistant sur l'inexpérience du gouvernement, sur celle du Premier

1. Même jour, conversation avec l'auteur.
2. In *Mes météorites, combats politiques au long cours*, Flammarion, 2012.

ministre, surtout sur celle du président de la République, et se saisir de l'argument pour allumer des contrefeux. Mais l'inexpérience des nouvelles équipes politiques, de la base au sommet, est loin d'être si évidente : à l'Élysée, le Président organise son cabinet comme tous les autres présidents avant lui l'ont fait. Préfets, énarques, conseillers spéciaux, ils sont une cinquantaine, se réunissent tous les quinze jours autour du secrétaire général de l'Élysée, Pierre-René Lemas, et François Hollande leur fait la surprise d'assister parfois à leur réunion. L'activité du cabinet s'est organisée autour de deux pôles, chacun coiffé par un secrétaire général adjoint : politique économique et financière autour d'Emmanuel Macron, politique publique autour de Nicolas Revel.

Comme les présidents qui l'ont précédé, le nouveau chef de l'État déjeune, lorsqu'il est à Paris, avec les représentants du spectacle vivant, qui lui parlent des problèmes des « intermittents », ou avec des historiens comme Pierre Nora et Jean-Noël Jeanneney, qui lui font part de leur hostilité à la « Maison de l'Histoire » envisagée en 2011 par Nicolas Sarkozy ; ils obtiendront gain de cause. Leur hostilité aux lois mémorielles, en revanche, tombe à plat : quelques jours après leurs agapes, au risque de déplaire autant que Nicolas Sarkozy au Premier ministre turc qui l'avait si bien accueilli à Chicago, François Hollande promettra aux organisations arméniennes une nouvelle loi pénalisant la négation du génocide perpétré par l'État turc contre leurs aïeux.

Le soir, il lui arrive d'aller au théâtre, aux Ateliers Berthier, par exemple, où il a assisté à la représentation de la pièce de Joël Pommerat, *Cendrillon*. Une vie de président comme un autre, en somme.

Confronté aux échéances internationales, le Président ne semble pas dépassé par les difficultés de sa tâche. À un journaliste qui lui demandait, à l'issue de son premier G8, comment il avait abordé son « examen de passage », il a répondu avec un soupçon – bien vite dissimulé – de hauteur qu'il ne pensait pas avoir à donner de « preuves particulières » : « Je n'ai pas, a-t-il dit, à être en période d'essai. Je m'étais engagé à ce que la croissance figure au G8 et au G20. Si je n'avais pas réussi à installer ce terme, je n'aurais pas été en capacité de dire que ces sommets ont été utiles. »

Oui, certes, il a commis, si l'on veut, une erreur vestimentaire en se présentant avec une cravate à Camp David, mais cela ne peut guère alimenter une polémique politique. Angela Merkel et Barack Obama ne le boudent pas. À Washington, il a fait un tabac parmi la communauté française qui ne lui était pas gagnée d'emblée. Les autres chefs d'État ne lui tournent pas le dos : le thème de la croissance, loin de faire un flop en pleine crise, est devenu, dans plusieurs pays d'Europe, un espoir et un projet. Le président français se conduit sans ostentation mais ne fait aucune bourde. Rien qui puisse déjà faire penser aux Français qu'ils ont eu tort de voter pour lui. Il n'a peut-être pas de charisme, comme disent ses adversaires, mais il ne commet pas plus d'erreurs aujourd'hui à l'Élysée qu'il n'en a commis pendant sa campagne.

D'une rencontre internationale à l'autre, François Hollande mène ce qu'on peut appeler une campagne politique « subliminale ». Il n'a pas l'air de se mêler du scrutin législatif, mais ne pense qu'à ça. Sobriété contre bling-bling, normalité contre exagération, calme contre agitation : son style se définit en opposition radicale à celui de son successeur. Ce qui ne l'a pas empêché d'intervenir en pleine campagne, sur France 2, pour réclamer une majorité « large, unie et cohérente ». Toutes ses interventions devant la presse, à l'issue des rencontres internationales, que ce soit avec Angela Merkel et les chefs d'État européens ou encore, plus rarement, avec Vladimir Poutine, sont autant d'occasions de montrer que la gauche « utile », la gauche qui gouverne, c'est lui, qu'il est déjà installé, en prise directe avec les grands événements de ce monde.

Au surplus, il n'est pas le seul à compter dans le climat général. Certes, on ne remarque pas qu'il y ait, pour ce président, le moindre jour d'état de grâce. Mais enfin, l'installation aux commandes du gouvernement, le rythme auquel les premières décisions sont prises jouent plutôt en sa faveur. En quinze jours, du 15 mai au 1er juin, les mesures symboliques pleuvent : réduction du traitement du Président et des ministres, réduction du nombre et des rémunérations des membres des cabinets ministériels, annonce d'une nouvelle échelle de rémunération des patrons des entreprises publiques qui ne pourront être payés plus de vingt fois plus que le moins bien loti de leurs salariés : l'exemplarité est à ce prix. Des symboles ? De la poudre aux yeux face au déficit abyssal de la dépense publique, comme maugréent ses adversaires ? Oui, sans doute, mais des symboles populaires qui, pendant la campagne des législatives, donnent de François Hollande une image conforme à celle qui a aidé à son élection.

Les ministres aussi se mobilisent, et les plus importants d'entre eux, simultanément engagés dans leur campagne électorale locale, font bonne figure. Pendant que Christiane Taubira s'attire les foudres de Jean-François Copé, Manuel Valls, ministre de l'Intérieur, mène sa barque en professionnel de la lutte pour la sécurité et contre la délinquance. S'il n'est pas franc-maçon, comme François Rebsamen – du moins s'en défend-il –, il n'en dispose pas moins de relais et de réseaux au sein de la police. Le 17 mai, à peine vient-il de prendre ses fonctions Place Beauvau qu'il se rend à Noisy-le-Sec, en Seine-Saint-Denis. Pourquoi là ? Parce que, dans le commissariat de cette ville de la banlieue parisienne, un policier a été mis en examen trois semaines plus tôt pour homicide volontaire. Était-il en état de légitime défense ? Le contrôle du malfaiteur qui a pris la fuite était-il inopiné, ou maladroit ? Sans attendre, Manuel Valls se rend auprès de ses collègues et affiche sa solidarité. Dès le lendemain, il fait sa tournée des commissariats. Les personnels, les syndicats de policiers l'accueillent avec chaleur. Beaucoup le connaissent depuis longtemps : maire d'Évry, mobilisé sur les problèmes de sécurité parce qu'il les vit quotidiennement, il a longtemps été, à quelques exceptions près – dont celle de Jean-Pierre Chevènement[1] –, un des seuls socialistes à incarner la fermeté face à la délinquance. Avec la même préoccupation politique : celle de ne pas abandonner à l'extrême droite et à la droite qui n'est pas extrême les thèmes de la sécurité, de la délinquance et de l'immigration.

Comme Michel Rocard chez qui il a fait ses classes, Valls pense que la France ne peut « accueillir toute la misère du monde ». Et comme François Mitterrand, il estime que des « seuils » peuvent se révéler nécessaires pour réguler l'immigration. À l'automne précédent, les primaires socialistes lui ont donné l'occasion de se faire entendre par les Français en dehors des instances de son parti. Il y a pris depuis lors une autre dimension.

Fils d'immigré, ombrageux comme un Catalan et fier d'être français, l'homme à la cravate claire est devenu, avec le soutien de François Hollande, un des principaux atouts du gouvernement, alors qu'il apparaissait jusqu'alors comme une sorte de « déviant » au sein du PS. Socialiste

1. Alors président du Mouvement des citoyens, fortement désavoué par une bonne moitié des socialistes.

de droite, Manuel Valls ? Il s'en défend, parce que ce serait admettre que la sécurité est incompatible avec la gauche. À droite, il ne l'est pas non plus lorsqu'il abroge en pleine campagne législative la fameuse circulaire Guéant sur le travail des étrangers en France.

De ce point de vue, la campagne présidentielle a bouleversé la donne. Depuis longtemps déjà François Hollande pense lui aussi que l'absence de réponse de la gauche à la montée de la criminalité et de la délinquance petite et grande a entraîné, en 2002, son échec. Valls n'est plus seul à parler sécurité, immigration, intégration, vertus républicaines, et à imposer *La Marseillaise* à la fin des meetings socialistes.

Le procès en inexpérience est donc plus difficile à instruire que prévu par l'UMP. Assez rapidement, même si la droite juge la gauche toujours plus ou moins illégitime lorsqu'elle s'installe au pouvoir, les leaders de l'UMP cessent de traiter le Président, son Premier ministre et ses ministres en parfaits béotiens. Au reste, l'expérience ne fait pas tout, ils sont les premiers à le savoir, puisque la droite au pouvoir depuis onze ans a été battue et que la volonté de renouvellement affichée par le pays a été bénéfique à la gauche.

Nous voici donc à la date limite du dépôt des candidatures aux législatives, le vendredi 18 mai à 18 heures. La semaine précédente, avec le retentissement qu'on imagine dans les médias, Jean-Luc Mélenchon, pourtant très abattu au soir du 22 avril, relève un nouveau défi : il annonce qu'il s'en va dans le Nord, à Hénin-Beaumont, défier Marine Le Pen sur ses terres... Succès médiatique assuré, mais pari audacieux. D'autant que le Parti socialiste et le Front de gauche ne se sont pas mis d'accord pour présenter un candidat commun dans les circonscriptions où la gauche risque l'élimination dès le premier tour à cause de la présence du

Front national. La faute à qui ? À la mauvaise volonté de Martine Aubry ? « Oui, explique un proche de François Hollande ; Martine Aubry s'est positionnée à gauche dans le parti. À la gauche de la gauche, même. Du coup, elle considère qu'elle n'a rien à gagner à un accord électoral avec le Front de gauche, que cela ne lui ajoute rien. Elle n'a pas vraiment poussé à ce que la négociation aboutisse. » Question : aurait-elle pu mettre fin aux négociations électorales avec le Front de gauche sans en parler à François Hollande ? « Oui, répond le même interlocuteur ; Hollande ne voulait pas se mêler de ça : il préparait la transition avec Sarkozy, son installation à l'Élysée et sa première tournée internationale… Pourtant, il aurait éventuellement bien besoin du soutien de Mélenchon et aurait peut-être gagné à la signature d'un accord électoral avec le Front de gauche. »

La responsabilité du désaccord avec le PS est-elle partagée avec Jean-Luc Mélenchon qui a vu, trois semaines auparavant, partir en fumée son rêve présidentiel ? « Oui, tranche Alain Bergounioux, secrétaire national du PS[1]. C'est une erreur stratégique personnelle de Jean-Luc Mélenchon. C'est lui qui a incité le Front de gauche à refuser les propositions du PS. Les discussions ont eu lieu entre les socialistes et les deux composantes du Front de gauche, le Parti communiste et le Parti de gauche. Communistes et socialistes étaient prêts à un accord. Ce sont les exigences de Mélenchon qui ont fait capoter cet accord. »

L'échec de la négociation entre les deux formations est le reflet de la désillusion de Jean-Luc Mélenchon au soir du 22 avril. C'est qu'il y a cru, à cette campagne présidentielle !

1. Alain Bergounioux est également l'auteur de nombreux ouvrages historiques sur le Parti socialiste. Cf. *Le Socialisme à l'épreuve du capitalisme*, Fayard, 2012.

Il n'a pas cru pouvoir l'emporter, non, mais faire partager ses idées, se battre contre le Front national, talonner François Hollande, lui dicter ses conditions, ça oui, il avait fini par croire que c'était possible ! Lui-même était sceptique, au début de cette course dans laquelle il s'était engagé, avant François Hollande, au nom de la gauche de la gauche. Le Parti socialiste, il y était resté une trentaine d'années avant de s'y sentir étranger. Trop d'Europe, trop de petits chefs, trop de libéralisme, trop d'oligarchie et de consanguinité. Devenu jeune, à 35 ans, en 1986, sénateur socialiste de l'Essonne, cet ancien trotskiste né au Maroc d'un père receveur des PTT et d'une mère institutrice aurait pu adopter – d'autres l'ont fait avant lui – un train de sénateur. Ce n'est pas dans sa nature. Ce qu'il faut à cet orateur-né, nourri de philosophie grecque et de marxisme, c'est donner un coup de pied dans la fourmilière pour mieux démontrer qu'il y a place, à la gauche de la gauche française, pour un perturbateur, un fort en gueule hostile à l'Europe libérale, à son Traité constitutionnel et à ses institutions.

Ah ça, il n'a jamais aimé François Hollande qui a toujours été à ses yeux l'incarnation de ce qu'il déteste au PS : trop consensuel, trop raisonnable, trop social-démocrate. Jean-Pierre Bel, président du Sénat, ancien président du groupe parlementaire socialiste, qui, à ce titre, a surveillé Mélenchon avec amitié et inquiétude comme le lait sur le feu, connaissant ses talents de déstabilisateur, n'en a jamais douté : « Il a toujours eu, dans son inconscient, la certitude qu'un jour il incarnerait un grand combat. Dans sa tête, ce combat ne pouvait être que présidentiel. Il y a toujours eu chez lui un tropisme latino-américain. »

Et avec Hollande, comment les choses se passaient-elles lorsqu'ils étaient tous deux au PS ? Mal. Au congrès de Brest, en 1997, Jean-Luc Mélenchon a été le seul dirigeant socialiste à s'être présenté contre un François Hollande soutenu par Lionel Jospin. Dès les premiers mots qu'il prononça ce jour-là à la tribune, ceux qui ne le savaient pas encore comprirent qu'il était un exceptionnel orateur. D'autant plus qu'en ces temps d'« inventaire », il avait rendu un hommage solennel et ému au « Vieux », c'est-à-dire à François Mitterrand, qu'il appela ce jour-là son maître à penser. « Il m'a dit : ne cédez jamais, marchez votre chemin… Je marche, Monsieur[1]… ! »

Beau, très beau discours, mais résultat pour le moins décevant : largement battu, le sénateur de l'Essonne obtint moins de 10 % des suffrages militants[2]. Les relations avec le premier secrétaire ne se sont jamais arrangées depuis lors. « Jean-Luc, dit Jean-Pierre Bel, s'estimait insuffisamment écouté par le premier secrétaire du PS. Ils ne se sont jamais entendus. Ils ont pourtant tous les deux de l'humour, mais pas le même. On aurait dû les laisser ensemble toute une journée – poursuit-il non sans drôlerie –, comme on fait chez moi en Ariège pour les chiens tueurs de poules. On met un chien et une poule dans un sac, on les laisse dans le sac toute la journée, ça se bagarre un peu, mais on peut être sûr, après cela, que plus jamais le chien n'attaquera une poule ! »

Comparaison audacieuse que ne goûteraient sans doute ni Hollande ni Mélenchon, mais qui rend bien compte de

1. Lire, sur J.-L. Mélenchon, le livre de Lilian Alemagna et Stéphane Alliès, *Mélenchon, le plébéien*, Robert Laffont, 2012.

2. En 2009, lors d'une émission de télévision sur France 24, Jean-Luc Mélenchon a accusé François Hollande d'avoir trahi un accord passé entre eux sur le chiffre des suffrages de l'un et de l'autre au congrès de Brest. La vidéo de cette émission a été opportunément diffusée en mars 2012. Mélenchon y prononce cette phrase : « Un accord avec Hollande ou rien, c'est la même chose. »

l'incompatibilité d'humeur qui règne entre eux depuis la fin des années 1990. « C'est vrai qu'au bureau national, raconte Jean-Pierre Bel, il est arrivé souvent à François Hollande de ne pas voir le doigt de Jean-Luc se lever pour demander la parole. Hollande regardait ailleurs. Le nombre de fois où Jean-Luc m'a dit : Ton copain, il commence à me courir ! »

Il lui a « couru » davantage encore lorsqu'il lui a refusé, en 2002, son investiture à Paris pour les législatives suivant l'échec de Lionel Jospin.

Lorsque, en juin 2011, il se lance dans son projet présidentiel, Mélenchon ne sait pas encore que Hollande sera le candidat socialiste. Sitôt que celui-ci remporte les primaires, il lui vole dans les plumes. Le « capitaine de pédalo » date d'une interview au *Journal du dimanche* daté du 15 novembre. Les communistes, partisans *in fine* d'une alliance avec les socialistes, demandent à Mélenchon de mettre une sourdine. Il obtempère plus ou moins : il asticotera François Hollande avec ses bons mots, ses piques, ses petites phrases, mais n'ira pas jusqu'à l'éreintage. Il est sensible à l'analyse unitaire des communistes : l'ennemi n'est pas la gauche socialiste. S'il veut défendre une grande cause, incarner un grand combat, c'est le Front national qu'il doit désigner comme son ennemi, en même temps que celui de la démocratie. Le mal absolu, c'est Marine Le Pen, cette blonde mangeuse d'hommes qui a hérité du talent et des idées de son père et fait croire qu'avec elle l'extrême droite a changé.

Puis Mélenchon a une autre certitude : il pense qu'au bout de cinq ans de sarkozysme, au moment où la contagion de la crise se généralise, les Français ne peuvent plus entendre parler des grandes banques, de leurs profits, des patrons du CAC 40, de leurs stock-options et autres parachutes dorés. Qu'il suffit, comme disait un jour Georges Marchais, d'aller prendre l'argent là où il est. Bref, que le souffle du « Grand Soir » peut décoiffer d'un coup la Finance, les banquiers, les énarques en même temps que l'establishment politico-médiatique.

Les excès de vocabulaire ne le gênent pas, il en fait au contraire une spécialité : « Qu'ils s'en aillent tous, écrit-il dans un brûlot datant de 2010 : les patrons hors de prix, les sorciers du fric qui transforment tout ce qui est humain en marchandise, les émigrés fiscaux, les financiers dont les exigences cancérisent les entreprises ! » « *Qu'ils s'en aillent tous*, explique-t-il, est le slogan par lequel a commencé chacune des révolutions qui, depuis dix ans, régénèrent les uns après les autres les pays d'Amérique du Sud. »

François Hollande n'a ni le style ni le verbe de ce révolutionnaire latino qui siège au Parlement européen après avoir été secrétaire du Sénat[1]. Au début, le candidat socialiste s'en accommode. Mélenchon est à 5 ou 6 % dans les sondages : rien qui puisse l'inquiéter. Mais, contre toute attente, son talent oratoire aidant, le voilà qui atteint 10 % après une confrontation presque loufoque avec Marine Le Pen sur France 2, le 23 février : celle-ci avait refusé de débattre avec Mélenchon. Une fois les deux protagonistes sur le plateau, l'absence de débat en devint un, et l'on eut face à face un Mélenchon véhément procureur à charge et une Marine Le Pen incapable de garder longtemps le silence auquel elle s'était promis de se tenir. Le résultat : une émission réussie parce que ratée, où plus de noms d'oiseaux furent échangés que d'arguments.

Sa brutalité même, excessive, presque « surjouée », comme on dit d'un acteur qui en fait trop, n'est pas portée au débit du tribun. De semaine en semaine, il grimpe, il

1. Jean-Luc Mélenchon a quitté le Sénat pour l'Assemblée européenne en 2010.

grimpe, Mélenchon. « C'est notre meilleur allié contre Hollande, va jusqu'à dire un ministre sarkozyste à la mi-mars ; il faut qu'il grappille le maximum de points ; s'il monte encore, on lui dressera une statue ! »

C'est à ce moment-là qu'il devient un danger pour Hollande. En mars, Mélenchon est à égalité avec François Bayrou, avec 13 % des intentions de vote. Certains instituts de sondage le créditent même de 15 % des voix. Plus sa cote progresse, plus Mélenchon se sent pousser des ailes, plus il plane d'un meeting à l'autre. D'autant que, pour des raisons essentiellement financières, mais aussi parce que les places noires de monde ne lui font pas peur, il a inventé le meeting en plein air : la Bastille, le Capitole ne coûtent rien, contrairement aux chapiteaux loués à prix d'or. Nicolas Sarkozy et François Hollande vont l'imiter, mais c'est lui qui a donné le ton.

« François, explique encore Jean-Pierre Bel, était inquiet de cette montée et du résultat du premier tour. À un moment donné, fin mars, il est vrai que la montée de Mélenchon l'a menacé : Hollande a craint qu'il ne soit trop proche de lui au premier tour, donc qu'il fasse monter les enchères pour le second, ce qui aurait pu faire les affaires de Sarkozy. »

Que cela irrite ou inquiète Hollande, Jean-Luc Mélenchon, dans les salons ou les bistrots, sur les places des grandes villes ou dans une arrière-salle de café, constitue bel et bien, pour des millions de Français, la surprise de cette élection présidentielle. Tous les médias confondus – et Dieu sait s'il ne les ménage pas – parlent du « phénomène » Mélenchon, comme, en 2007, ils avaient parlé du « phénomène » Bayrou.

« Phénomène » complexe, cependant : son succès populaire repose sur des bases trompeuses. Il fait certes le plein des voix de l'extrême gauche, reléguant les candidats du Nouveau Parti socialiste et de Lutte ouvrière, Philippe Poutou et Nathalie Arthaud, au rôle de figurants. Mais mord-il vraiment, au-delà, sur l'électorat de Hollande ? De très nombreux électeurs de gauche, des sympathisants du Parti socialiste viennent avec délice écouter Mélenchon, ils vibrent à son enthousiasme insurrectionnel, à ses propos incendiaires toujours nourris de références historiques. Ils se font plaisir, ils aiment ses outrances, ses phrases ronflantes, sa voix tonnante, ses mimiques, ils applaudissent à ses diatribes contre le Front national ou la « gauche molle ». Ils disent même vouloir voter pour lui. C'est ce mouvement-là que traduisent les sondages. Pourtant, dans l'isoloir, ils voteront utile, pour une gauche de gouvernement, après s'être délecté à regarder et entendre Mélenchon l'enchanteur.

Le 22 avril, celui-ci obtient à peine plus de 11 % des voix. Le coup est rude ; 11 %, c'est certes plus que le Front de gauche n'espérait en début de campagne. Mais c'est trop peu pour son candidat, porté par les sondages, qui a pensé un moment qu'il talonnerait François Hollande, et, à ce titre, deviendrait maître du jeu à gauche entre les premier et second tours. Et comme il n'y a de défaite que relative, c'est trop peu, aussi, parce que, malgré tous ses efforts, il est largement devancé par Marine Le Pen : près de 7 points de différence entre la patronne du Front national et le leader du Front de gauche alors qu'il pensait, au bruit que faisait sa propre campagne, qu'il allait pouvoir la devancer.

Respectant la discipline républicaine, il demande à ses électeurs « de ne pas traîner les pieds », et, sans jamais prononcer le nom de François Hollande, de faire barrage à Nicolas Sarkozy. Mais il en veut à la terre entière : aux socialistes qui, juge-t-il, ne l'ont pas assez épaulé dans sa lutte contre le Front national ; aux communistes qui l'avaient pourtant choisi comme candidat et ne l'ont pas assez aidé ; à Marine Le Pen, enfin, qui a traité, avec la grâce qu'on imagine, Mélenchon de « triple idiot ». C'est un idiot triplement utile, a-t-elle expliqué de sa voix gouailleuse : « Utile à François Hollande, parce qu'il permet à la gauche de se défouler au premier tour ; utile à Nicolas Sarkozy, parce qu'il affaiblit Hollande au premier tour ; et des deux réunis, puisqu'il trompe les électeurs qui croient s'attaquer au système en votant pour lui, au lieu de s'y attaquer en apportant leurs suffrages à la seule candidate antisystème : Marine Le Pen. »

Au soir du 22 avril, il en prend conscience : la fin de l'histoire se jouera sans lui.

Restent les élections législatives. Mélenchon rêve d'entrer au Palais-Bourbon. Il siège, certes, à l'Assemblée européenne, mais les décisions qui s'y prennent ne font pas de bruit, et les discours les plus éloquents n'y ont aucune résonance en France même. Après l'écho recueilli par sa candidature présidentielle, c'est là, juge-t-il, qu'il faut être désormais présent ; c'est là que se fait la politique, la vraie. Reste à choisir une circonscription. Quatre options géographiques sont sur la table : deux circonscriptions possibles dans les Bouches-du-Rhône, une dans le Pas-de-Calais, une dans l'Hérault, trois en région parisienne. En tout, sept endroits où il pourrait annoncer sa candidature sans être taxé par les militants locaux de parachutage, mais en bénéficiant au contraire de leur aide au sol.

Pourquoi choisit-il le Pas-de-Calais ? Et, dans le Pas-de-Calais, la ville d'Hénin-Beaumont où Marine Le Pen s'est installée en 2007 ? Pour rénover le gauche et abattre le Front national[1], quel meilleur endroit trouver que cette ville de

1. Cf. son livre *Qu'ils s'en aillent tous !*, Flammarion, 2010.

26 000 habitants, voisine de Lille, dont le maire socialiste, Gérard Dalongeville, a été placé en détention en 2009 pour détournement de fonds publics, faux et usage de faux, et dans laquelle Marine Le Pen a fait depuis lors son nid, profitant du discrédit local du PS et du vote ouvrier du Pas-de Calais. « Le renouveau à gauche, dit-il, est la condition qui permet à une masse de gens de sortir de l'atroce tenaille qui les condamne à devoir choisir entre les vociférations de l'extrême droite et les casseroles d'une certaine gauche. »

Lutter contre Marine Le Pen dont il a fait la cible centrale de sa campagne présidentielle, lutter contre la « lepénisation » des esprits, contre l'« infâme politique[1] » du Front national, lutter en même temps pour la moralisation de la gauche et pour une « révolution citoyenne », comme il dit, c'est en effet donner un sens à sa candidature. « Une bataille exemplaire », conclut-il.

Défier Marine Le Pen, c'est aussi s'assurer d'être suivi vingt-quatre heures sur vingt-quatre par les micros et les caméras. Curieux de voir combien Jean-Luc Mélenchon, l'un des plus virulents contempteurs de la presse, et surtout de l'audiovisuel dont il écrit qu'il formate les esprits, se borne à reproduire l'« idéologie dominante » et les « préjugés existants », rendant « impossible la production d'une pensée construite », a besoin de ces médias qu'il ne cesse de dénoncer. Il traite Laurence Ferrari, alors présentatrice sur TF1, de « perruche » ? Mais il ne refuse jamais une émission, conscient que la télévision a joué un rôle capital pour imposer son personnage comme le quatrième – il espérait bien le troisième – personnage de la scène politique française. Les journalistes : « Beaucoup de bruit et peu de fond[2] »,

1. Jean-Luc Mélenchon, 23 février 2012, sur France 2.
2. Dans son livre *Qu'ils s'en aillent tous !*, *op. cit.*

analyse-t-il. Ça tombe bien : le bruit, surtout s'il est fait autour de lui, lui convient à merveille. Quant au fond, il n'a besoin de personne pour en lester ses discours. C'est ainsi, sur le mode de l'attraction/répulsion, que Jean-Luc Mélenchon est devenu paradoxalement la coqueluche des médias. Du coup, la bataille d'Hénin-Beaumont va cristalliser le débat entre l'extrême droite et l'extrême gauche. Pendant près d'un mois, des cohortes de journalistes y camperont, attentifs à la moindre petite phrase de Jean-Luc ou de Marine, et il n'en manquera pas !

Le 12 mai, donc, Jean-Luc Mélenchon annonce dans une conférence de presse son intention de se présenter à Hénin-Beaumont. Le 14, Marine Le Pen y lance à son tour sa campagne. Un socialiste moins attractif pour la presse, Philippe Kemel, maire de la commune voisine de Carvin, reçoit l'investiture du PS.

Sans l'appui socialiste, la situation est-elle jouable pour Mélenchon ? Le candidat du Front de gauche fonde ses espoirs sur le fait que la circonscription est traditionnellement à gauche et que Marine Le Pen n'est pas parvenue à se faire élire à la mairie d'Hénin-Beaumont en 2009. Quant à la mise en examen, puis à la révocation de Gérard Dalongeville, maire socialiste jusqu'en 2009, elles interdisent selon lui tout espoir à un candidat qui porterait la même étiquette.

Analyse fausse ! D'abord, Marine Le Pen est bien implantée à Hénin-Beaumont. Aux législatives de 2007, elle a recueilli plus de 27 % des voix au premier tour, seule de tous les candidats FN dans le pays à pouvoir se maintenir au second. À l'issue de celui-ci, elle a obtenu près de 42 % des voix. Elle ne s'est pas laissé décourager par son échec à la mairie en 2009 : elle a continué de faire les marchés et à visiter les corons. Elle n'est plus la « parachutée » parisienne qu'elle était en 2007. Elle a siégé au conseil municipal jusqu'à l'année précédente, elle est aujourd'hui députée européenne. Entourée d'une équipe efficace, elle laboure l'ex-bassin minier depuis des années, et surtout elle incarne une version plus jeune, attractive, « dédiabolisée », dit-on, du Front national. Au surplus, elle a devancé, et de loin, Mélenchon au premier tour de la présidentielle. La déloger ne sera pas facile. Dans ce Pas-de-Calais où le chômage sévit durement, elle a facilement l'oreille des sans-emploi. C'est cet électorat que Jean-Luc Mélenchon entend bien lui disputer. Mais il a contre lui le fait d'être parisien et la brièveté de la campagne. Difficile de faire en moins de trente jours ce que Marine Le Pen a accompli en plusieurs années. D'autant plus que Mélenchon ne choisit pas les thèmes les plus faciles chez les Ch'tis : il plaide pour davantage d'immigration dans un bassin de population qui se plaint du chômage, et focalise son discours contre le FN en un lieu où celui-ci obtient ses meilleurs résultats.

La campagne ne vole pas haut : chaque camp surveille l'autre ; les déplacements de l'un ou de l'autre font l'objet de comptes rendus fantaisistes. Mélenchon plaide que Marine Le Pen est l'héritière des « Camelots du roi » qui « tiraient sur les ouvriers », devant des électeurs pour qui cette référence historique à l'entre-deux-guerres ne signifie rien. La présidente du Front national rigole, prétendant que Mélenchon a si peur d'elle qu'il préfère l'éviter sur le marché, et poireaute dans sa voiture en attendant qu'elle ait fini sa tournée.

Les coups bas pleuvent jusqu'à la veille du premier tour où, sur un tract anonyme, on a collé à Mélenchon la petite moustache de Hitler. Colère de l'intéressé, menace de procès. Le Front national, interrogé, nie. Autre tract, faussement attribué à Mélenchon : il y apparaît comme faisant son slogan de campagne d'une phrase prononcée au hasard d'une réunion publique : « Il n'y a pas d'avenir en France sans les Arabes et les Berbères du Maghreb. » Il a bien, en effet, articulé cette phrase diversement accueillie par l'auditoire devant lequel il la proférait. De là à en faire son slogan de campagne, il y avait de la marge ! L'hymne à l'immigration heureuse a des limites dans ce coin du Pas-de-Calais où le taux de chômage dépasse les 13 %.

Le Parti socialiste s'en mêle : Martine Aubry et Jean-Marc Ayrault viennent sur place soutenir leur candidat dont la presse parle à peine, tant il est écrasé par le duel opposant Marine Le Pen à Jean-Luc Mélenchon. Un débat chaotique oppose le 2 juin, sur France 3 Nord-Pas-de-Calais, cinq des candidats de la 11e circonscription du Nord. Face à Marine Le Pen et à Jean-Luc Mélenchon, les trois autres participants à l'émission partent avec un lourd handicap : les médias les ont jusque-là ignorés. Ils assistent d'abord sans mot dire à l'échange d'invectives entre les deux « grands » candidats qui se traitent mutuellement de « facho » et de « chochotte ». En fin d'émission, Philippe Kemel tire son épingle du jeu en opposant un bon sens local aux références historiques et nationales. Oui, comme il paraît bien à l'aise, dans ce plat pays, le discret maire socialiste de Carvin, comme il paraît exactement adapté au bassin minier, à ses habitants, face à ces deux candidats qui jouent et rejouent la présidentielle !

Le 10 juin, dans la 11e circonscription du Pas-de-Calais, Jean-Luc Mélenchon est battu à plate couture. Il arrive en 3e position derrière Marine Le Pen, qui s'envole avec 42 % des voix : plus qu'elle n'en a jamais obtenu. Et le peu charismatique Philippe Kemel est le mieux placé pour le second tour. Voilà Mélenchon obligé une nouvelle fois d'apporter ses voix au candidat socialiste qu'il a éreinté pendant toute la campagne. Il enrage contre ces socialistes qui ne l'ont pas soutenu lorsque le Front national a inondé Hénin-Beaumont de faux tracts aux effets dévastateurs. Le 12 juin, il s'indigne dans son blog contre « ces salauds sartriens qui se donnent bonne conscience en s'inventant des raisons de laisser faire... ».

Bien obligé, pourtant, d'accepter la discipline républicaine pour faire barrage à l'élection de Marine Le Pen. Il le fait non sans panache, à sa manière, avec quelques phrases qui sonnent bien, adjurant les 11 406 électeurs qui ont voté pour lui de ne « pas s'abandonner aux rancœurs, à l'amertume et parfois à l'esprit de parti ».

C'est son personnage, son style flamboyant, volontiers agressif, ses envolées lyriques, ses appels à la rupture, son exaltation révolutionnaire, son talent même qui sont condamnés par les électeurs du Pas-de-Calais. Trop bobo, trop parisien, dira Marine Le Pen en sablant le champagne ce soir-là[1].

C'est une terrible désillusion pour Mélenchon, parce qu'elle est aussi d'ordre idéologique. Il a jeté toutes ses forces dans la bataille contre le Front national, il l'a personnalisée, faisant de lui le seul rempart ou presque contre la montée de l'extrême droite. Il n'a pas seulement défié Marine Le Pen sur les plateaux de télévision, il est venu là, sur ses terres, pour convaincre un à un les habitants de

1. « Eh bien, les choses sont claires, a-t-elle dit, la campagne de M. Mélenchon s'est effondrée ; sa campagne bobo, bruyante, ne correspondait pas du tout aux attentes de la population, et la connexion qu'il prétendait faire avec l'électorat populaire n'a pas plus marché aux législatives qu'à la présidentielle. »

Jean-Luc Mélenchon, lui, constate en parlant de son adversaire : « Elle a fait un travail de dix ans devant des incapables et des bons à rien qui n'ont pas su endiguer sa progression. » Ce sont les socialistes locaux et les démêlés du maire socialiste avec la justice que Jean-Luc Mélenchon dénonce à cette occasion.

Hénin-Beaumont et des alentours qu'ils se fourvoyaient, que Marine Le Pen n'était pas la solution à leurs maux. Il est venu récupérer, pour le ramener à la gauche populaire, le fameux « vote ouvrier » qui, depuis les années 2000, faisait défection au Parti socialiste. Il a mené bataille presque seul, sans guère de troupes et de moyens. Tout cela pour être balayé dès le premier tour ! Le verbe ne suffit pas, il vient d'en faire l'expérience. Il se souviendra de cette campagne : le Parti socialiste, qui a généreusement distribué des circonscriptions aux Verts et aux Radicaux, n'a pas eu un geste pour lui. Les communistes ? Tout juste. Il n'a pas écouté ceux qui lui prodiguaient des conseils de prudence, qui lui recommandaient d'accepter une circonscription plus sûre près de Paris où il aurait sans doute été élu les doigts dans le nez. Il a joué à quitte ou double. C'est quitte.

Il y a plus grave : Mélenchon ne subit pas seulement un violent échec personnel, le second après celui, déjà indigeste, du 22 avril. Mais il alourdit par sa défaite le score national, décevant, du Front de gauche. Finie, l'ambition de peser sur la majorité de gauche qui naîtra sans doute du premier tour ! Le Front de gauche y survivra, mais restera marginal. Ce n'est pas ce qu'il voulait, ce n'est pas ce que voulaient les communistes lorsqu'ils ont préféré Mélenchon à l'un des leurs, André Chassaigne, qui aurait peut-être eu moins de présence, moins de talent, moins d'invention, mais qui, lui, aurait joué « collectif ».

Injustice de la politique : les communistes étaient sur un petit nuage, le 22 avril, lorsque Mélenchon atteignit un score qu'ils n'avaient plus connu depuis les grandes heures de Georges Marchais. Ils sont moins réjouis lorsque, tirant les conclusions de la campagne des législatives, un mois plus tard, ils se demandent où sont passées les 2 millions de voix qui ont fait défaut entre la présidentielle et les législatives. Tout juste s'ils ne reprochent pas à Mélenchon de les avoir perdues.

Sans qu'il y ait ce jour-là de « vague rose », les résultats du premier tour, le 10 juin, balaient, à droite, pour ceux qui en avaient encore, tout espoir de cohabitation. Les Français ont confirmé leur vote du 6 mai, même s'il va falloir attendre le résultat du second tour pour jauger l'ampleur de la majorité de gauche qui s'en dégagera.

La gauche obtient un total de voix supérieur à celui que lui donnaient l'avant-veille la plupart des instituts de sondage. Avec ses alliés traditionnels, radicaux de gauche, divers gauche et chevènementistes, le Parti socialiste totalise 34,5 % des voix, soit 3 points de plus que prévu. La défaite de Jean-Luc Mélenchon n'explique pas, à elle seule, le recul du Front de gauche : en même temps que lui, ses alliés communistes, plus nombreux à se présenter, obtiennent eux aussi des résultats médiocres, à tel point qu'on se demande s'ils pourront, après le second tour, constituer un groupe parlementaire : 11 % le 22 avril, 7,5 % le 10 juin – le compte n'y est pas.

Une fois de plus, le « vote utile » a fait la différence. Après la victoire de François Hollande, il a profité à la gauche de gouvernement déjà installée à l'Élysée. C'est également à cette notion de « vote utile » bénéficiant aux socialistes qu'il faut imputer la faible performance des écologistes, pourtant présents dans quatre circonscriptions sur cinq si l'on compte celles que les socialistes leur ont abandonnées.

Pour l'UMP, cependant, ce premier tour est loin de constituer une débâcle. Ce 10 juin, c'est presque le rééquilibrage que Jean-François Copé avait appelé de ses vœux : avec 34 % des voix contre 34,3 au PS et à ses alliés, l'UMP a mordu sur les centristes et limité la progression du Front national. Celui-ci a néanmoins résisté : ses candidats, sur lesquels se sont portés 13, 7 % des Français, n'ont pas égalé la performance de Marine Le Pen le 22 avril précédent. Mais ils obtiennent des suffrages plus nombreux qu'en 2002 et 2007, et peuvent espérer jouer au second tour un rôle d'arbitres entre la gauche et la droite.

C'est assez pour mettre l'UMP au pied du mur : quel mot d'ordre donner à ses candidats en vue du second tour ? Si un candidat du Front national a des chances d'être élu dans une élection triangulaire où le candidat UMP figure en troisième position, celui-ci devra-t-il se maintenir, au risque de faciliter l'élection du socialiste, ou, en se retirant, favoriser éventuellement le FN ? Dans un face-à-face entre le Front national et le PS, quelle consigne donnera l'UMP ? Y aura-t-il des négociations au cas par cas entre le Front national et l'UMP pour barrer la route aux socialistes ? Que veulent les élus locaux ? Et leurs électeurs ?

Scène vécue : dimanche 10 juin, 21 h 30 ; sur un plateau de télévision, un ténor de l'UMP, Claude Goasguen, réélu dès le premier tour, affronte devant les journalistes un leader socialiste. Oui, le premier tour de ces législatives est marqué par la victoire des socialistes ; oui, l'UMP a bien résisté : elle subit une défaite, peut-être d'ailleurs réversible au second tour, prédit-il, mais ce n'est pas une déculottée. Au moment précis où il cesse de parler, l'écran de son téléphone portable s'allume. Un SMS vient d'arriver. Il le montre, sans parler, à la commentatrice que le hasard a placée à ses côtés derrière un pupitre en Plexiglas. Le SMS vient du Doubs, il émane d'un cadre de l'UMP qui demande à Claude Goasguen si, pour barrer la route à Pierre Moscovici, arrivé en tête dans la 5e circonscription, il ne serait pas habile d'appeler le candidat UMP local, arrivé numéro 3, à se désister en faveur de la candidate du Front national, arrivée numéro 2…

À la même heure, ils sont nombreux les électeurs de l'UMP qui, pour faire barrage à la gauche, leur principale ennemie, se demandent ou demandent à leurs chefs de file si une alliance avec le Front national ne serait pas préférable à un combat entre la droite parlementaire et le parti de Marine Le Pen : selon les sondages, deux tiers d'entre eux seraient favorables à une consigne allant dans ce sens.

C'est le vrai début de la banalisation du Front national, et donc, qui sait, de son intégration, dans un avenir peut-être plus rapproché qu'on ne le croit, à la droite parlementaire classique, ce qui marquerait sans doute un tournant capital dans la vie politique française. Longtemps, en gros depuis que le Front national existe et qu'un Le Pen le conduit, une sorte de code de bonne conduite s'était établi entre la droite parlementaire (gaullistes, centristes ou libéraux) et la gauche socialiste ou radicale ; cela s'appelait le « désistement républicain » : pour barrer la route à un candidat du Front national qui pouvait rester en piste au second tour, la droite se désistait pour la gauche, quand elle était en troisième position, ou, symétriquement, le socialiste se désistait pour la droite dite parlementaire (RPR, UDF puis UMP). Jusqu'ici, cette règle n'avait jamais été remise en cause. Son exemple le plus récent – le plus marquant, en tout cas – datait de 2002 : confronté à Jean-Marie Le Pen au second tour de la présidentielle, Jacques Chirac avait été soutenu par 82 % des Français : les électeurs socialistes de Lionel Jospin, devancé au premier tour, avaient apporté leurs voix sans états d'âme au président de la République RPR sortant.

Les lignes ont bougé. On le mesure au nombre des candidats estampillés UMP qui osent dire à voix basse ce que certains militants et électeurs UMP expriment tout haut. Un exemple : dans les Bouches-du-Rhône, Roland Chassain, candidat de l'UMP, aurait pu se maintenir au second tour ; avec plus de 22 %, il est arrivé en troisième position derrière Michel Vauzelle, socialiste et président du conseil régional de Provence-Alpes-Côte d'Azur, en tête avec plus de 38 % des voix au premier tour. Entre les deux, la candidate du Front national, Valérie Laupies, a obtenu 29 % des voix. Que fait M. Chassain ? Il se retire dès le soir du premier tour, laissant ainsi se dérouler au second tour un duel PS-FN dans lequel il clame bien sûr sa préférence pour Mme Laupies. Il avait d'ailleurs annoncé la couleur dès avant le premier tour dans le journal d'extrême droite *Minute* : « Il suffit de lire mes propositions, avait-il déclaré, pour voir que je suis plus proche de Marine Le Pen que du PS. Si Mme Laupies est en mesure de gagner, il n'y aura pas de front républicain ; pour moi, c'est tout sauf Vauzelle[1] ! ».

Dans ce contexte, l'attitude des dirigeants de l'UMP, ce 11 juin, est sans doute en train de changer. Un peu parce qu'ils mesurent le poids de ceux qui, dans leurs rangs, sont prêts à donner un coup de main au Front national pour se débarrasser d'un socialiste, mais surtout parce que la droite connaît un vrai tournant. Elle le sait, chacun de ses leaders le sait : l'existence du Front national, le poids de Marine Le Pen dans le dernier scrutin présidentiel, les scores recueillis par ses candidats, ce 10 juin, risquent de condamner la droite parlementaire à l'échec permanent. Pour contourner le problème, Nicolas Sarkozy était parvenu, en 2007, à attirer sur son nom une fraction des électeurs du parti d'extrême droite en reprenant à son compte, et en les mettant à sa propre sauce, les thèmes de l'immigration et de la sécurité chers aux électeurs de Jean-Marie Le Pen. Il a tenté de les séduire à nouveau en 2012. Sans y parvenir, cette fois, au

1. Lequel sera néanmoins réélu.

bout de cinq années de mandat et de crise. D'où l'hésitation qui prévaut à la direction de l'UMP. Pas d'accord national, certes, mais pas non plus de désistement pour barrer la route au FN. Le « ni-ni », donc : telle est la décision de Jean-François Copé. Moyennant deux arguments essentiels.

Le premier est que le FN n'étant pas interdit, on ne voit pas en quoi il faudrait systématiquement l'ostraciser. D'autant que, comme le souligne l'ancien ministre sarkozyste Gérard Longuet dès le dimanche soir, « le père n'est pas la fille, et le temps a passé ».

Le second est moins un argument politique qu'un mot d'ordre, à tel point que d'un bout à l'autre de la hiérarchie de l'UMP, chacun le répète comme une leçon trop vite apprise : le PS étant prêt à inclure le Front de gauche dans sa majorité, en quoi serait-il plus moral, pour les socialistes, d'intégrer l'extrême gauche que, pour l'UMP, de ne pas vouloir choisir entre PS et Front national ?

Le parallélisme ainsi établi entre Marine Le Pen et Jean-Luc Mélenchon, le refus d'un ostracisme demeuré longtemps de mise, sont habiles, mais peut-être trop, car ils reviennent à octroyer un brevet de républicanisme, qui lui a été longtemps refusé, au Front national : Mélenchon n'ayant jamais, que l'on sache, menacé la République, Marine Le Pen ne la menacerait pas davantage. Bonnet blanc, blanc bonnet : l'UMP peut, avec bonne conscience, envisager un jour, peut-être, après tout, de combler le fossé qui sépare aujourd'hui la « bonne droite » de la « mauvaise ».

Ce qui change cependant la donne, ce 10 juin, c'est le très fort taux d'abstention : plus de deux Français sur cinq, soit 42,7 % des inscrits, n'ont pas voté. C'est la plus faible participation à une élection de ce genre depuis le début de la Ve République. Les chiffres sont têtus : en l'occurrence, ils traduisent bel et bien une réalité. Les Français étaient presque deux fois plus nombreux à voter le 6 mai. Près de la moitié d'entre eux pensent-ils qu'ils ont accompli ce jour-là leur devoir démocratique, que l'essentiel s'est joué et qu'il est inutile de participer à un nouveau scrutin un mois et demi après ? Doutent-ils à ce point de la politique et de leurs représentants à l'Assemblée nationale qu'ils préfèrent voter avec leurs pieds ? Ont-ils le sentiment que, quelle que soit la majorité élue, les plus jeunes et les plus déshérités – puisque c'est dans leurs rangs qu'on compte le plus grand nombre d'abstentionnistes – n'auront rien à attendre de leur représentation nationale ? En tout cas, c'est une alerte. Les leaders politiques ne l'analysent guère, car ce qui leur importe, c'est d'être élus. Ils le sont par les votants, non par les inscrits. Ils ont tort, car leur légitimité dépend fortement, en revanche, du nombre de ceux qui se sont portés sur leurs noms. Moins ceux-ci sont nombreux, plus leur autorité morale et politique sera menacée.

L'abstention a un effet secondaire : elle limite les circonscriptions où les candidats arrivés en troisième position pourront se maintenir, et en premier lieu celles où le Front national pourra rester en lice. Des chiffres en témoignent : en 1997, après la dissolution de l'Assemblée nationale décidée par Jacques Chirac, le Front national avait dépassé les 12,5 % des inscrits dans 133 circonscriptions ; il y avait eu 76 triangulaires ; sur ces 76, la gauche en avait gagné 47, ce qui avait alors contribué à la victoire de Lionel Jospin, chef de file des socialistes. Aujourd'hui 10 juin, à l'issue du premier tour, 35 triangulaires, dont 29 impliquant un candidat FN, sont annoncées. Ce qui, paradoxalement, alors même que le FN n'a jamais été aussi fort, n'augmente pas ses chances d'obtenir un nombre significatif d'élus. Ses candidats ne seront présents que dans 61 circonscriptions, et il n'y aura que 32 triangulaires.

Dès ce soir du premier tour, même si les socialistes ne triomphent pas sur les plateaux de télévision, car ils savent que le second tour d'une élection peut corriger significativement le premier, on voit bien de quel côté penche l'élection. Sur les 36 candidats élus dès le premier tour, 25 sont socialistes, radicaux ou verts ; six ministres en font partie, dont le premier d'entre eux, Jean-Marc Ayrault, ainsi que Laurent Fabius[1].

Après l'échec sans appel de Mélenchon, deux candidats se retrouvent en très fâcheuse posture pour le second tour. François Bayrou est en ballottage défavorable, et Ségolène Royal en péril. Dans les Pyrénées-Atlantiques, la candidate socialiste a largement devancé Bayrou, et à La Rochelle Ségolène Royal se retrouve dans un duel fratricide avec un dissident socialiste, et pas n'importe lequel : l'ancien secrétaire fédéral socialiste de Charente-Maritime, proche de François Hollande et de sa nouvelle compagne : Olivier Falorni.

Qu'a-t-il fait, le président du Modem, pour être ainsi devancé par son adversaire socialiste dans le département qu'il connaît par cœur, son Béarn natal où il est élu et réélu depuis 1986 ? Qu'a-t-il fait, ce centriste trois fois candidat à l'élection présidentielle, qui entend donner du sens à la politique et qui se retrouve aujourd'hui seul avec quelques rescapés : sur sa droite et sur sa gauche plus personne, à part quelques fidèles accablés par son infortune.

C'est un euphémisme de dire que sa campagne présidentielle n'a pas été « porteuse ». À aucun moment le président du Modem n'a su retrouver la dynamique qui avait été la sienne en 2007, lorsqu'il avait réuni sur son nom près

1. Ainsi que Delphine Batho, Bernard Cazeneuve, Victorin Lurel et Frédéric Cuvillier.

de 18 % des suffrages après une campagne dont il avait été la vedette cajolée et courtisée aussi bien par Ségolène Royal que par Nicolas Sarkozy. Pourquoi cette fois les choses n'ont-elles pas marché ? Pourquoi a-t-il fait du sur-place ? Parce que Jean-Luc Mélenchon lui a volé la vedette ? Oui, en partie. Il n'y a pas place, dans une élection de ce genre, pour deux chouchous des médias, deux « troisièmes hommes », deux trouble-fête. Mais pas seulement : parce qu'il se présente pour la troisième fois, et qu'il a perdu, au fil des ans, la majeure partie de ses troupes, qu'il semble resurgi en 2012 après une éclipse politique de cinq ans pendant lesquels les Français se sont demandé où il était passé, où il n'a pas sauté le pas, campant dans une opposition de style, de méthode et de comportement à Nicolas Sarkozy. En 2007, il pouvait tout se permettre après une campagne énergique et entraînante où chacun avait cru voir en lui l'homme qui pourrait devancer Ségolène Royal et battre Nicolas Sarkozy si ce dernier restait en tête à tête avec lui pour le second tour. Les faiblesses de la candidate socialiste, l'arrogance du candidat UMP l'avaient servi. Il en avait profité pour apparaître comme un recours possible, une solution raisonnable, sereine, dépassionnée. Pas suffisant, néanmoins, pour passer le cap du premier tour.

Rien de pareil en 2012. D'un bout à l'autre, sa campagne, pourtant menée à bonne allure, est restée sans écho. Certes, François Bayrou a fait recette dans les réunions publiques, il a été accueilli et fêté à l'occasion de ses rencontres avec les élus locaux, les associations, de ses visites de quartiers baptisés « difficiles » où les adolescents, blacks, beurs, blancs, sont venus se faire photographier à ses côtés, entre de longues interviews dans la presse ou les radios locales, des déjeuners dans des bistrots, sur les marchés

– rien ne manquait, rien ne montrait que la course se faisait sans lui.

D'un déplacement à l'autre, pourtant, les journalistes se firent de jour en jour moins nombreux. La sympathie réelle des Français qu'il rencontrait à l'occasion était surtout celle d'électeurs appréciant la modestie de sa campagne, sans cirque ni éclat. Non, rien à faire : le numéro 3 de la campagne, cette fois, ce n'était pas lui.

Il rêvait de faire mentir ceux qui parlaient de la Ve République comme d'un régime renforçant la bipolarisation, ceux qui ne croyaient pas à la naissance possible d'une « majorité centrale ». La France, avait pourtant dit Giscard en 1974, doit « être gouvernée au centre ». Ce n'était pas tombé dans l'oreille d'un sourd et François Bayrou, qui n'avait à l'époque que 23 ans, avait faite sienne cette phrase.

Est-ce l'impossibilité de se frayer une place entre Nicolas Sarkozy et François Hollande ? Est-ce le positionnement social-démocrate pro-européen de François Hollande, plus près du centre que ne l'était Ségolène Royal, qui l'a empêché de retrouver, sur sa gauche, les voix que la candidate socialiste de 2007 lui avait abandonnées ? Sans doute. Mais c'est davantage encore son côté « Cassandre » qui a détourné de lui les électeurs. Face à Nicolas Sarkozy et à François Hollande qui, tout en s'en défendant l'un et l'autre, promettaient des jours meilleurs, face à Jean-Luc Mélenchon qui appelait au « Grand Soir », François Bayrou affirmait que l'état de la France était critique, qu'elle était le prochain des pays menacés par la tourmente, que l'union nationale était nécessaire face aux périls, que les Français ne pourraient échapper aux efforts, qu'au bout de la campagne, après le vote, viendraient forcément « le sang et les larmes ». Il se disait « estomaqué » que les deux principaux candidats préférassent débattre, « matamore contre matamore », du permis de conduire ou de la vente de la viande halal plutôt que de la crise et de l'emploi !

Ce qu'il proposait, lui, c'était dans l'immédiat un plan de 50 milliards d'euros d'économies résultant du gel des dépenses de l'État en 2013. L'accumulation de ses noires prophéties n'a pas convaincu les électeurs, plus cigales que fourmis, de l'urgence qu'il y avait à voter pour lui.

Pas vraiment mobilisateur, ce discours, celui de la crise et de la récession menaçantes en France et dans le reste de la zone euro, était difficile à tenir. Difficile à entendre, aussi. Comme il le disait lui-même : « Il y a l'idée, dans une partie importante de la population française, que le "Grand Soir" est possible et qu'il suffirait de le décider pour qu'on ne rembourse pas la dette ou pour que tous les revenus augmentent[1]. »

Le 22 avril 2012, en recueillant moins de 10 % des voix, le troisième homme est devenu le cinquième, largement devancé par Marine Le Pen et Jean-Luc Mélenchon. Un sérieux revers qui menace une fois de plus son leadership dans le mouvement centriste. À peine a-t-il pris connaissance de ses résultats que bon nombre de ses partisans ont déjà choisi de suivre Nicolas Sarkozy. Le chef de file des sénateurs centristes, Jean Arthuis, n'a pas attendu plus de vingt-quatre heures : « S'il m'est arrivé de critiquer sa manière de gouverner, ses déclarations droitières, ses propos clivants et ses revirements, a-t-il dit, je rejoins Nicolas Sarkozy sur des priorités cruciales. »

À la fin de la semaine précédente, une petite quarantaine d'élus locaux, engagés aux côtés des socialistes dans la gestion de municipalités ou de collectivités territoriales, se sont au contraire prononcés pour François Hollande der-

1. Interview au journal *Le Monde*, 7 avril 2012.

rière Olivier Henno, vice-président de la communauté urbaine de Lille, et du député européen Jean-Luc Bennahmias, ancien porte-parole des Verts passé au Modem. Philippe Douste-Blazy, tout juste revenu dans le giron de la famille bayrouïste après un éloignement qui a duré plusieurs années, fait simplement savoir qu'il ne votera pas pour Sarkozy. Alain Lambert, ancien sénateur centriste de l'Orne, devenu conseiller-maître au Conseil d'État après une longue carrière politique, lui, votera blanc.

Dans cette jolie cacophonie, François Bayrou ne règne déjà plus sur les centristes lorsqu'il réunit, le surlendemain du premier tour, le comité stratégique du Modem. De violents échanges l'y opposent à Jean Arthuis, en partance vers le candidat de l'UMP. Bayrou annonce qu'il enverra le mardi 24 ou le mercredi 25 une lettre aux deux candidats en piste pour leur faire part de ses priorités. Cette lettre, qui part le 25, est claire, bien écrite et sans nouveautés. Il y énumère les thèmes essentiels de sa campagne : dire la vérité au pays, unité, redressement financier, refus de la violence perpétuelle dans la vie politique, respect de la « règle d'or » européenne, sauvegarde du modèle français, moralisation de la vie publique, Europe plus solidaire. Il se ralliera, dit-il, à celui qui s'en révélera le plus proche, et prendra sa décision après le débat qui doit opposer, le 2 mai, Nicolas Sarkozy et François Hollande.

Suspense : François Bayrou peut-il se déclarer en faveur de Nicolas Sarkozy ? Difficile. Depuis 2007, il a toujours maintenu ses distances avec lui. Il aurait pu dix fois, cent fois emprunter un chemin qui l'eût rapproché du président de la République ; il ne l'a jamais fait. Pis : en décembre 2011, il n'a pas voté le budget rectificatif après un sévère réquisitoire contre le « plan Fillon » qu'il a présenté comme insuffisant et injuste. De quoi aurait-il l'air s'il se ralliait maintenant, dans ces circonstances, à Nicolas Sarkozy ? D'autant qu'il est persuadé, comme Philippe Douste-Blazy[1], que François Hollande sortira vainqueur du second tour. Il souhaiterait ne pas avoir l'air de voler au secours de la victoire, mais, d'un autre côté, s'il pouvait, à la faveur d'un changement de majorité présidentielle, ressusciter l'ex-UDF en créant un groupe parlementaire centriste à l'Assemblée, il reviendrait en force dans le jeu politique.

Pendant le grand débat qui a vu s'affronter pendant près de trois heures les deux vainqueurs du 22 avril, Sarkozy et Hollande ont fait des ouvertures à Bayrou, le premier évoquant son respect de la « règle d'or », qu'il se dit prêt à soumettre à référendum, le second en insistant sur sa volonté de moraliser la vie publique. Réponse de François Bayrou, le lendemain : « Le vote Hollande, dit-il en ménageant ses effets, c'est le choix que je fais. » Entre les deux prétendants, le président du Modem a donc choisi. Un choix personnel, précise-t-il. Il n'empêche : ce choix de François Bayrou est historique : c'est la première fois depuis les débuts de la Ve République qu'un leader centriste choisit de voter en faveur d'un candidat de gauche. L'onde de choc s'étend de tous côtés : à l'instar de François Fillon, la droite juge la décision de Bayrou « incompréhensible », quand elle ne crie pas à la trahison.

François Hollande a appris la position de François Bayrou avec une bonne demi-heure de retard. C'est qu'il est à la tribune, en train de haranguer plusieurs dizaines de milliers de Toulousains, place du Capitole, au moment où Jean-Pierre Bel et Manuel Valls, qui l'accompagnent, apprennent sur leurs téléphones portables le ralliement

1. Conversation avec l'auteur, le 22 avril 2012.

personnel de Bayrou. Ils hésitent un moment, ne sachant trop s'ils doivent interrompre l'orateur, et comment l'informer : griffonner un petit message ? Lui glisser un mot à l'oreille ? Ils craignent de le déconcentrer, de perturber la réunion, et finissent par se dire que mieux vaut attendre qu'il termine.

François Hollande n'apprend donc la nouvelle qu'après avoir quitté la place du Capitole. Sa première réaction est de se réjouir. Son deuxième mouvement est de prudence : il se garde de triompher, il redoute que le geste de François Bayrou, interprété comme la promesse d'un gouvernement ouvert au centre, ne traumatise les électeurs de Jean-Luc Mélenchon qui s'apprêtent à reporter sur lui leurs suffrages. Il se souvient du pas de deux raté en 2007 entre Ségolène Royal et François Bayrou, l'une essayant de prendre l'autre dans ses rets, l'autre faisant la sourde oreille au chant de sirène de la candidate socialiste. Pas question, donc, de se réjouir trop vite et trop fort. Et puis, cette prise de position est personnelle. De toute façon, Bayrou n'est pas propriétaire des voix qui se sont portées sur lui le 22 avril. Il ne peut ni ne cherche à les enrégimenter derrière Hollande.

François Bayrou a beaucoup hésité avant de faire son choix et de le rendre public. Ce qui l'a décidé, au lieu de laisser prudemment, sans mot d'ordre, ses électeurs voter pour l'un ou l'autre des deux candidats, ce ne sont pas les assurances que le président sortant et le candidat socialiste lui ont prodiguées pendant leur débat de l'entre-deux-tours, Nicolas Sarkozy sur l'Europe ou la maîtrise de l'économie, François Hollande sur la moralisation de la vie publique. Non, ce qui l'a poussé à se déclarer en faveur du candidat socialiste, c'est ce qu'il appelle, avec d'autres, la « surenchère » de Nicolas Sarkozy vis-à-vis du Front national.

Le président sortant ne dispose pas de réserves de voix en dehors de celles du centre et du front national. Entre les 9,8 % de centristes – dont les études montrent au surplus qu'un tiers au moins est prêt à se reporter sur Hollande – et les 18 % de « lepénistes », c'est en toute connaissance de cause que Nicolas Sarkozy a choisi. Ce sont les suffrages des électeurs du Front national, plus nombreux, qu'il lui faut aller chercher « avec les dents ». Pour ce faire, il a repris à peu de chose près, dans les meetings publics de sa campagne de l'entre-deux-tours, la stratégie dite « de Grenoble », ville où il avait prononcé en juillet 2010, après deux ou trois jours d'émeutes urbaines, un très ferme discours contre l'immigration. Il y promettait la déchéance nationale aux auteurs d'actes de violence contre les détenteurs de l'autorité publique, menaçait les mineurs délinquants de ne pas pouvoir acquérir la nationalité française, et y avait évoqué, pour finir, le nécessaire démantèlement des camps illégaux de Roms et autres gens du voyage. Cette stratégie dite aussi « stratégie Buisson », du nom du conseiller politique élyséen qui la recommandait, devait assurer la victoire de Nicolas Sarkozy en organisant à nouveau le « siphonnage » des voix du Front national.

Avant même d'adresser sa lettre aux deux finalistes, François Bayrou s'était indigné de la campagne menée par Sarkozy, estimant que son discours validait *de facto* celui du Front national. Sarkozy avait pourtant pris la précaution, dans la plupart de ses prises de position publiques, de répéter qu'il ne souscrirait jamais d'accord avec le FN, ni ne prendrait jamais de ministres du Front national dans un gouvernement. Ses dénégations mêmes montraient qu'une telle perspective n'était pas inenvisageable. « Le président sortant a franchi depuis deux jours la frontière entre compréhension et compromission », avait déjà écrit le 25 mai l'éditorialiste du quotidien *Le Monde*.

« La tête sur le billot, a dit ce même jour François Bayrou, plutôt satisfait des échos suscités par son courage politique au moment où les partisans de Sarkozy criaient à la forfaiture, la tête sur le billot, il y a des choses que je supporterai jamais[1] ! Toute ma vie, je me battrai contre cette course-poursuite à l'extrême droite. Le discours de Sarkozy sur les nouvelles frontières à rétablir, par exemple ! Il parle de frontière entre le Bien et le Mal ! Où est le Mal ? Où, le Bien ? Et puis quoi ? Non, l'avenir sous Sarkozy est pour moi impossible à considérer. »

« La ligne qu'a choisie Nicolas Sarkozy entre en contradiction avec les valeurs qui sont les nôtres, précise-t-il encore en public ; pas seulement les miennes, pas seulement celles du courant politique que je représente, mais aussi les valeurs du gaullisme autant que celles de la droite républicaine et sociale. » Il ajoute quelques minutes plus tard à propos du président sortant : « Il est tombé du côté où il penchait ! »

Comme lui ?

La campagne présidentielle finie, François Hollande élu, la campagne des législatives ouverte, François Bayrou se retrouve dans sa circonscription des Pyrénées-Atlantiques dont il connaît tous les villages, presque toutes les maisons. Dès les premières minutes, il comprend, à la mine embarrassée de ses électeurs habituels, à ceux qui fuient son regard, que ceux-ci n'ont rien compris à l'appui qu'il a donné à François Hollande. Ces électeurs-là, ils se battent contre la gauche depuis des années, dans ce département,

1. Conversation téléphonique avec l'auteur, le 5 mai 2012.

ils sont centristes, d'accord, mais ils n'auraient jamais cru que François Bayrou franchirait le Rubicon. Pendant des jours et des jours, il essaie de les convaincre, sans y parvenir. Le voilà coincé, incompris dans le meilleur des cas, condamné le plus souvent par son électorat traditionnel partagé entre le candidat de l'UMP, sur sa droite, et la candidate socialiste, sur sa gauche.

La candidate socialiste, Nathalie Chabanne ? Le PS n'aurait-il pas pu la retirer, face à celui qui a donné, dans la dernière ligne droite de la présidentielle, un sérieux coup de main à François Hollande ? Pierre Moscovici, directeur de campagne du candidat socialiste, interrogé sur RTL, avait pourtant laissé entendre qu'un retrait de cette nature était possible et même souhaitable. Moins proche du chef de l'État, une autre personnalité appartenant au mouvement écologique et qui lui doit beaucoup, Daniel Cohn-Bendit, avait lui aussi plaidé pour qu'après le spectaculaire ralliement de François Bayrou le Parti socialiste dégage la voie devant lui dans son fief des Pyrénées-Atlantiques. Ce geste, pensait-il, aurait eu une portée symbolique incontestable. Peine perdue : la candidate socialiste a déjà commencé sa campagne, plaide Martine Aubry. La patronne du PS estime impossible de lui donner ordre de s'arrêter. François Bayrou a-t-il cru un instant que, signifiée d'en haut, de la rue de Solferino ou de l'Élysée, obligation pourrait être faite à la candidate socialiste de renoncer à sa campagne ? Il dit ne s'être jamais fait d'illusions, connaissant, comme il dit[1], le « sectarisme » des socialistes locaux. « À ce choix sans précédent, dont on voit bien qu'il est difficile, plaide-t-il, si on ne répond que par du sectarisme, que par

1. Conversation avec l'auteur, le 8 juin 2012.

des intérêts d'appareil, alors on est sûr que la France ne s'en sortira pas, et la majorité actuelle encore moins. »

Dans les propos qu'il tient en privé, il ne met pas en cause le président de la République tout juste investi. Il a toujours eu de bons rapports avec lui. Leurs relations datent de ce qu'on pourrait appeler « les années Delors », entre 1993 et 1994. À l'époque, François Hollande était le premier lieutenant de Jacques Delors, et François Bayrou, centriste, était prêt à se rallier à l'aventure deloriste si l'ancien président de la Commission européenne décidait d'aller jusqu'au bout, c'est-à-dire à l'élection présidentielle. Depuis, François Hollande et François Bayrou n'ont jamais distendu leurs liens, poursuivant leur dialogue par téléphone d'une majorité à l'autre. En revanche, le président du Modem juge que Martine Aubry, elle, aurait pu faire un geste, étant donné justement ce qui le liait à son père. Elle ne l'a pas fait. Bayrou pouvait-il demander à Hollande d'obliger Aubry à enlever Nathalie Cabanne comme on enlève un pion d'un jeu ? Non, si une telle démarche s'ébruitait, la situation serait pire encore : Bayrou magouillant avec Hollande le retrait de Mme Chabanne, l'image serait dévastatrice ! D'ailleurs, lorsque le président du Modem rencontre officiellement le président de la République qui consulte tous les partis en vue du Sommet européen de la fin mai, il n'en souffle mot à François Hollande, qui, de son côté, n'y fait pas la moindre allusion. En revanche, le nouveau président de la République prend soin de raccompagner son interlocuteur sur le perron de l'Élysée, de lui serrer longuement la main devant les photographes pour afficher sa complicité avec le président du Modem. « C'était fait pour ca, commente François Bayrou, et ça a très bien marché. » Ni l'un ni l'autre ne pouvait aller plus loin.

Rien ni personne n'empêchera Bayrou de penser que la démarche devait venir du PS et de sa première secrétaire elle-même. La décision, en effet, ne pouvait être prise qu'au niveau national, pas au niveau local. Martine Aubry pouvait-elle l'imposer ? Malgré l'incompréhension de son électorat traditionnel, les électeurs socialistes auraient-ils pu assurer l'élection de François Bayrou ? C'eût été comme reprendre à zéro son implantation locale.

Au moment où s'achève la campagne du premier tour, le moral de sa petite équipe parisienne, venue l'assister sur place, est au plus bas. Lui-même s'attend au pire. Cela ne l'empêche pas, le 10 juin au soir, d'avoir le souffle coupé lorsque tombent les résultats : il n'arrive qu'en deuxième position, loin derrière Nathalie Chabanne[1]. Pis : le candidat UMP, qui a franchi la barre des 12,5 % d'inscrits, peut se maintenir. La triangulaire laisse peu de chances au second tour au patron esseulé du Modem. Face aux micros qui se tendent vers lui, devant les caméras dont l'objectif s'allume, il reconnaît, le visage marqué, que ses électeurs n'ont pas compris ni accepté son appel à voter Hollande, et il souligne avec une sorte de tristesse qu'il est « bien difficile, exigeant, d'ouvrir des voies nouvelles ».

Son équipe fait et refait les comptes : il faudrait un miracle pour sauver au second tour le président du Modem. Ce miracle n'aura pas lieu.

Le 10 juin est aussi une date difficile à vivre pour Ségolène Royal, qui, à La Rochelle où elle a décidé de se présenter, apprend qu'elle est largement distancée par le dissident socialiste Olivier Falorni, et qu'elle se retrouve seule face à lui dans un duel qui peut être mortel pour elle.

1. Nathalie Chabanne obtient 35 % des suffrages. Elle devance largement François Bayrou (23,63 %), tandis que le candidat de l'UMP, Éric Saubatte, comptabilise 21,7 % des votants.

Mais qu'allait-elle donc faire dans cette galère, Ségolène ? Pourquoi, plusieurs semaines avant que la campagne ne commence, avait-elle laissé entendre qu'elle serait présidente de l'Assemblée nationale ? Il est vrai que c'est un poste auquel elle songe depuis 1997. Cette année-là, la gauche remporte contre toute attente les élections qui suivent la dissolution de l'Assemblée prononcée par Jacques Chirac, élu à la présidence de la République deux ans plus tôt. Jospin est Premier ministre et François Hollande premier secrétaire du PS. Ségolène est alors sa compagne, elle laisse entendre à son compagnon, à la grande surprise de celui-ci, qu'après tout elle pourrait briguer pour elle-même la présidence de l'Assemblée. Elle lui demande son aide. Refus de Hollande, qui a en tête un autre plan. Sur les conseils de Lionel Jospin qui veut voir la paix régner au sein de son parti, François Hollande compte demander à la majorité socialiste de voter comme un seul homme pour Laurent Fabius, qui devrait trouver à l'hôtel de Lassay un cadre à sa mesure. Hollande racontera souvent par la suite, mi-figue mi-raisin, qu'il a fallu beaucoup de temps à Ségolène pour le lui pardonner. Ce qu'elle lui pardonnera le moins, sans doute, c'est d'avoir manifesté la plus grande incrédulité, teintée d'une légère ironie, à l'idée qu'elle ait pu nourrir pour sa part une telle ambition.

Eh bien voilà : quinze ans plus tard, Ségolène dit tout haut, dès le mois de mai, qu'elle se verrait bien en présidente de l'Assemblée nationale après les élections. Sa réflexion est simple : François Hollande étant à l'Élysée, elle, son ex-compagne, ne pourra pas être ministre. Elle ne pourra pas non plus rester dans son ombre, puisqu'il a refait sa vie et que sa nouvelle compagne, Valérie Trierweiler, elle le sait, s'y opposerait. Reste l'Assemblée nationale qu'elle serait la première femme à présider et où elle retrouverait le souvenir de certains prédécesseurs célèbres comme Jacques Chaban-Delmas, Edgar Faure, Philippe Séguin ou, justement, Laurent Fabius...

Son annonce n'est pas seulement prématurée, elle est maladroite, car elle attire sur elle, avant même d'entamer sa campagne, les foudres des politiques : de la droite qui s'étonne qu'on puisse ainsi s'autodésigner avant même les résultats des législatives et qui, du coup, mobilisera encore plus ses forces pour la faire battre où qu'elle se présente ; et d'une fraction de la gauche qui trouve insupportable qu'on veuille s'emparer de la présidence de l'Assemblée nationale sans même avoir présenté sa candidature aux députés qui auront mission de l'élire. À gauche, tandis que Claude Bartolone s'étonne du procédé, Jean Glavany, député et ancien directeur de campagne de Lionel Jospin en 2002, fait savoir qu'il se présentera en tout état de cause contre Ségolène Royal si elle est élue à La Rochelle.

Pourquoi, en second lieu, ce choix même de La Rochelle, en Charente-Maritime, alors qu'elle a été par quatre fois élue dans les Deux-Sèvres, avant d'abandonner son mandat parlementaire en 2007 pour cause de non-cumul ? Elle a alors laissé sa place à Delphine Batho, sa suppléante, qui avait été sa porte-parole pour la présidentielle et a occupé son siège aux élections qui ont suivi la victoire de Sarkozy. Tout cela part d'un bon sentiment. Mais pourquoi avoir choisi La Rochelle, la Charente-Maritime ? Il est difficile de parler de parachutage : cent kilomètres à peine séparent la nouvelle circonscription de la première. Présidente de la région Poitou-Charentes, elle pouvait, après tout, se présenter là sans que le PS local pousse des cris d'orfraie. Lorsqu'on lui pose la question[1],

1. Conversation avec l'auteur, le 28 juillet 2012.

elle s'étonne : « Parce que Maxime Bono, député-maire de La Rochelle, me l'a demandé. J'accepte, je me lance, et je m'aperçois assez vite – mais trop tard, comme l'écrit *Libération* – que je mets les pieds dans un nid de frelons... »

Les choses auraient pu se passer calmement. Pourtant, en changeant de terre d'élection, Ségolène Royal est tombée dans un piège dont elle risque fort de ne pas se dépêtrer. D'abord parce qu'à La Rochelle elle a quelques puissants ennemis. Parmi eux, Jean-François Fountaine, ex-coureur au large, devenu un entrepreneur très influent, soutenu par un vrai réseau, ami de longue date de Lionel Jospin. Vice-président du conseil régional de Poitou-Charentes, Fountaine dénonce depuis des années le « fonctionnement autocratique » de Ségolène Royal à la présidence de la région, il n'est pas près de le lui pardonner la façon dont, à cette occasion, il a été rabroué et démis de sa délégation. Maxime Bono lui-même n'a d'ailleurs pas que des amis : parmi les socialistes de La Rochelle, quelques-uns souhaiteraient le voir quitter la mairie. Enfin, Ségolène Royal trouve sur son chemin, plus retors encore que ceux-là, plus coriace aussi, Olivier Falorni, visage carré, cheveux gris coupés court, ancien secrétaire fédéral du PS en Charente-Maritime, adjoint au maire de La Rochelle et conseiller régional socialiste. Il a annoncé depuis le 19 février dernier sa candidature aux législatives dans cette circonscription et est bien décidé à s'y maintenir : « Pourquoi n'a-t-elle pas accepté de primaires ?, proteste Falorni[1]. Elle s'est mise elle-même en état de dissidence. Quand on bafoue les règles élémentaires de son parti, ne cherchez pas : le péché originel, il est là ! »

1. Conversation avec l'auteur, le 4 juillet 2012.

Ségolène Royal ne peut pas dire qu'elle a été prise de court. Depuis le mois de février, où elle aussi a annoncé qu'elle regardait du côté de La Rochelle, Olivier Falorni s'est opposé à sa venue en estimant qu'il y était le mieux placé : c'est parce qu'il refusait de se soumettre au diktat de Paris qu'il a démissionné de son poste de secrétaire fédéral. L'affaire est somme toute assez claire : Ségolène Royal a écouté les bonnes paroles de Maxime Bono qui a pris ses désirs pour des réalités l'assurant que la voie était libre. Elle a pensé qu'Olivier Falorni finirait par renoncer à lui barrer la route, elle a refusé les primaires à La Rochelle – pas de son niveau ! –, et a trouvé sur place un caïd politique local qui se serait fait tuer plutôt que de lui céder la place. « J'étais un faux dissident, plaide celui-ci. La dissidente, c'était elle. »

Le plus surprenant est que les deux socialistes se connaissent fort bien. Ils ne se découvrent pas à cette occasion : Olivier Falorni est un ami proche de François Hollande depuis des années ; c'est même sur son conseil qu'en 2007 il s'est enrôlé dans l'équipe de campagne de Ségolène Royal. Sitôt la présidentielle passée, il a été l'un des plus solides soutiens de François Hollande quand celui-ci, après le congrès de Reims en 2008, a quitté ses fonctions de premier secrétaire et a vu bien d'autres de ses amis l'abandonner à sa traversée du désert. Tout naturellement, Falorni a été un des premiers à rencontrer, lorsque la séparation d'avec Ségolène est devenue officielle, Valérie Trierweiler. On dit même que son domicile rochelais aurait servi à plusieurs reprises d'abri, lors de la traditionnelle université d'été socialiste de La Rochelle, au couple nouvellement formé.

Les contacts avec Ségolène Royal se sont donc espacés jusqu'aux élections, sans que Falorni change d'avis et décide de lui laisser sa place. Lorsqu'ils se retrouvent en campagne, le malentendu est complet : Ségolène Royal, c'est un fait, n'a pas respecté les formes, mais elle l'a fait d'autant moins qu'on lui assurait que personne ne lui barrerait la route. Quant à Falorni, considérant que François Hollande lui-même ne lui avait adressé aucune recommandation, il s'est vu libre de se présenter.

Et puis les Rochelais n'aiment pas les parachutages, même si le saut est limité à une petite centaine de kilomètres. Olivier Falorni en a plein sa besace des références historiques sur La Rochelle et son esprit de résistance : « Belle et rebelle, dit-il, La Rochelle, c'est mille ans d'histoire ! » Selon lui, dont on sent la fierté qu'il éprouve à en parler, la ville a été la première en France à choisir son maire. Assiégés par Richelieu, ils ont été 17 sur 20 000 habitants à préférer se rendre plutôt que de céder. Enfin, en 1940, le maire, Léonce Vieljeux, a été déporté pour avoir refusé de voir figurer la croix gammée au fronton de l'Hôtel de Ville.

Mettre sur le même plan la résistance aux nazis pendant la guerre et la résistance à Ségolène Royal aux dernières législatives peut paraître bien excessif. Mais cela donne la mesure de la guerre qui se déroule, depuis le dépôt des candidatures à la mi-mai à La Rochelle.

La Rochelle, nid de frelons ? Ségolène Royal en convient : « Je me suis peut-être laissée instrumentaliser par les socialistes de La Rochelle qui en avaient assez de la domination de Falorni. » Consciente du danger, elle dit avoir téléphoné à François Hollande bien avant le début de la campagne, et lui avoir demandé de « gérer » le cas Falorni.

Gérer, qu'est-ce que cela veut dire, sinon proposer un autre poste plus élevé et ailleurs ? « François, continue Ségolène, n'a rien fait. Il a envoyé Stéphane Le Foll à la manœuvre pour que Falorni abandonne le combat. Le Foll n'a rien fait non plus. Puis il a demandé à Lionel Jospin de régler le problème. Il n'a rien tenté, au contraire : beaucoup de ses partisans ont au contraire fait ouvertement campagne pour Falorni. Pourquoi François n'est-il pas lui-même intervenu directement ? Il ne m'a même pas dit qu'il était dans une situation inextricable. Il ne m'a pas même dit qu'il ne pouvait pas m'imposer à La Rochelle, que je devais reprendre ma circonscription pendant qu'il en était encore temps. J'aurais dû me méfier : Bruno Le Roux[1] m'avait proposé de me présenter à Dakar, dans le contingent des parlementaires élus par les Français de l'étranger. J'ai dit non, évidemment ! »

De son côté, Falorni lui-même n'a tenté aucune démarche auprès de François Hollande. Pourquoi, puisqu'il était son ami ? Parce que, dit-il, « Ségolène avait trop de mépris pour moi. C'est pour cela que je ne suis pas allé pleurer chez François. Mon devoir était de le maintenir en dehors de ces problèmes ». Donc, aucun contact entre Falorni et Hollande avant l'élection de celui-ci à la présidence, et naturellement, pas après. « J'ai pu constater, ajoute Olivier Falorni, que le chef de l'État est alors resté dans son rôle, laissant au Premier ministre le soin de soutenir Ségolène Royal. ».

Si François Hollande n'est pas intervenu pour la soutenir, comme le déplore Ségolène Royal, ce n'est pas qu'il se soit désintéressé de sa situation. C'est parce qu'il n'avait pas à le faire. Y compris dans le débat télévisé de l'entre-deux-tours (« Moi, Président... »), il a trop mis en cause Nicolas Sarkozy sur ses interventions politiques pour,

1. Bruno Le Roux est député de Seine-Saint-Denis. Proche de François Hollande, il a été élu président du groupe parlementaire socialiste de l'Assemblée en 2012.

ayant accédé au pouvoir, se mettre à distribuer les candidatures et les sièges. Pas question qu'il s'immisce directement dans la campagne des législatives, pas plus qu'il ne l'a fait lorsqu'il s'est agi du sort de François Bayrou. À cette nuance près que se mêler de la campagne de la mère de ses enfants l'aurait à coup sûr beaucoup plus exposé à la polémique de la part des leaders de l'UMP…

« D'autant plus qu'il pensait que c'était inutile, explique un de ses conseillers politiques. La perspective – celle des experts, celle des sondages, la sienne – était qu'au premier tour, trois candidats resteraient en lice, et que, dans une triangulaire où elle serait forcément en tête, elle serait élue sans difficulté au second tour. »

C'était sans savoir – mais comment François Hollande, expert en matière de carte électorale, ne le savait-il pas, puisque tant d'autres le savaient ? – qu'à La Rochelle, l'ennemi juré de Ségolène Royal, Dominique Bussereau, et par-dessus le marché Jean-Pierre Raffarin auquel Ségolène Royal avait ravi la présidence du conseil régional en 2004, étaient bien décidés à tout pour la faire battre, y compris en faisant voter Falorni dès le premier tour. À la lecture des résultats, on ne peut pas en douter : la stratégie a bien fonctionné, puisque c'est dans les secteurs où la droite obtient traditionnellement le plus grand nombre de suffrages que le dissident socialiste a fait ses meilleurs scores. Jean-Pierre Raffarin n'avait-il pas murmuré en privé, une vingtaine de jours avant le scrutin[1] : « Notre candidat ne sera sans doute pas présent au second tour » ?

Il avait raison : le 10 juin au soir, à la grande joie de l'UMP locale, sa propre candidate est éliminée ! Envolés,

1. Le 24 mai.

pour Ségolène Royal, les espoirs de triangulaire ! La voici seule face à Olivier Falorni.

Enfin, si le président de la République n'est pas intervenu en faveur de Ségolène Royal pendant la campagne, laissant ses *missi dominici*, Stéphane Le Foll et Lionel Jospin – qui n'éprouve pas une passion particulière pour Ségolène –, le faire mollement, c'est aussi peut-être, après ou avant les considérations politiques, pour des raisons personnelles. Expliquant sa solitude dans son duel avec le dissident socialiste, Ségolène Royal lâche, lorsqu'elle en parle, une petite phrase mystérieuse : « Si François n'est pas intervenu, c'est peut-être que le réseau Falorni était déjà à l'œuvre auprès de lui. »

À quel « réseau » Ségolène Royal fait-elle allusion, qui, proche du président de la République, serait favorable au dissident socialiste rochelais ? Elle formule cette supposition comme en passant, mais il n'est pas difficile de deviner de qui elle parle – de celle dont, paraît-il, elle se garde de jamais prononcer le nom : Valérie Trierweiler.

Valérie Trierweiler, la compagne de François Hollande, est en effet restée proche de l'ami des mauvais jours de François Hollande, Olivier Falorni, auquel elle envoie, dit-on, des SMS réguliers pour l'encourager dans sa bataille contre Ségolène. D'autant plus proche qu'il défie frontalement celle qui l'a précédée dans le cœur du Président ? Valérie aurait-elle, comme le pense Ségolène, fortement recommandé à son compagnon de président de se tenir à l'écart de la bataille charentaise ? Et lui, pour avoir la paix chez soi, comme disait Courteline et comme on dirait de n'importe quel homme normal ou pas, se serait-il contenté de faire le « service minimum », au moins jusqu'au premier tour, pour Ségolène Royal ?

Jusqu'au premier tour seulement, car le soir, lorsqu'il réalise soudainement que celle-ci risque d'être battue au second, François Hollande ne cache à son entourage ni son inquiétude ni son embarras. Inquiétude, parce que l'échec de Ségolène, même s'il ne l'a pas officiellement soutenue, risque bien d'apparaître comme son échec à lui, tant, d'une certaine façon, leurs sorts continuent d'être liés au-delà même de leur rupture. Embarras, car depuis qu'elle s'est spectaculairement ralliée à lui après le premier tour des primaires socialistes l'année précédente, elle s'est montrée d'une solidarité totale envers son ex-compagnon. Elle n'a pas flanché lorsque, en janvier, ses images avaient été « oubliées » ou plutôt « zappées » dans le clip de campagne proposé aux militants par l'équipe de François Hollande. Pas flanché non plus lorsque, à Rennes où elle devait le précéder à la tribune et s'attarder quelques minutes à ses côtés, elle n'a pu – et encore, en rusant – que le croiser quelques secondes devant la foule. C'est elle encore qui, faisant bonne figure, a expliqué à la presse qu'il n'y avait aucune raison que le Président l'invite, elle et ses enfants, à l'Élysée le jour de la passation des pouvoirs : « Nous avons décidé ensemble, avait-elle expliqué, que c'était une journée institutionnelle qui se ferait dans les règles de la République. »

Sur BFM, face à Jean-Jacques Bourdin, qui, au matin du 15 mai, l'interrogeait sur la raison de son absence à la cérémonie qui allait suivre, elle répondit longuement, de manière plus personnelle : « Je ne le regrette pas, parce que je l'ai décidé… Ce sont mes enfants qui ont décidé de ne pas y aller… Il est normal que je me mette momentanément en retrait, vu mon statut d'ancienne candidate et notre histoire commune. Nos enfants ont été invités par leur père, mais ils ont compris qu'il y aurait une image en parallèle avec 2007, et ça, ils ne le voulaient pas ! »

De cet éloignement (« momentané », comme elle prend soin de le préciser), elle ne rend responsable qu'une personne : Valérie Trierweiler, qui préfère, comme si elle en avait peur ou en souffrait, éviter toutes les occasions où Ségolène Royal et François Hollande pourraient se retrouver ensemble et en public. Pour sa part, Ségolène Royal est passée outre depuis six mois, expliquant qu'elle s'était située pendant cette campagne en combattante politique : « Je ne suis pas mue par la jalousie, assure-t-elle en se donnant peut-être ainsi le beau rôle. Je ne suis pas dans cette logique. Je veux que la gauche gagne ! Nous n'avons pas mené pendant vingt-cinq ans des batailles pour laisser la droite gagner une fois de plus ! »

Eh bien, le 10 juin, c'est elle qui se retrouve maintenant en difficulté.

Est-ce dès le dimanche soir ou seulement le lundi matin qu'elle appelle François Hollande à l'Élysée ? Elle lui demande cette fois, et directement, un geste de soutien face à Falorni, seul dissident socialiste à se mesurer à un candidat – en l'occurrence, une candidate – officiellement soutenu par le Parti. François Hollande cherche longuement, avec Manuel Valls et ses conseillers, comment répondre à sa demande sans sortir de son rôle. Après de nombreux échanges entre l'Élysée, l'Intérieur et La Rochelle, le Président autorise – geste exceptionnel – la diffusion d'un message, écrit de sa main, sur la profession de foi de Ségolène Royal : « Ségolène Royal, y lit-on, est l'unique candidate de la majorité présidentielle qui peut se prévaloir de mon soutien et de mon appui. »

Ce geste redonne espoir à Ségolène Royal à un moment où François Hollande n'a plus aucun doute sur le résultat du second tour à La Rochelle : dès qu'il prend connaissance des scores, il pense que Ségolène sera à coup sûr battue, que la droite locale l'a à portée de fusil et ne la ratera pas.

Le soutien de François Hollande à Ségolène Royal est à peine connu qu'il nourrit déjà, chez ses adversaires politiques, un début de polémique : est-il naturel que le Président prenne position de cette façon pour un candidat socialiste, serait-ce pour la mère de ses enfants ? La polémique n'a pas le temps d'enfler que Valérie Trierweiler vole de façon fracassante la vedette à Ségolène Royal. À 11 h 56, le mardi 12, alors que les candidatures pour le second tour de l'élection ont été déposées, partent du palais de l'Élysée, d'un bureau situé à quelques mètres de celui du président de la République, ces 137 signes sur le compte Twitter de la « première dame » : « Courage à Olivier Falorni qui n'a pas démérité, qui se bat aux côtés des Rochelais depuis tant d'années dans un engagement désintéressé. »

François Hollande est avec Lionel Jospin dans son bureau, au premier étage, lorsque le secrétaire général de l'Élysée, Pierre-René Lemas, est averti du tweet stupéfiant de Valérie Trierweiler. Pour lui comme pour la majorité des collaborateurs du chef de l'État, c'est un tsunami. L'idée n'est sans doute jamais venue à ce grand serviteur de l'État qu'un pareil conflit puisse opposer le couple présidentiel à cinq jours du second tour d'une élection capitale. Et qu'en de telles circonstances, l'actuelle compagne du Président puisse dire à la France entière, de cette manière, qu'elle n'est pas du tout, mais alors pas du tout d'accord. « Je m'attendais à des crises gouvernementales, mais pas conjugales », grincera un plaisantin dans l'entourage immédiat du chef de l'État.

Le message perturbateur de Valérie Trierweiler est au surplus inutile : à l'heure où elle envoie son tweet, Ségolène a déjà 99 % de chances d'être battue. Alors, à quoi bon ?

Manuel Valls, qui, pendant la campagne, a souvent expérimenté les écueils de la cohabitation, même rare, entre Ségolène et Valérie, a géré ces tensions comme il pouvait, avec discrétion : « Il faut comprendre, dit-il, la difficulté de la place de Valérie Trierweiler. Je crois que c'est très difficile, pour la compagne, de se trouver dans la situation où l'"ex" est présente. » François Hollande s'en était déjà expliqué, en 2010, après avoir déclaré, dans *Gala*, que Valérie était « la femme de sa vie ». À ceux qui lui faisaient remarquer que c'était cruel pour Ségolène Royal, il avait répondu : « Valérie en a besoin. C'est pesant, pour elle, de vivre dans l'ombre de Ségolène. »

L'explication vaut ce qu'elle vaut : cela semble laisser penser *a contrario* que Ségolène occupe encore, dans l'ombre, une place importante du côté de François Hollande...

Passe encore que les relations entre les deux femmes, l'ancienne et la nouvelle compagne, soient explosives, que les griefs réciproques, remâchés depuis des années, se soient accumulés. Après tout – mais peut-être ne le réalisent-elles pas ? –, leur situation est tout simplement banale dans une France où les couples ne cessent de se faire et de se défaire. Quels que soient le bruit et les fureurs, pas de quoi en faire un vaudeville, voire, pis, un navet.

Et puis quoi : il ne s'agit pas d'un drame de la jalousie dans une sous-préfecture ; par-delà les sentiments ordinaires, il s'agit de la mise en cause de l'autorité du président de la République ! D'où la stupeur qui frappe en un instant toute la classe politique d'un bout à l'autre du pays. À tel point que dans les premières minutes suivant la mise en ligne du tweet, chacun pense qu'il s'agit là d'un faux : peut-être, après tout, le compte de Valérie Trierweiler a-t-il été piraté ? À 12 h 40, lorsque l'AFP confirme l'authenticité des 137 petits signes, le doute n'est plus permis. Elle-même l'a levé. Tandis qu'Olivier Falorni, sur son compte Twitter également, a accusé réception du message de Valérie Trierweiler à 12 h 35. « C'est un beau message d'amitié personnel », dira-t-il brièvement, quelques minutes plus tard, au micro de RTL.

À Paris, François Hollande a terminé son rendez-vous avec Lionel Jospin, il s'apprête à se rendre au Conseil économique et social où il doit prononcer un discours en fin de matinée, lorsque, après beaucoup d'hésitations, son entourage lui fait part de la nouvelle. Après ses quelques lignes de soutien à Ségolène, il s'attendait à des représailles de la part de celle qui lui aurait dit, le matin même, qu'elle « se vengerait[1] ». Sur l'instant, il n'y avait pas vraiment cru. Pas à cela, en tout cas. Pas comme cela : par un réseau social qui, d'ordinateur en iPad, transformerait à la vitesse de la lumière, d'un bout à l'autre de l'Europe, une déjà ancienne rancœur en événement politique de première grandeur. Le temps pour François Hollande d'accuser le choc, de se poser la seule question qui vaille : de quel homme vais-je avoir l'air ? – et le voici au Conseil économique et social, place d'Iéna.

« Je l'attendais sur le perron, raconte son ami de plus de trente ans Michel Sapin, ministre du Travail, mis au courant lui aussi par ses collaborateurs. Il descend de sa voiture. Généralement, on s'embrasse. Là, on se serre la main devant tout le monde ; il ne me dit pas un mot du tweet, évidemment, mais il a dans les yeux quelque chose… pas de désespéré, non, je dirais plutôt d'accablé, du genre : Qu'est-ce que je fais, moi, avec ce tweet ? » Michel Sapin ajoute : « Jamais, avec lui, depuis que nous avons 24, 25 ans, nous n'avons parlé ensemble d'une histoire de

1. Cf. *Entre deux feux*, d'Anna Cabana et Anne Rosencher, Grasset, 2012.

filles ; jamais un mot sur les femmes qui nous accompagnaient. Je ne parle pas de conversations intimes, mais de phrases banales comme : “Je suis heureux”, ou “C’est bien”. Le faire parler de ses sentiments, c’est impossible ! »

On imagine d’autant mieux quelles sont alors les pensées de François Hollande, si discret, presque secret, à l’idée du tweet qui, en ce moment même, court sur le Web. Jamais sa vie privée n’a été aussi publique. Avec le risque que son image personnelle en soit durablement altérée. Par ses amis comme par ses ennemis politiques, il a longtemps été accusé d’une trop grande élasticité, pour ne pas dire de mollesse dans l’exercice de l’autorité. Et voilà que, devant la terre entière, il est démontré qu’il ne peut même pas mettre de l’ordre chez lui ! Et cela à quelques jours d’une élection qu’il est essentiel pour lui de gagner. Pour un homme qui, pendant toute sa campagne, a mis l’accent sur la nécessaire séparation entre vie privée et vie publique, celle que ne respectait pas son concurrent, il y a de quoi, en effet, se remettre en question et s’interroger sur l’image qu’il donne désormais, dans une situation qui si peu « normale ». « Le tweet pour les socialistes, persiflera l’opposition quelques heures plus tard, c’est l’équivalent du Fouquet’s pour nous ! »

Tandis que les ministres, au Conseil économique, évitent les questions des journalistes, Hollande s’enferme, avant son discours, quelques minutes avec Jean-Marc Ayrault. Le Premier ministre est le seul qui sera autorisé, quelques heures plus tard, à émettre une mise au point la plus basique possible : « Je viens de parler, a-t-il dit, au président de la République. Sa position est très claire : il soutient la candidature de Ségolène Royal. »

À La Rochelle, en fin de la matinée, Martine Aubry et Cécile Duflot sont venues soutenir la candidate. Oublié, tout ce qui a pu opposer Ségolène et Martine du temps où l’une et l'autre s'accusaient mutuellement d'avoir triché au congrès de Reims. Les trois femmes sont sur une frégate amarrée dans le bassin des chalutiers, prêtes à donner une conférence de presse commune, lorsque leurs assistants(tes) et quelques journalistes prennent connaissance du tweet. Le temps de vérifier l'information, le temps pour Ségolène de se cacher un instant, comme n'arrivant pas à croire ce qu'elle lisait, la tête entre ses mains, et Martine Aubry lui fait quitter le bateau, échappant ainsi au huis clos avec les journalistes. Les trois femmes se réfugient au restaurant de poissons « Les Grands Yachts ». Interrogée après déjeuner par les journalistes qui ont suivi le film de la matinée, Martine Aubry répond laconiquement, en femme politique : « La seule chose qui compte est le soutien de Hollande à Royal. » Cécile Duflot, elle, est sans voix. « Voilà, dit-elle, sans voix. » Ségolène Royal se contente de répondre, parlant sans doute du menu : « C'était délicieux », et bornant là ses confidences.

« Après le tweet, raconte-t-elle aujourd'hui, François m'a téléphoné de sa voiture : "Je l'apprends comme toi par la presse", m'a-t-il dit, éberlué. Il n'arrivait pas à y croire. »

Éberlué, sans doute, mais plus encore « irrité », dit-on dans l'après-midi à l'Élysée, tandis qu'au PS on n'y va pas par quatre chemins : « Il devrait faire comme Louis XIV, rigole un des dirigeants, la répudier ! » Claude Bartolone parle de « faute ». François Rebsamen, dont on sait qu'il n'est pas dans les petits papiers de la « première dame » (celle-ci ne veut pas qu'il se mêle de ses affaires, et surtout pas de celles de ses enfants), l'invite à « la réserve ». « Elle avait dit qu'elle ne serait pas une potiche, ajoute un autre cadre du Parti, mais il ne faut pas que ce soit Hollande qui paie les pots cassés ! »

Les socialistes ne sont pas les seuls à faire des mots plus ou moins réussis. À droite on rivalise dans l'ironie : « Je ne sais pas quoi en penser, c'est du jamais vu » (Xavier Bertrand) ; « Vous regrettez Sarkozy, vous regretterez Carla » (Nadine Morano) ; « Juste pitoyable : ça promet ! » (Marine Le Pen).

Les psychanalystes eux-mêmes s'y mettent avec Jacques-Alain Miller, qui, en sondeur des cœurs et des cerveaux, assure dans *Le Point* que la « nouba ne fait que commencer ».

Il n'est pas jusqu'à Rome où l'affaire ne soit évoquée : le 14, Hollande rencontre Mario Monti dans la capitale italienne dans le cadre de la préparation du Sommet européen de la fin juin. Interrogé sur le tweet, François Hollande a retrouvé son humour : « Je ne pense pas, répond-il, que le président Monti pourra répondre à cette question, et je n'y répondrai pas non plus. » Le Premier ministre italien enchaîne en plaisantant : « Je vais t'écouter. »

Sans aucun doute mandaté par le Président, Jean-Marc Ayrault donne mercredi sur LCP, la chaîne parlementaire, une sorte de conseil, qui ne veut pas en être un, à Valérie Trierweiler sur son rôle : « Je pense, dit-il, que c'est un rôle discret qui doit être le sien et qui n'est pas facile à trouver. Je veux bien comprendre, ajoute-t-il, que les débuts sont toujours un peu compliqués, mais chacun doit être à sa place. »

Le formidable charivari qu'a entraîné son petit message, Valérie Trierweiler, on ne sait comment la chose est possible, ne l'avait pas même envisagé. Elle entend continuer d'exister par elle-même, et croit en avoir donné une preuve sans conséquence. Irréaliste, irréalisable : elle l'apprendra sans doute avant qu'il ne soit trop tard... La colère passée, elle finira par prendre la mesure de la tempête qu'elle a déclenchée.

Ce n'est pourtant pas la seule illustration de son tempérament éruptif : Julien Dray en avait déjà fait, pendant la période de transition, l'expérience cuisante. Les jours précédant le second tour, le 28 avril, il avait cru anodin d'inviter la plupart des responsables de la campagne de Hollande à fêter son cinquante-septième anniversaire en présence, sans le leur dire, de Dominique Strauss-Kahn dans un ancien sex-shop de la rue Saint-Denis. À la date où elle avait lieu, François Hollande avait trouvé cette initiative du député de l'Essonne « sotte », ou, pis, perverse. Ayant déjà oublié cet épisode, Dray arrivait au siège de campagne du candidat socialiste pour participer à la petite cérémonie de fin de campagne lorsqu'il s'en fit expulser, et de belle façon, par Valérie Trierweiler. Celle-ci ne lui avait pas pardonné – elle le lui dit – d'avoir fabriqué un piège dans lequel Hollande aurait pu tomber. Peut-être aurait-ce été à François Hollande de le faire, ou de choisir de ne pas le faire ? Ce jour-là, il n'en eut pas même le temps.

En tout cas, les commentaires que suscite le tweet recouvrent les bruits et les arguments électoraux. Jusqu'au 17 juin, on ne parlera plus que de cela. Au point qu'il ne se trouve guère de monde pour s'indigner de la sorte de fatwa que Marine Le Pen fait tomber sur quelques candidats auxquels elle demande à ses électeurs de barrer la route : parmi eux, sans faire de jaloux, quatre UMP, dont Xavier Bertrand, et quatre socialistes, dont Jack Lang.

« Meurtrie par la violence du coup », confiera-t-elle au journal *Libération*, Ségolène Royal restera quant à elle persuadée qu'une sorte de complot a été ourdi contre elle, dans le dos de François Hollande, par un certain nombre de ses amis. Sans se demander si, après tout, elle n'y était pas aussi pour quelque chose, elle qui n'avait pas étudié le terrain – pas assez, en tout cas, pour apprécier à leur juste valeur les chances de son opposant. Lorsqu'ils acceptent d'en parler, les candidats socialistes aux législatives laissent percer leur mauvaise humeur face à cet épisode malheureux, au surplus inutile, dont ils craignent d'avoir à souffrir dans les urnes.

Pourtant, cet épisode marquant de la campagne des législatives ne fera pas perdre une voix aux socialistes et à leurs alliés. Malgré cette séquence féminine inattendue, les résultats du second tour, le 17 juin, donnent une majorité absolue au Parti socialiste. La gauche est à son plus haut niveau, dans un second tour d'élections législatives, depuis l'alternance de 1981. Sur les 577 sièges de l'Assemblée, le PS en compte, avec ses alliés divers gauche, 302. Les Verts en ont obtenu 18 sur les 63 mis à leur disposition par le PS, tandis que les communistes arrivent à se tailler une petite place dans l'hémicycle à majorité rose. En tout, 343 députés représentent la gauche dans sa totalité et sa diversité. Jack Lang n'y est pas, ayant quitté sa circonscription du Pas-de-Calais, il n'a pas séduit les électeurs vosgiens. Parmi eux, 144 sont des nouveaux élus. Le groupe parlementaire compte 105 femmes, soit les deux tiers du contingent féminin de l'hémicycle. L'UMP, elle, a perdu plus d'une centaine de sièges : le second tour a confirmé et même accentué le premier ; PS et UMP étaient alors au coude à coude, avec un léger avantage au parti du nouveau président ; l'UMP ne conserve après le second tour que 229 députés. La stratégie du « ni-ni » n'a pas été performante. Encore a-t-elle été outrepassée par certains candidats UMP qui ne se sont pas gênés pour solliciter les suffrages frontistes ou pour appeler discrètement mais clairement leurs troupes à voter pour un candidat lepéniste mieux placé qu'eux.

Le Front national a montré ses propres limites face au scrutin majoritaire : Marine Le Pen finalement battue par son adversaire socialiste, trois de ses candidats seulement font leur entrée à l'Assemblée : sa nièce, Marion Maréchal-

Le Pen, élue dans le Vaucluse, et l'avocat Gilbert Collard, transfuge d'un peu tous les partis, dans le Gard, sans oublier un ancien du FN exclu puis à nouveau soutenu par le parti de Le Pen : le maire d'Avignon, devenu également député du Vaucluse, Jacques Bompard.

Aujourd'hui 17 juin, il n'y a plus l'ombre d'un doute : malgré l'ampleur de l'abstention, toujours préoccupante, François Hollande dispose des pleins pouvoirs. Parmi les dirigeants européens, il est celui dont la légitimité tout juste acquise est la moins contestable. Voilà qui lui donnera du poids pour discuter avec ses alliés et voisins, certes, mais cela lui assigne aussi une obligation : celle de faire la preuve de l'art de la négociation qu'on lui prête, ainsi que de l'efficacité des remèdes qu'il propose.

Deux mots encore sur l'affaire Trierweiler : elle n'a donc pas eu de conséquences sur le vote des Français. Le problème est de savoir si l'image du chef de l'État en a été durablement écornée. Il apparaît comme un homme n'ayant pas tranché entre deux femmes, alors même qu'il avait précisément choisi. Valérie Trierweiler est arrivée à semer le doute dans la tête de ceux que l'affaire intéresse encore, et à faire croire que, oui, François Hollande a conservé dans son cœur une petite tendresse pour Ségolène Royal. Ce n'est cependant pas sur ce thème que l'opposition reviendra et enfoncera le clou, mais sur le manque d'autorité que traduit, selon elle, cette tempête : « La seule vraie question, dira par exemple Bruno Lemaire le 18 juin, est l'autorité politique du Président. »

Pourtant, avec le succès de la gauche, la page personnelle se tourne en dépit des dernières questions du genre *people* : Hollande était-il pour une fois seul, au soir du second tour, à l'Élysée où l'on n'a pas vu Valérie Trierweiler ? Ont-ils fêté leur réconciliation dans un restaurant, le soir du vendredi suivant ? Ont-ils vraiment visité ensemble l'exposition des toiles de Florence Cassez, le samedi ? Pourquoi n'a-t-elle pas accompagné le Président au Mexique ?

Lundi, avec le Parlement nouvellement élu, s'ouvre un nouveau chapitre de l'histoire du quinquennat. L'actualité internationale demeure, en Afghanistan et ailleurs ; l'actualité européenne aussi : quelques phrases prononcées par le chef de l'État et son Premier ministre n'ont guère été commentées, couvertes par ce que la presse a appelé l'« affaire Trierweiler ». Elles témoignent pourtant, à quelques jours du Conseil européen de Bruxelles, de l'aigreur des relations avec l'Allemagne : le mercredi, le président français a fait état de sa volonté de se rapprocher de l'Allemagne sur « des initiatives de croissance » ; sans lui répondre directement, Angela Merkel a dénoncé « des solutions médiocres ». « La médiocrité, a-t-elle dit pour qu'on la comprenne bien, ne doit pas devenir un étalon. » Devant la fédération des entreprises familiales allemandes, elle a remis les points sur les i : « Le faux débat entre la croissance et la rigueur budgétaire, c'est n'importe quoi ! » Jean-Marc Ayrault a clos l'échange en demandant à la chancelière allemande de ne pas faire « de simplifications hâtives ».

Dès le lundi, le maire de Nantes, élu au premier tour, est renommé Premier ministre à la tête d'un gouvernement Ayrault 2 sans grand changement. Avant le discours de politique générale qu'il doit prononcer le 3 juillet, l'attention se porte désormais sur la présidence de l'Assemblée nationale que Ségolène Royal, qui la convoitait, n'occupera donc pas. Alors, qui au « perchoir » ? Ce sera Claude Bartolone. Le monde parlementaire s'agite à nouveau…

Au début, il n'y songeait pas. Lui qui, depuis des années, met son talent d'organisateur, certains diraient de porte-flingue, au service des autres, longtemps de Laurent Fabius, plus récemment et plus brièvement de Martine Aubry, s'est mis à son compte. Résultat : en moins de temps qu'il n'en faut pour le dire, le voilà président de l'Assemblée nationale, quatrième personnage de l'État !

Parfois chevau-léger, en première ligne pour éloigner, flamberge au vent, tous les dangers de celui qu'il sert, excellent homme, excellent ami au demeurant, il a la gaieté, le sourire de ceux qui sont nés, comme lui, sur l'autre rive de la Méditerranée. Lui, c'était à Tunis en 1951. Le côté rigolard, bon vivant, aigu et décontracté à la fois, a facilité son parcours politique. Sympathique, le verbe facile et parfois haut, il a souvent le sourire aux lèvres, mais, lorsqu'il le faut, la dague acérée. Depuis des années, « Barto » est incontournable à gauche : malheur à ceux qui ne s'entendent pas avec lui, tôt ou tard ils finissent par le regretter, tant il vaut mieux l'avoir avec soi que contre.

Il faut l'avoir vu en doublure, homme de l'ombre derrière Laurent Fabius, déminer les terrains hostiles, s'avancer trop pour que « Laurent » puisse feindre de penser – et dise – que son lieutenant est allé trop loin : entre les deux hommes, le jeu de rôle a longtemps été permanent. Et il a fallu que l'ancien Premier ministre demande à son lieutenant de mettre son sens stratégique et son imagination de baroudeur politique au service de Martine Aubry, après que celle-ci est devenue première secrétaire du Parti socialiste en 2008, pour que naissent les premières bisbilles entre les deux hommes, le premier, presque jaloux, s'irritant de voir son second, zélé, se dévouer à la maire de Lille – ce qu'il lui avait pourtant demandé de faire…

Et puis, un jour, la soixantaine venue, Claude Bartolone s'est dit qu'il était temps de penser à lui. Député de Saint-

Denis depuis 1981, sans cesse réélu depuis lors, Barto pensait qu'il entrerait cette fois au gouvernement. François Hollande ou Jean-Marc Ayrault lui en avaient-ils touché un mot ? Non, mais François Hollande était venu huit fois, pendant sa campagne, en Seine-Saint-Denis, et il y a recueilli au second tour plus de 75 % des voix. Cela valait bien, après tout, une marque de reconnaissance !

Claude Bartolone s'attendait d'autant plus à retrouver un ministère (il a été ministre de la Ville sous Lionel Jospin) qu'il s'était vu demander au téléphone, dans la matinée du 13 mai – le dimanche, deux jours avant la passation des pouvoirs entre Nicolas Sarkozy et François Hollande –, de bien vouloir fournir à l'administration des Finances deux justificatifs nécessaires à l'évaluation de son patrimoine, pièces que doivent impérativement remettre les ministres ou secrétaires d'État dès qu'ils entrent en fonction. « Cette fois-ci, ça y est, je crois qu'il va falloir se préparer », avait-il dit à sa femme, Véronique.

Et puis, le 15 mai, après la nomination de Jean-Marc Ayrault, rien, pas un coup de téléphone. Le mardi, pas davantage. Et moins encore de Bartolone au gouvernement le mercredi. « Moment délicat », dit-il, pudique, le jour même à ses amis déçus.

Arrive le premier tour des élections législatives, le 10 juin. Comme prévu, le président du conseil général de Seine-Saint-Denis est en bonne place pour être élu au second tour. Il ne se fait guère de souci pour lui. Resté devant son récepteur de télévision, il entend, le soir même, le dissident socialiste Olivier Falorni, interrogé sur ses intentions, freiner des quatre fers à l'idée de devoir se retirer, comme le veut la coutume, devant Ségolène Royal, pourtant arrivée en tête à La Rochelle. Il ne faut pas longtemps à Claude Bartolone, expert électoral s'il en est, pour conclure que Ségolène Royal serait battue si Falorni restait dans les mêmes dispositions à son endroit.

Le lundi, un de ses amis, patron d'un institut de sondage parisien, lui apprend que les premières enquêtes donnent des chiffres sans appel : Ségolène accuse un retard de 10 points par rapport à Olivier Falorni, qui a, comme le prévoyait Bartolone lorsqu'il a entendu ses premières déclarations, maintenu sa candidature, bien décidé à triompher à l'issue de la triangulaire qu'il a provoquée.

Mais alors, si Ségolène est battue, qui pourrait être le candidat à la présidence de l'Assemblée nationale, poste qui lui a été réservé et qu'elle a, trop tôt sans doute, publiquement revendiqué ? La question ne reste pas longtemps sans réponse.

Conseil de guerre, le lendemain mardi 12 juin, à Saint-Denis : autour de Claude Bartolone, Jean-Luc Porcedo, son directeur de cabinet au conseil général, Laurent Doraï, Mathias Ott, Marion Duquesne et François Charmont – tous l'encouragent à faire acte de candidature au « perchoir ».

Mais on n'en est pas encore là, il ne s'agit pas d'abattre précipitamment ses cartes. Il faut attendre le second tour des législatives. À tout hasard, cependant, Barto demande à ses collaborateurs de récupérer auprès des secrétaires des fédérations socialistes les numéros de téléphone portable de tous les candidats socialistes au second tour. L'objectif est clair : les joindre tous, aspirants députés ou parlementaires soumis à réélection, sans oublier ceux qui ont été élus dès le premier tour, et les assurer l'un après l'autre, dans toutes les circonscriptions, de son soutien et de son amitié. Décision est prise néanmoins d'attendre, pour cette vaste opération de promotion téléphonique, la publication du sondage sur La Rochelle.

Le mercredi 13 juin, à peine le sondage condamnant Ségolène est-il publié dans la presse du matin que Claude Bartolone appelle François Hollande : il ne serait pas candidat à la présidence de l'Assemblée nationale, lui dit-il, si Ségolène gagnait. « Mais si elle perd, prévient-il, je me présenterai au perchoir. »

Vendredi, première salve de messages aux candidats socialistes, leur souhaitant bonne chance pour le second tour ou félicitant les élus du premier. L'un d'eux, fine mouche, s'esclaffe au téléphone : « Qu'est-ce que tu prépares ? Tel que je te connais, tu as ta petite idée ! » En dehors de ce perspicace candidat à la réélection, personne, parmi ceux qui vont se retrouver, le dimanche d'après, élus au Palais-Bourbon, ne soupçonne que les grandes manœuvres pour la présidence de l'Assemblée ont commencé.

Personne ne dresse davantage l'oreille lorsque, le dimanche du second tour, le 17 juin, le même Bartolone à peine réélu, avec 78,5 % des suffrages, use de son portable pour envoyer des télégrammes ou des SMS de félicitations, voire de consolation.

Dès le dimanche soir, Barto passe à la vitesse supérieure : lorsque, très tôt en début de soirée, la défaite de Ségolène est acquise, il accorde au *Parisien* une interview, où il montre cette fois le bout de son nez, et Christophe Barbier, qui l'a choisi comme par hasard sur iTélé le lundi matin pour commenter ce second tour, lui demande s'il ne penserait pas – « Allez, dites-moi la vérité ! » – à se présenter au « perchoir », maintenant que la voie est libre. Oui, en effet, Bartolone répond qu'il est candidat.

L'annonce prend de court les politiques : seul, jusque-là, sans attendre les résultats de Ségolène Royal, Jean Glavany avait fait acte de candidature. Député de la 3e circonscription des Hautes-Pyrénées, ancien chef du cabinet de

François Mitterrand, ancien directeur de campagne de Lionel Jospin en 2002, et élément clé du dispositif de Martine Aubry à l'occasion des primaires socialistes de 2011, il ne s'était pas gêné – comme Claude Bartolone, au demeurant – pour critiquer la campagne présidentielle de Ségolène Royal en 2007. Dès avant le scrutin, il avait laissé entendre qu'il briguerait le « perchoir ». Le lundi 18 au matin, il a confirmé sa candidature.

Drôle de climat : l'Élysée ne veut pas de Jean Glavany, qui appartient trop manifestement et depuis trop longtemps, à l'intérieur et à l'extérieur du Parti socialiste, au camp des « anti-Ségolène » systématiques, ce qui ne plaît guère à François Hollande.

Nouveau coup de téléphone de Barto au président de la République. Celui-ci ne lui cache pas qu'il aurait préféré qu'une femme, comme il l'attendait de Ségolène Royal, occupe le perchoir pour la première fois dans l'histoire de la République. La parité y trouverait son compte, puisque le Sénat a déjà élu un homme à sa présidence. François Hollande joue franc jeu avec Claude Bartolone : il va donc demander à Marylise Lebranchu, déjà au gouvernement et en capacité d'y rester, puisqu'elle a été réélue l'avant-veille dans le Finistère, de faire acte de candidature au Palais-Bourbon. « Je comprends bien, répond Bartolone, droit dans ses bottes ; je suis néanmoins décidé à faire campagne contre Marylise Lebranchu. »

À peine a-t-il reposé le combiné que Bartolone, dans la foulée, appelle directement celle-ci. Il sait qu'il va lui être difficile de se battre contre Marylise si elle est la candidate officieuse du président de la République. Son soulagement est donc considérable lorsque la députée du Finistère, ministre de la Réforme de l'État dans le premier gouvernement Ayrault, l'interrompt alors qu'il commence à peine à la sonder sur ses intentions : « Je ne suis pas candidate, assure-t-elle ; j'ai fait d'autres choix personnels. » Elle raccroche en lui souhaitant bon vent.

La machine Bartolone tourne alors à fond : arrivé le mardi à son bureau de l'Assemblée, il appelle tous les parlementaires socialistes élus ou réélus. « Je suis bien organisé, admet-il, j'ai commencé par ceux que je considérais comme les plus éloignés de ma candidature, les femmes, bien sûr, et les amis de Moscovici et de Peillon. »

« Bonjour, leur dit-il, c'est Barto. Bravo pour votre élection ! Quant à moi, je vous signale que j'ai décidé de faire acte de candidature à la présidence de l'Assemblée. »

À sa vive surprise, la très grande majorité de ceux qu'il appelle, qu'ils appartiennent à quelque chapelle socialiste que ce soit, lui réservent un bon accueil.

Reste l'interrogation : Marylise résistera-t-elle à l'amicale pression de l'Élysée ? D'autant que des petits malins font circuler au Parlement l'« information », qu'ils garantissent exacte : il ne s'agit pas, pour Bartolone, de briguer le perchoir, mais de faire du chantage auprès de qui de droit pour obtenir un ministère dans le gouvernement Ayrault 2, lequel doit être constitué dans les heures qui viennent.

Le même mardi matin, au micro que lui tend opportunément Jean-Pierre Elkabbach sur Europe 1, Bartolone tord publiquement le cou à la rumeur entretenue par ceux qui ne lui veulent pas du bien : non, il n'est pas candidat à un ministère ! Il n'est candidat, qu'on se le tienne pour dit, qu'à la présidence de l'Assemblée nationale ! S'il n'est pas élu, il s'engage à refuser d'entrer au gouvernement si jamais on le lui proposait.

Sitôt revenu dans son bureau, coup de tonnerre. À midi, ce mardi, le blog d'une journaliste parlementaire déverse une douche froide sur les espoirs de Barto : Marylise

Lebranchu, assure-t-on, vient de démissionner du gouvernement. Aurait-elle donc cédé ? Les représentants de la presse assaillent déjà Claude Bartolone pour lui demander ses premiers commentaires. Avant de leur répondre, il compose le numéro de la ministre de la Réforme de l'État. Celle-ci n'attend pas qu'il lui pose la question : « Non, Claude, je ne suis toujours pas candidate. »

Le conseil national du Parti socialiste a lieu peu après. Aucun des leaders, pas même Martine Aubry, amie de Marylise Lebranchu, comme on sait, ne manifeste de mauvaise humeur à son égard. La première secrétaire du PS se fend même d'une phrase rassurante : « Je soutiendrai Marylise si elle se présente. Si elle ne le fait pas, tu seras mon candidat. »

Mercredi matin : Bartolone est, à 7 h 45, l'invité de Jean-Michel Aphatie sur RTL. Sur leurs blogs, en l'écoutant, nombreux sont ceux des parlementaires qui affirment le soutenir. « Je commence à y croire », dit Barto pour la première fois lorsque l'émission se termine.

Devant lui, deux candidats se sont déclarés : Jean Glavany, donc, qui, s'il se présentait contre Ségolène Royal, disposait de soutiens déclarés, mais ceux-ci risquent peut-être de se trouver dans d'autres dispositions si le match l'oppose à Bartolone. Élisabeth Guigou a fait acte de candidature, elle aussi. Un seul problème : l'ancienne ministre de la Justice n'a pas soigné sa cote auprès des parlementaires depuis plusieurs années. Elle commet un redoutable impair lorsque, allant à la buvette de l'Assemblée, endroit stratégique s'il en est en période d'élection au perchoir, elle s'adresse, pour lui dire un bonjour aimable, au député Christian Eckert, élu de Meurthe-et-Moselle, en l'appelant François !

Mercredi matin, nouvelle conversation téléphonique avec le Président qui est alors bien loin de l'Assemblée nationale puisque qu'il répond du Mexique où l'ont appelé ses obligations internationales :

« Tu m'as posé la question de savoir si je serai élu, insiste Bartolone. Eh bien, je te réponds aujourd'hui : je vais gagner.

– Ah bon, et comment ? interroge François Hollande.

– Crois-moi, affirme Barto dont l'expertise est connue lorsqu'il s'agit des autres, et qui, en l'occurrence, la met en œuvre pour lui-même : la réaction des élus est telle que je ne crois plus qu'il y ait le moindre doute.

– Je te rappelle », tranche le Président, qui se laisse le temps d'enquêter sur les chances réelles de Bartolone.

Quelques minutes après, François Hollande rappelle : « Tu ne m'as pas raconté d'histoire », convient le Président, qui, à ce moment seulement, lui fait part de son soutien. Dans les dix minutes qui suivent, une dizaine de députés « hollandais » l'assurent d'ailleurs de leur appui par SMS.

Commentaire lucide de Bartolone : « Le Président n'a jamais fait obstacle à ma candidature, mais il ne voulait pas prendre le moindre risque : il ne m'aurait pas soutenu si je n'avais pas été en mesure de gagner. »

Le lendemain jeudi, grand oral. Le groupe socialiste se réunit dans la salle des fêtes de l'hôtel de Lassay, résidence traditionnelle des présidents de l'Assemblée nationale. Par tirage au sort, les impétrants, auxquels s'est ajouté *in extremis* Daniel Vaillant, ancien ministre de l'Intérieur et ami de Lionel Jospin, prennent la parole les uns après les autres devant leurs pairs.

Glavany s'exprime le premier, avec éloquence, mais, semble-t-il à ceux qui participent à la réunion, recueille un enthousiasme mesuré.

Après lui, Claude Bartolone sort le grand jeu : élu de la base, venu sans rien dans les mains, ni rien dans les poches, de sa Tunisie natale, qui doit tout à l'école républicaine et au Parti socialiste sans quoi il ne serait pas celui qu'il est, etc. En quelques phrases choisies, il lève les derniers obstacles : « J'ai fait, dira-t-il, l'intervention de ma vie : sentimentale et politique à la fois. »

Élisabeth Guigou, qui lui succède, n'infléchit pas le cours des choses : elle a beau se justifier de ne pas avoir été assez bonne camarade avec les parlementaires de son parti, ceux-ci ne se laissent pas attendrir, même lorsqu'elle leur demande, sans doute sincère, de « ne pas confondre sa distance avec sa timidité ».

Daniel Vaillant clôt le défilé par un discours de quelques minutes un tantinet trop technocratique au goût des assistants.

Lorsque chacun d'entre eux a parlé, les quatre aspirants à la fonction de président assurent qu'ils se retireront en faveur de celle ou celui qui arrivera en tête du vote des parlementaires.

On passe au vote. Cent trente voix sont nécessaires. Bartolone en obtient dès le premier tour 127. Un second tour est-il nécessaire ? demande Bruno Le Roux qui, lui, est en piste pour devenir – ce qui sera le cas quelques jours plus tard – patron du groupe socialiste à l'Assemblée. Jean Glavany lui répond sur-le-champ qu'il n'a pas besoin d'une minute pour demander au groupe de prendre acte de la victoire de Claude Bartolone et de le désigner comme son candidat au perchoir. « Je suis, dit-il pour appuyer son ralliement immédiat, un joueur de rugby et un régatier. Mon éducation a fait de moi quelqu'un qui reconnaît sa défaite avec élégance. Claude Bartolone est un vieux copain, on tourne la page ! »

Reste au député de Seine-Saint-Denis à remercier ses camarades et à affronter la presse qui l'attend à l'extérieur de la salle des fêtes, dans la prestigieuse salle dite des Pas-Perdus, en plein cœur du Palais-Bourbon.

« On sort, raconte celui-ci – qui n'est encore que candidat en attendant le vote en séance plénière de l'ensemble des députés, gauche, droite et centre confondus –, et une forêt de caméras nous attendaient. Les journalistes se battaient dans la salle des Pas-Perdus pour connaître les résultats du groupe socialiste. »

Claude Bartolone a à peine le temps de répondre aux premières questions que son directeur de cabinet lui passe le téléphone : « Laisse-les tous tomber et viens me voir à l'Élysée », lui dit Hollande, qui lui recommande de passer par la porte de derrière pour éviter les journalistes qui, sur le perron, devant le palais présidentiel, attendent la nomination des membres du gouvernement Ayrault 2.

Le temps de faire sécher sa chemise, trempée après tant d'émotions, sur la bouche du climatiseur, et Barto se retrouve devant la petite porte de l'Élysée, au fond du jardin. Il traverse celui-ci, monte chez le Président par un ascenseur dissimulé aux regards, et débouche sur le bureau qu'il connaît bien, puisqu'il était, jusqu'en 1995, celui de François Mitterrand.

Accolade d'un côté, fierté émue de l'autre.

Un nouveau SMS de félicitations l'attend, de Laurent Fabius cette fois, à sa sortie de l'Élysée.

Journée bien remplie pour Bartolone, à qui il reste cependant une formalité à accomplir : désigné par les parlementaire socialistes, il lui faut néanmoins solliciter le vote de l'ensemble des députés en séance plénière. Aucun risque, puisque les socialistes sont majoritaires. Il lui reste également, une fois ce passage obligé derrière lui, à préparer son premiers discours de président devant un hémicycle bondé dont une fraction minoritaire soutiendra, sans se faire d'illusions, le candidat de l'UMP.

Il décide que son discours durera douze minutes, pas une de plus, puisqu'il est le douzième président de l'Assemblée nationale sous la Ve République : « Je ne voulais rien d'inutile », confiera-t-il.

C'est ainsi que, le mardi 26 juin, le douzième président monte au perchoir et en douze minutes, montre en mains, parle de son parcours populaire et militant, de ce qu'il doit à l'école de la République ; il tire quelques larmes à ses confrères et consœurs, chevronnés ou nouvellement élus, de la majorité, et même çà et là – surprise ! – de l'opposition.

Chapitre 5

Le pain blanc

Pendant que ses ministres battent la campagne, François Hollande n'a qu'une idée en tête : la préparation du Conseil européen des 28 et 29 juin. Il sait que sa crédibilité en dépend : depuis plus de six mois, il assure – c'est un des thèmes essentiels de sa campagne – qu'au grand dam de Nicolas Sarkozy et d'Angela Merkel, il ne signera pas, en l'état, le Pacte budgétaire européen sans qu'il soit renégocié et qu'il inclue un texte sur la croissance. Les premières rencontres internationales qui l'ont amené à côtoyer pour la première fois les grands de ce monde ont été une prise de contact, finalement plus facile qu'il ne l'imaginait. Barack Obama est apparu en matière de croissance comme un allié. Le président du Conseil italien, Mario Monti, et le Premier ministre espagnol, Mariano Rajoy, lui ont semblé plus qu'accessibles à ses thèses. Si David Cameron était resté totalement imperméable aux propos de François Hollande, Angela Merkel elle-même était apparue, en mai, moins rétive et revêche qu'annoncé.

Depuis ces premières présentations, celles de Camp David et de Chicago, les dirigeants européens ont eu maintes occasions d'échanger leurs points de vue, c'est-à-dire essentiellement leurs divergences, par téléphone ou visioconférence. Trois rencontres sont notées sur leurs agendas : le G20 de Los Cabos, les 18-19 juin, Rio +20 (la conférence de l'ONU sur le développement durable), du 20 au 22, et le Conseil européen des 28 et 29 juin. Le rendez-vous le plus important pour François Hollande est évidemment celui de Bruxelles. Mais, auparavant, il lui faut faire bonne figure aux autres rendez-vous internationaux.

Il joue beaucoup sur ce Conseil européen : il est le dernier venu dans ce conclave, porteur de l'idée de croissance, et sait que la chancelière allemande, au moins à ce jour, reste inébranlable sur le texte même du traité budgétaire. Il ne peut pas se permettre de perdre : ce serait entamer de façon catastrophique son quinquennat. Tandis que la rencontre approche, Angela Merkel ne lui passe rien, c'est même peu dire qu'elle prépare le terrain. Elle mitraille Hollande jour après jour : le 7 juin, une note du ministère allemand de l'Économie intitulée « Plus de croissance en Europe – emplois, innovations, investissements » est rendue publique. Indiscrétion très calculée, puisque la note court l'Europe au moment précis où deux émissaires français arrivent à Berlin pour ouvrir les discussions sur la croissance. Le 15 juin, deuxième tir : devant la fédération des entreprises familiales, Angela Merkel ironise sur la « croissance à la pompe », et souligne que le seul pays producteur de croissance en Europe, c'est l'Allemagne, et qu'elle parle donc en connaissance de cause : on ne va pas lui en imposer à elle ! Le 16, la bataille des petites phrases continue : le vrai problème, aux yeux de la chancelière, est celui « des différences croissantes entre les économies française et allemande, c'est-à-dire la perte de compétitivité française ».

Là, c'est elle qui fait la leçon aux dirigeants français d'hier et d'aujourd'hui, mis dans le même panier, responsables du recul français. C'en est trop pour Arnaud Montebourg, l'impétueux ministre du Redressement productif, qui dénonce « l'aveuglement idéologique » d'Angela Merkel. Hollande, assez content que son ministre ait dit tout haut ce qu'il pense tout bas, ne moufte pas : il se contente de rappeler que son programme est bien de ramener le déficit à 4,5 % en 2012 et à 3 % en 2013. Se taire, éviter les provocations, ne pas entendre celles des autres, telle est la stratégie choisie par le président français : si l'on veut que le Sommet de Bruxelles réussisse, mieux vaut montrer qu'il existe une cohérence entre les différents pays européens, plutôt que le contraire.

Pourtant, elles s'étalent bel et bien ces divergences, le 20 juin, au cours du G20 réuni dans la jolie ville côtière de Los Cabos, au Mexique, où se retrouvent, à quelques jours de la rencontre de Bruxelles, les dirigeants européens. Un dîner officiel réunit les dirigeants des Vingt, auxquels se sont évidemment joints José Manuel Barroso et Herman Van Rompuy, les présidents du Conseil européen et de la Commission européenne. En pleine interrogation sur l'avenir de la Grèce dans la zone euro, la discussion à table porte sur les différences entre l'Europe du Sud et celle du Nord. Angela Merkel ne prend aucune précaution à l'égard de ceux qui, dînant à ses côtés, appartiennent, comme Rajoy ou Monti, à la pauvre Europe du Sud. Elle se montre si sévère vis-à-vis du comportement de ces pays qui ne témoignent d'aucun respect pour la valeur du travail et gèrent leurs finances à la va-comme-je-te-pousse que Mariano Rajoy commence à multiplier les signes d'impatience. Affectant de plaisanter, il s'adresse en ces termes aux Mexicains, hôtes de ce G20, qui écoutent avec la plus grande attention la chancelière allemande : « Vous savez, leur lance-t-il, quoi qu'en pensent certains, il arrive aux Espagnols de se lever le matin pour aller travailler ! » Mme Merkel change alors de sujet.

Dans toutes ces discussions, on la sent figée sur une position d'ordre moral : les Grecs n'ont pas fourni assez d'efforts, tant pis pour eux, qu'ils paient pour leurs fautes, qu'ils se rachètent et il leur sera pardonné ! S'ils s'enferrent au contraire dans leur désordre et persistent à refuser de payer leurs impôts, alors qu'ils s'en aillent ! Elle ne le dit pas aussi explicitement, mais on sent qu'elle le pense, délimitant un camp du Bien et un camp du Mal dans lesquels elle range respectivement les pays qui font des efforts et ceux qui, selon elle, ne dépensent pas assez d'énergie pour s'en sortir.

Les propos abrupts d'Angela Merkel ne font pas non plus l'affaire d'Herman Van Rompuy et de José Manuel Barroso, qui, en ouverture de la session, ont consacré plus de cinquante minutes, au cours d'une conférence de presse commune, à soutenir devant les délégations de tous les autres pays que l'Europe se battait chaque jour, unie, pour endiguer la crise. Ils voient bien que les pays non européens présents au G20 font grief à l'Europe d'être à l'origine de la récession qui affecte le monde entier : ils contre-attaquent en rappelant à ceux qui l'auraient oublié – et, en effet, beaucoup l'ont oublié ! – que la crise est bel et bien partie d'Amérique, pas de Bruxelles !

Conclusion : le sommet de Los Cabos augure mal de celui de Bruxelles, les pays européens n'ayant pas caché tout ce qui les séparait. David Cameron, le Premier ministre britannique, est même allé plus loin dans la plaisanterie (humour anglais ?) en proposant de dérouler le tapis rouge aux entrepreneurs français qui, voulant éviter une tranche d'impôt à 75 %, préféreraient s'installer au Royaume-Uni et contribuer ainsi au financement des services publics anglais. Si on ajoute que le projet de taxe sur les transactions financières n'a pas même été discuté à Los Cabos alors qu'il s'agissait d'une des dispositions capitales du programme présidentiel de François Hollande, on mesure le chemin qui reste à couvrir d'ici au Conseil européen, programmé dans quelques jours seulement, pour arriver à faire inscrire dans le Pacte budgétaire un volet sur la croissance !

Deuxième rendez-vous : la Conférence des Nations unies sur le développement durable, qui se tient à Rio du 20 au 22, où se retrouvent une fois encore tous les grands de ce monde. Au milieu des mille et un sujets abordés, relatifs aux risques courus par la planète, Angela Merkel et François Hollande ont remis sur le tapis la taxe sur les transactions, et ils ont apparemment été davantage écoutés. Pour le reste, pas plus que Los Cabos, Rio n'a pas été un lieu de concorde. Mais pour d'autres raisons : jamais la tension n'a été aussi vive entre pays européens et pays émergents. « Ce que les pays européens sont arrivés à inclure dans le texte final, dit le président bolivien Evo Morales, est une nouvelle forme de colonisation imposée par les riches aux pays du Sud. » Il s'agit bien sûr de la réduction des gaz à effet de serre : le président équatorien Rafael Correa s'est borné à souligner, indigné, que les vingt pays les plus riches généraient 60 % des gaz à effet de serre, tandis que les vingt les plus pauvres, dont le sien, n'en généraient que 0,72 %.

Pour l'heure, les dirigeants européens ne se préoccupent guère, en fait, de l'avenir écologique du monde. Il ne reste qu'une semaine avant les retrouvailles à Bruxelles. Et les points de vue de François Hollande et d'Angela Merkel ne se sont pas vraiment rapprochés.

Mario Monti invite donc ses trois homologues, allemand, espagnol et français, à le retrouver le 22 juin dans la Ville Éternelle. Dans ce quatuor, l'élégant Mario Monti joue un rôle essentiel : libéral, cet universitaire, économiste de formation, peut se prévaloir de son brevet de bon Européen, puisqu'il a été pendant dix ans commissaire à Bruxelles[1]. À ce double titre, libéral et ex-commissaire, il en impose à Angela Merkel, qui le tient pour un interlocuteur raisonnable. Ce qui la change de Silvio Berlusconi auquel elle avait tant de fois fait la leçon, avec parfois le renfort de Nicolas Sarkozy. Redevenu professeur en 2005, Mario Monti a exercé en même temps un rôle de conseil auprès de la banque Goldman Sachs. À ce titre, il a pu étudier à loisir les erreurs commises par la puissante banque d'affaires américaine, surtout en Europe, plus précisément en Grèce, en 2000, lorsqu'il s'est agi de présenter avantageusement ses comptes publics, avant qu'elle entre dans le concert européen. Devenu président du Conseil italien sans l'avoir jamais demandé, il impose à ses concitoyens les économies nécessaires pour éviter le dévissage de son pays, mais il se range néanmoins, on l'a vu au cours du sommet de Camp David, dans le camp des partisans d'un avenant au Pacte budgétaire européen portant sur la croissance. Entre François Hollande et Angela Merkel, il joue le rôle important de « passeur ». « Je suis prêt, dit-il dans une interview au *Monde*, en marge de la rencontre de Rome, à faciliter l'harmonie entre la France et l'Allemagne... Je vois d'un très bon œil, ajoute-t-il en parlant de François Hollande, l'arrivée de ce nouvel acteur. Je partage ses efforts en faveur d'une politique de croissance. » Ce qui ne l'empêche pas d'ajouter cette petite pique (humour italien ?) : « Je suis satisfait de constater qu'il n'a pas l'intention de se passer du Pacte de stabilité, contrairement à ce que pouvait laisser croire sa campagne électorale. »

1. Commissaire au Marché intérieur de 1995 à 2000, commissaire à la Concurrence de 2000 à 2004.

Les « quatre » sortent de leur réunion romaine autrement qu'ils y étaient entrés. C'est-à-dire avec davantage d'entente et moins de désaccords. Au nombre des accords : la mise à disposition des éclopés de l'Europe de 120 à 130 milliards, soit 1 % du PIB européen, l'augmentation de 10 milliards du capital de la Banque européenne d'investissement, la réallocation des fonds européens non distribués jusqu'ici. Un autre accord important porte sur la fameuse taxe commune sur les transactions financières, qui se fera « aussi vite que possible », dira François Hollande – pour autant que les « quatre » parviennent à contourner le veto de la Grande-Bretagne, ce qui n'est pas rien !

Pas d'accord du tout, en revanche, sur l'intégration monétaire entre « Angela Merkel, qui veut dès maintenant davantage d'Europe pour faire face à la crise, et François Hollande, qui ne veut consentir à aucun abandon de souveraineté avant que les pays européens n'aient donné des gages de solidarité », résume en une phrase un des participants français à cette réunion quadripartite, subsiste une divergence de taille. S'y ajoute l'opposition de la chancelière allemande à toute intervention de la Banque centrale pour racheter les obligations d'États en mauvaise posture, et son hostilité encore plus forte aux euro-obligations.

Bref, verre à moitié plein ou à moitié vide, c'est selon. À moitié plein : Hollande, aidé par Mario Monti, est parvenu à mettre la croissance au centre des discussions. À moitié vide : il a bien compris que les eurobonds avaient du plomb dans l'aile, et qu'il n'avait aucune chance, pour l'heure, de faire se raviser Angela Merkel.

Voici venu le temps du Conseil européen des 28 et 29 juin.

À ceux qu'étonne cette sorte de montée chromatique, avec un sommet qui précède un autre sommet qui lui-même en appelle un autre, Aquilino Morelle, qui suit François

Hollande comme son ombre, répond : « C'est vrai, il y a une certaine part d'imprévu dans la diplomatie[1]. On a beau avoir préparé, lissé les textes, la dramaturgie peut s'inviter à ces sommets : c'est ce qui s'est passé à Bruxelles ! »

Récit : « Entre Hollande et Monti, il avait été prévu, en un conciliabule précédant les débats, que François Hollande plaiderait son dossier sur la croissance et que Mario Monti, lui, apporterait à un moment donné son renfort par le côté. Cela a très bien marché pour boucler le volet croissance, mais, à l'instant de passer tardivement à table, Mario Monti, contre toute attente, a dit calmement – ce qui a surpris tout le monde, y compris Hollande et Merkel – qu'il refusait de voter le texte sur la croissance si des mesures immédiates d'aide à l'Italie n'étaient pas adoptées pour desserrer l'étau des marchés financiers sur son pays. Moi, a-t-il dit, je ne vote pas ce texte ! Mariano Rajoy, qui avait sans doute prémédité le coup avec Monti, lui a alors emboîté le pas. »

En bon habitué des discussions européennes, Monti sait qu'il y a loin, pour peu qu'on n'y prenne garde, entre le moment où on paraphe un texte et celui où il est appliqué. Pour opposer son veto à l'accord, il a choisi l'instant précis où le président de l'Union européenne, Herman Van Rompuy, allait s'adresser aux quinze cents journalistes du monde entier pour leur annoncer la signature d'un pacte sur la croissance, cosigné par les 27 pays européens. Le président du Conseil italien sait que les Allemands, étant ceux qui paient le plus, ont tendance à appuyer sur le frein, ce qui explique l'extrême lenteur des décisions européennes. Il exige pour une fois plus de rapidité. Le calme M. Monti a l'air d'avoir mangé du lion. François Hollande lui-même, qui a pourtant soigneusement mis au point cette

1. Entretien avec l'auteur, le 27 août 2012.

phase de la discussion sur la croissance avec son partenaire italien, est surpris par sa combativité.

Les négociations repartent donc et se prolongent de 21 h 30 à 4 heures du matin. « On arrive toujours, note un autre conseiller, à ficeler un accord sous la pression des journalistes et des diplomates qui attendent... »

En effet, sur le coup de 4 heures du matin, Angela Merkel cède au semi-chantage de Mario Monti. Elle donne son accord à des mesures rapides pour aider les pays du Sud, menacés par des taux d'intérêt trop élevés, et Monti lève son veto. Après quoi, furieuse d'avoir été obligée de céder, la chancelière fait en pleine nuit, avant tous les autres chefs d'État européens, un premier compte rendu cursif à la presse allemande, puis quitte Bruxelles sans avoir salué ses partenaires : elle a rendez-vous au Bundestag.

Du coup, François Hollande se retrouve seul, le lendemain, et développe longuement devant la presse les thèmes de l'accord. Le Pacte de croissance figurera en annexe du traité budgétaire. Angela Merkel a accepté que le FESF et le MES[1] puissent recapitaliser les banques et acheter directement des obligations souveraines. Un plan de 120 milliards sera mis en œuvre pour relancer la croissance. Enfin, un mécanisme unique de supervision bancaire verra le jour d'ici la fin de l'année.

Conclusion : cela s'appelle une négociation. Dans la surprise, l'énervement, l'agitation, la colère aussi, parfois, le Sommet de Bruxelles ne s'est pas terminé par un clash, mais par ce que tous les observateurs considèrent comme un succès de François Hollande : le texte sur la croissance a bel et bien été adopté. Le président français signera donc le Pacte budgé-

1. Il s'agit de Fonds européen de stabilité financière, appelé plus communément « Fonds européen de secours », et du Mécanisme européen de stabilité.

taire. Il le soumettra au Parlement dès octobre. L'additif sur la croissance aura-t-il la même valeur exécutive que le texte paraphé par Nicolas Sarkozy il y a quelques semaines à peine ? Difficile à savoir dès aujourd'hui. « Hollande : 1, Merkel : 0 », titre néanmoins le journal *Libération*, le lendemain matin. *Le Monde*, l'après-midi, titre en une : « L'Europe du Sud a fait plier Mme Merkel », avec ce satifecit : « Après dix-neuf sommets, une avancée majeure pour la zone euro. »

Lorsqu'on demande au chef de l'État pourquoi il a insisté, tout au long de sa campagne, sur la nécessité de *renégocier* le traité, et pas seulement de lui adjoindre un volet sur la croissance, il répond qu'il fallait, pour faire évoluer la chancelière, exercer la pression la plus forte possible. S'il s'était contenté de parler d'un simple volet, il est persuadé qu'il n'aurait rien obtenu. « Merkel, quand elle ne veut pas de quelque chose, elle peut dire : j'ai une opposition, des länder hostiles, la cour de Karlsruhe qui me met des bâtons dans les roues. Ce n'est pas mon cas ! »

« Il faut savoir, ajoute son entourage, que ce que redoutent le plus les Allemands, c'est l'isolement. Dans le couple, si on peut dire, qu'elle formait avec Nicolas Sarkozy, elle avait la garantie qu'elle ne serait pas isolée. Quand François Hollande est arrivé, les choses sont devenues différentes : il n'a pas fait de ses relations avec l'Allemagne une exclusivité. Il a opté au contraire pour une stratégie d'encerclement. Mais il ne faut pas non plus pousser les choses trop loin : pour les Allemands, le renoncement à l'isolement ne doit pas être perçu comme un renoncement à leurs intérêts nationaux. »

En tout cas, après la montée en ligne de Monti, suivi par Mariano Rajoy, la stratégie d'encerclement a cette fois marché. « L'essentiel, conclut Hollande à propos de la chancelière allemande, est de trouver avec elle le bon équilibre. Il faut savoir ne pas triompher trop fort quand on remporte un succès sur un point. »

Ce que n'a pas fait ce soir-là, semble-t-il, Mario Monti, qui n'a pas hésité, après son coup du veto, à parler de « victoire de l'Italie » à 4 heures du matin. « En plus, plaisante un des conseillers diplomatiques de François Hollande, c'était le jour où l'Allemagne a perdu la demi-finale de l'Euro de foot ! »

Pour autant, on s'en aperçoit assez vite, ce sommet, comme ceux qui l'ont précédé, est un soufflé qui retombe. Un répit de quelques jours et tout recommence, au grand dam des chefs d'État et de François Hollande parmi eux, qui, ayant marqué des avancées, constatent que, comme les figurants sur la scène de l'Opéra, la troupe fait du surplace. Après l'euphorie, les marchés recommencent à être attaqués. En France et ailleurs, les économistes jugent trop étriqué et loin d'être suffisant le plan de 120 milliards pour la croissance adopté à Bruxelles[1].

Mis bout à bout, le Fonds de secours européen et le Mécanisme européen de stabilité sont capables de mettre sur la table 800 milliards d'euros. C'est beaucoup, mais pas assez pour endiguer les dérapages imprévus. Quant au mécanisme unique de supervision bancaire, les Allemands font savoir, quelques jours plus tard, que l'Europe ne serait pas en mesure de le mettre en place d'ici la fin de l'année[2]. D'autres regrettent que le Sommet de Bruxelles n'ait pas débouché sur une plus grande intégration européenne, conformément au vœu de Mme Merkel, le président français continuant de plaider sur le thème : solidarité d'abord, union ensuite.

Moins de quinze jours après le Sommet que chacun, sur le moment, a estimé marquer un premier succès pour François

1. L'un d'eux parlera de « rooseveltisme lilliputien ».

2. Le ministre des Finances allemand le redira le 5 septembre. C'est un motif de conflit entre l'Allemagne et la Commission de Bruxelles.

Hollande, épaulé par Mario Monti et Mariano Rajoy, les doutes sur l'avenir de l'euro se font à nouveau entendre et les inquiétudes repartent à la hausse. Il y a bien, le 11 juillet, la concrétisation des annonces de Bruxelles, notamment le plan de recapitalisation des banques espagnoles. Mais, sur la mise en place du Fonds de secours, par exemple, les Européens sont obligés d'attendre le verdict de la cour de Karlsruhe. Toujours l'impression d'inertie que donne l'Europe alors que, pendant ce temps, les marchés, eux, continuent de courir…

Pendant ce temps aussi, en France, le gouvernement Ayrault 2 s'installe.

Pas de changements dans sa structure : quatre nouveaux ministres, deux hommes, deux femmes, trois membres supplémentaires venus du Sénat. Un ajustement politique avec l'entrée d'une ministre radicale, Anne-Marie Escoffier[1], pour équilibrer au sein du gouvernement écologistes et radicaux de gauche, et un changement d'affectation de la ministre de l'Écologie.

Pas de bouleversement donc, mais l'impression, donnée pour une large part précisément par la nomination de Mme Escoffier, que le gouvernement se compose un peu à la manière dont on ménage les équilibres au sein du comité directeur du Parti socialiste : un représentant d'une tendance par-ci, une représentante d'une autre tendance par-là. Ainsi, par exemple, avec l'entrée au gouvernement du député-maire de Laval, Guillaume Carot, l'ancien état-major de Ségolène Royal se retrouve au complet, ou presque, au gouvernement, comme pour y compenser sa propre absence. Le nom de Robert Hue, ex-secrétaire général du Parti communiste, devenu sénateur du Val-d'Oise, avait un instant été lancé

1. Anne-Marie Escoffier est sénatrice de l'Aveyron.

comme un possible nouvel entrant dans l'équipe ministérielle. Ayrault n'y était pas hostile, y voyant l'occasion d'admettre dans son gouvernement une « sensibilité politique » supplémentaire. L'idée, finalement, n'a pas été retenue ; les dirigeants actuels du PC auraient interprété comme une provocation, de surcroît inutile, l'entrée au gouvernement de leur ancien camarade, en délicatesse avec eux.

Quant aux changements de domaine ministériel, le premier est la conclusion d'un conflit d'autorité entre le chef du gouvernement et une de ses ministres, Nicole Bricq, qui doit abandonner le ministère de l'Écologie. Sénatrice appréciée, connue pour son combat contre les gaz de schiste, Nicole Bricq a choisi pour premier terrain d'action gouvernementale, dès le début de juin, la réforme du Code minier. Il s'agit de la révision d'un long texte dont on dira, pour aller vite, qu'elle le juge depuis longtemps trop favorable aux exploitants, et pas assez à l'État. Une de ses premières décisions a été, dans le gouvernement Ayrault 1, de suspendre les forages de Shell en Guyane en attendant de remettre à plat les règles du jeu en matière de prospection de l'exploitation minière. Avait-elle ou non consulté Jean-Marc Ayrault avant de prendre, le 14 juin, la décision de retarder l'exploitation du bassin minier de Zaedyus ? Lui avait-on dit à Matignon qu'elle ne devait pas prendre de décisions sur ces questions ? En rayant d'un trait de plume deux arrêtés préfectoraux autorisant précisément ces travaux au motif qu'il ne fallait pas sacrifier l'environnement, Nicole Bricq a-t-elle franchi la ligne jaune délimitant ses facultés d'initiative ? En tout cas, c'est un couac : Victorin Lurel, ministre de l'Outre-Mer, pousse des cris, la direction de Shell ne demeure pas en reste, le MEDEF non plus. Jean-Marc Ayrault arbitre, mécontent de l'offensive de Nicole Bricq : il s'agit d'engagements déjà signés par l'État, l'exploration par Shell à 6 000 mètres de profondeur pourrait fournir des centaines de millions de barils. Ça n'est vraiment pas le moment, alors que la réindustrialisation de la France figure au premier alinéa de l'ordre du jour, de se mettre Shell et les Guyanais à dos !

Cette incartade, qui révèle un dysfonctionnement dans la relation avec Matignon, ou pour le moins une absence de concertation avec les services du Premier ministre, pose le problème de l'autorité de Jean-Marc Ayrault sur ses ministres.

Autre changement : celui de Delphine Batho qui avait été imprudemment placée à la Justice comme ministre délégué auprès de Christiane Taubira dans la formation Ayrault 1. Entre les deux femmes, l'incompatibilité d'humeur a été presque immédiate, la personnalité de Christiane Taubira étant loin d'être ce que décrivent les humoristes radiophoniques du matin qui en font une sorte de mamma noire d'une exquise sollicitude. C'est au contraire une femme facilement dominatrice, plus soucieuse d'exercer directement ses pouvoirs, sans en oublier aucun, que de les déléguer. Garde des Sceaux, l'ex-candidate du Parti radical à la présidence de la République a montré d'emblée qu'elle n'avait pas l'intention de laisser un pouce de prérogatives, et notamment la direction de l'Administration pénitentiaire, à sa ministre déléguée. « Ce ministère est un tout, disait-elle. Pas question de le fractionner[1]. »

Recasée au Commerce extérieur, Nicole Bricq n'est pas la seule à avoir pris des initiatives individuelles. Nommé de la veille, Vincent Peillon, trop pressé de marquer par une première décision son autorité dans un domaine qu'il connaît à merveille, avait déjà annoncé, le 17 mai, la « semaine de cinq jours » dans le primaire, dénonçant la fatigue des jeunes enfants confrontés à des journées de six

1. Entretien avec l'auteur, le 6 juillet 2012.

heures de classe. Il n'avait pas tenu seulement le Premier ministre dans l'ignorance de sa sortie, mais également les syndicats enseignants. Mauvaise humeur de Jean-Marc Ayrault, suivie d'un recadrage immédiat du ministre de l'Éducation nationale, pourtant très au fait des obligations de la concertation dans son secteur.

Un autre exemple de la difficile phase d'adaptation entre les ministres et le premier d'entre eux concerne Manuel Valls. Jean-Marc Ayrault a annoncé début juin, peut-être un peu vite, et sans concertation avec le ministre de l'Intérieur, une réforme des procédures de contrôle d'identité : les agents de la force publique devraient remettre à ceux qu'ils contrôlent une sorte de récépissé. Ce document servirait, en cas de second, voire même de troisième contrôle. On comprend bien l'intention du Premier ministre : dans un pays où les jeunes sont contrôlés plus souvent que les adultes, et où les Beurs et les Noirs le sont encore plus que les autres, il a emprunté à la Grande-Bretagne la solution qu'il propose : ce récépissé, qui, instantanément, met le feu dans les rangs des syndicats de policiers. Le ministre de l'Intérieur, considéré comme « incontournable » par François Hollande, et dont la position est donc éminente au sein du gouvernement, ne cache pas son opposition au ballon d'essai lancé par le Premier ministre ; dès le 4 juin, il se livre à un rétropédalage en règle : « L'idée, dit-il dans un entretien au *Parisien*, n'est pas d'imposer un dispositif ; si cette mesure est perçue comme vexatoire par les policiers, elle ne marchera pas. »

Si on peut dire qu'en l'occurrence c'est le Premier ministre qui n'a pas pris la précaution d'en parler à Manuel Valls, celui-ci n'attend pas non plus le discours de politique générale du Premier ministre, annoncé pour le 3 juillet, pour s'expliquer longuement, dans *Le Monde* cette fois, en juin, sur la politique migratoire qui va être celle de la Place Beauvau.

Il annonce ainsi plusieurs circulaires destinées à préciser les critères de régularisation, ainsi qu'une loi sur la création d'un nouveau titre de séjour. Mais le plus important de l'entretien n'est pas là : Manuel Valls ne veut surtout laisser à personne d'autre que lui le soin de préciser la politique en matière de régularisation. Sa formulation est mûrement réfléchie depuis les années qu'il étudie les migrations dans sa ville d'Évry et ailleurs en France : « Aujourd'hui, dit-il, la situation économique et sociale ne permet pas d'accueillir et de régulariser autant que certains le voudraient. C'est ma responsabilité de ministre de l'Intérieur de le dire. Je l'assume ».

« Je l'assume » : pour avoir été longtemps minoritaire au sein du Parti socialiste sur la réglementation des sans-papiers, et, d'une façon générale, sur la politique de sécurité, Manuel Valls n'a aucune envie de s'effacer derrière le Premier ministre. C'est en quelque sorte sa marque de fabrique, celle qui lui vaut depuis des années le qualificatif qu'il déteste de « socialiste de droite ». Pas question de laisser à Ayrault la paternité de la fermeté. D'autant qu'il est assuré du soutien du président de la République, lequel est souvent revenu, pendant sa campagne, sur le thème du droit de tous à la sécurité.

Jean-Marc Ayrault ne s'y trompe pas. Il ne s'agit pas, dans ce cas, du manque d'expérience d'un nouveau ministre, mais bel et bien d'une volonté délibérée de Manuel Valls de revendiquer publiquement une politique qu'il a toujours défendue et affirmée. Pas de vague, cependant. « N'exagérons rien, minimise alors Yves Colmou, un collaborateur de longue date de Manuel Valls ; Jean-Marc Ayrault est sur la même ligne que lui, mais il est simplement agacé que Valls ait parlé sur ce sujet avant le discours de politique générale que le Premier ministre doit prononcer devant le Parlement début juillet. »

Peut-on mettre au compte de l'inexpérience la sortie de Cécile Duflot, début juin, sur la dépénalisation du cannabis ? Oui et non. Oui, parce qu'au moment où elle s'est laissée aller à cette confidence, elle n'avait pas encore pris l'exacte mesure de ce qu'implique la solidarité gouvernementale. Quoique ministre depuis près d'un mois, elle a encore réagi, a-t-elle expliqué, en tant que présidente des Verts. Non, parce que n'étant pas tombée de la dernière pluie, elle a suffisamment vu fonctionner de gouvernements, même si elle n'en avait jamais fait partie, et ne pouvait ignorer que François Hollande, avant et pendant sa campagne, s'était déclaré hostile à la dépénalisation.

Elle s'expose, elle, à une simple remontrance du chef du gouvernement, qui la gourmande à l'occasion d'une émission télévisée, trois jours plus tard, mais convient, comme s'il acceptait son point de vue, qu'elle n'était pas encore, lorsqu'elle a tenu ces propos, « au service exclusif du gouvernement ». Drôle de formule qui sous-entendrait qu'il y aurait plusieurs stades, au fond, dans la solidarité gouvernementale, et qu'il faudrait plusieurs jours ou semaines pour endosser sa nouvelle peau de ministre...

Les couacs gouvernementaux ne se limitent pas aux escarmouches plus ou moins larvées entre le Premier ministre et certains ministres comme Manuel Valls ou Vincent Peillon, détenteurs des portefeuilles considérés comme prioritaires par François Hollande. Les chocs entre membres du gouvernement ébrèchent parfois la cohésion affichée. Entre Jérôme Cahuzac et Aurélie Filippetti, le premier accroc a lieu dès le début juillet. La ministre de la Culture avait envisagé – ses services en font la proposition depuis des années, quel que soit le ou la locataire de la rue de Valois – l'hypothèse d'une taxe sur les écrans d'ordinateurs pour les foyers qui n'ont pas de téléviseur. Hoquet de Jérôme Cahuzac, qui n'avait jamais entendu parler de la suggestion d'Aurélie Filippetti, et démenti public du ministre du Budget. « Cette suggestion, dit-il froidement, n'est pas reprise par le gouvernement. » Inexpérience ? Incompatibilité d'humeur ? Ou classique opposition entre un ministre dépensier et le ministre des compressions budgétaires ? Une fois, ça va. Deux fois, bonjour les dégâts.

En tout cas, le séminaire gouvernemental du 25 juin doit d'urgence remettre du plomb dans la tête des membres du gouvernement, novices ou chevronnés. Demeure une question, pourtant, à propos de Jean-Marc Ayrault, homme dont l'autorité n'a jamais été malmenée à Nantes, dont il est le maire sans cesse réélu depuis 1989, et qui semble néanmoins avoir du mal à l'imposer aujourd'hui à Matignon. Le Président est on ne peut plus clair sur le rôle qu'il entend voir jouer par son Premier ministre : à lui la conduite de la politique intérieure, c'est-à-dire essentiellement, en ces temps de vaches maigres, la politique économique et sociale. Pas question, évidemment, que Jean-Marc Ayrault fixe cette politique comme bon lui semble, il agira en ces domaines en liaison constante avec lui, François Hollande. Le Président a été élu sur un programme, le Premier ministre le met en œuvre. Pas d'hyper-présidence, donc, mais pas non plus de Premier ministre privé de toute autonomie.

Telle est la définition commune du partage des tâches au sein de l'exécutif. Mais, sur le terrain, on a pourtant l'impression, encore confuse, que plus nombreuses, plus larges sont les responsabilités que le Président lui confie, moins persuasif apparaît le Premier ministre. Ainsi, dans son interview à *L'Express*, il a beau déclarer « J'impulse, je délègue, je tranche », il ne convainc pas. Après ces cinq dernières années au cours desquelles les Français ont vu toutes les décisions être prises par Nicolas Sarkozy depuis l'Élysée, et le Premier ministre se contenter d'en accompagner la mise en œuvre, personne ne peut plus croire dans le partage du pouvoir que François Hollande cherche à imposer sous prétexte qu'il entend en revenir au fonctionnement normal de la Ve République. Sans être un « collaborateur » de François Hollande, Jean-Marc Ayrault, fin juin, n'a pas encore trouvé ses marques.

Un encouragement, cependant, pour lui : à peine a-t-il pris ses fonctions qu'il est le Premier ministre le plus populaire de toute la Ve République : avec 65 % des Français satisfaits, il bénéficie, pour ses débuts à Matignon, d'une popularité record ; il bat ainsi Alain Juppé (63 % en mai 1995), François Fillon (62 % en mai 2007) et Jean-Pierre Raffarin (60 % en mai 2002).

Mais l'ancien maire de Nantes, homme estimé par ses pairs, y compris dans l'ex-majorité, ne se paie ni de mots ni de sondages. Il sait que, dans l'arène où il se prépare à combattre, ce sont des fauves qui l'attendent, plus que des agneaux. Y compris parmi les siens.

Il faut dire que, pour l'heure, François Hollande est tout entier absorbé par les dossiers internationaux. En dehors de la question européenne, le premier d'entre eux, dont on n'a guère parlé pendant la campagne européenne, est celui de la Syrie. Pendant la conférence de presse qui a suivi la réunion du G8, le 19 mai, François Hollande a affirmé évidemment la solidarité de la France « à l'égard des pays du printemps arabe ».

En réalité, dès Camp David, l'opposition entre Barack Obama et les pays d'Europe, d'un côté, et le Premier ministre russe Dmitri Medvedev, de l'autre, est apparue plus clairement que jamais. D'un côté, la condamnation, comme a dit Barack Obama, de « la violence et des vies perdues », la recherche d'une solution politique pour en finir avec un régime tyrannique, se défendant par des armes de guerre contre son propre peuple. De l'autre, Medvedev plaidant que les Syriens « doivent pouvoir régler leurs affaires entre eux ». Avec cette interrogation soulignée par le porte-parole russe : qui prendra le pouvoir si le régime actuel cède la place ?

Lors de sa première émission de président à la télévision, en mai, François Hollande a quasiment envisagé une opération militaire en Syrie. Dans *Le Monde* du 29 mai, Laurent Fabius a alors dénoncé le président syrien, « l'assassin de son peuple », qui « doit quitter le pouvoir, et le plus tôt sera le mieux ». Et lorsque, le 1er juin, Vladimir Poutine s'en vient rencontrer le chef de l'État à l'Élysée, il n'ignore rien des lourdes divergences qui les opposent sur le dossier syrien. Avant de venir en France, il s'est arrêté en Allemagne, où il a rencontré Angela Merkel en qui il a trouvé une interlocutrice prudente, plus compréhensive, ne manifestant aucune ardeur belliqueuse pour aller remettre de l'ordre en Syrie.

Dans la conférence de presse qui suit l'entretien entre le président français et son homologue russe, François Hollande, pour la première fois depuis qu'il est entré à l'Élysée, a perdu son sourire. On le sent sur ses gardes face à ce Vladimir Poutine au regard d'acier. En réalité, dans la conversation en tête à tête qui a précédé leur compte-rendu à la presse, les deux hommes ne sont parvenus à aucun accord sur la Syrie. François Hollande le redit devant les journalistes comme pour bien marquer sa différence avec Moscou : il juge « intolérable, inacceptable », la politique de Bachar el-Assad, il veut une solution politique, certes, mais aussi les sanctions qui s'imposent. Poutine ne se gêne pas pour dire qu'il a des analyses différentes à la fois sur les responsabilités et sur le départ du président syrien. Il contredit Hollande sur le recours à des sanctions, qui lui semblent inutiles et peut-être même contre-productives. Et repose la question : qui mettre au pouvoir si Bachar el-

Assad est chassé, et comment, dans ce cas, le Moyen-Orient tout entier ne serait-il pas déstabilisé ?

Bref, chacun des deux est resté campé sur ses positions : pas la moindre évolution. Hollande le consensuel est tombé sur un bec.

À noter que le problème syrien va empoisonner tout l'été de François Hollande. Le 8 août, Nicolas Sarkozy, sortant pour la première fois de son silence, signe avec le président du Conseil national syrien un communiqué appelant « à une action rapide de la communauté internationale pour éviter les massacres ». En réalité, c'est François Hollande qui est visé. Sarkozy ne peut pourtant ignorer que le veto de la Russie et de la Chine au Conseil de Sécurité empêche précisément une telle action internationale, dont chacun sait bien d'ailleurs qu'elle est militairement trop risquée. Face au conflit qui se transforme de jour en jour en guerre civile, la réalité est que les pays les plus hostiles à Bachar el-Assad sont dépassés, presque paralysés par la radicalisation des parties en présence en Syrie même.

Pendant que Hollande et Poutine règlent le sort du monde, il revient donc à Ayrault de formuler, à l'issue d'une réunion gouvernementale convoquée à cet effet, le calendrier du redressement des comptes, et notamment la façon de ramener le déficit public à 3 % à la fin de 2013. C'est à lui de rechercher dès cette année les fameux 7 à 10 milliards d'économies nécessaires pour réduire la dette. Au menu également, la préparation du budget 2013 et les perspectives de 2013 à 2015.

À grands traits, en fin de séminaire, sont dessinées les premières orientations : stabilité en valeur des dépenses de l'État, hors charge de la dette et des pensions ; stabilité des effectifs de l'État, ce qui se traduira, puisque les créations d'emplois sont réservées, conformément au programme électoral de François Hollande, à l'Éducation, à la Justice et à la Sécurité, par une diminution moyenne de 2 % des effectifs des autres ministères. Sans oublier la maîtrise souhaitée des dépenses sociales, et un pacte de responsabilité entre l'État et les collectivités territoriales dont, soit dit en passant, le gouvernement ne paraît pas pressé d'annoncer la restructuration administrative.

En ce qui concerne les recettes, l'ISF retrouvera son barème d'avant Sarkozy, Les droits de succession seront augmentés et les niches fiscales rabotées. En trois coups de cuiller à pot, par la décision d'avoir recours à l'impôt, le gouvernement trouve la petite dizaine de milliards recherchés. Tout cela reposant, selon le communiqué officiel, sur un effort « juste, équilibré et partagé ».

Reste le SMIC. Augmentation ou pas ? Ayrault réserve sa position : 24 millions de salariés en France sont au SMIC. Il faut prendre garde à ne pas procéder à une hausse que l'économie ne pourrait pas supporter, et à ne pas décevoir les syndicats qui espèrent – changement de majorité oblige – un réajustement baptisé « significatif ».

Ce séminaire qui se présente comme une séance de réflexion est aussi un exercice de travaux pratiques. Il est plus encore un cours d'apprentissage, qui s'impose, à vivre ensemble. Plusieurs fois ministre avant d'appartenir au gouvernement de Jean-Marc Ayrault, Michel Sapin résume non sans ironie l'attitude des nouveaux ministres durant ces séances de travail : « Ce séminaire gouvernemental, dit-il, a eu le mérite d'apprendre à certains comment fonctionne un gouvernement. Ils croyaient que devenir ministre, c'était devenir chef. Ils ont appris qu'être ministre, c'est se montrer obéissant. »

Plus sérieusement, l'important est, en fin de séminaire, le signe adressé par la France à ses partenaires européens, le

25 juin, quelques jours avant l'ouverture du Conseil européen de Bruxelles : le gouvernement confirme sa volonté de réduire le déficit français au moment où l'Allemagne d'Angela Merkel en doutait. Reste évidemment à appliquer les directives que Paris se fixe à lui-même, à faire en sorte qu'elles ne s'en tiennent pas au stade des vœux pieux.

Après avoir ainsi fait la leçon à ses ministres, fixé à 2 % la hausse du SMIC[1] et commencé à déterminer, avec Pierre Moscovici et Jérôme Cahuzac, ministre du Budget, les premières hausses d'impôts, le parcours obligé de Jean-Marc Ayrault passe par un discours de politique générale devant le Parlement, le 3 juillet. La veille, la Cour des comptes a rendu, comme convenu, son rapport à François Hollande. Ancien député socialiste, Didier Migaud, son président, y porte un diagnostic cruel, dans un texte de plus de 250 pages. Le retour du déficit à 4,4 % du PIB à la fin 2012, annoncé par le chef de l'État à Bruxelles, exige des « mesures fiscales rapides et significatives ». Pis : pour ramener ce déficit à 3 % à la fin 2013, il faudra trouver 33 milliards d'euros[2].

Le rapport Migaud ne modifie pas le discours que le Premier ministre doit prononcer le lendemain. Pour une bonne raison : ce rapport était en réalité bouclé depuis plusieurs jours, et son contenu n'était un vrai mystère ni pour le Président ni pour le Premier ministre. Tout Matignon travaille avec Ayrault depuis plusieurs semaines sur le discours de politique générale. Christophe Chantepy, son directeur de

---

1. Le montant du SMIC horaire brut, revalorisé de 2 %, est fixé à 9,40 euros au lieu de 9,22 au 1er janvier 2012.

2. « Pour 2012, prévient Didier Migaud dans une interview au *Monde* à la veille du discours de politique générale de Jean-Marc Ayrault, les risques portant sur les dépenses sont limités et peuvent être maîtrisés. La situation est tout autre pour les recettes publiques : il risque de manquer entre 6 et 10 milliards d'euros, dont 4 à 8 pour le seul budget de l'État. »

cabinet, les directeurs-adjoints Camille Putois et Odile Renaud-Basso ne cessent de faire des fiches, mais c'est Jean-Marc Ayrault qui a écrit seul son discours. « Je n'ai pas d'Henri Guaino, moi ! » n'a-t-il pu s'empêcher de souligner.

Curieuse atmosphère, le lendemain, au Palais-Bourbon. Dans les couloirs, les nouveaux élus du Front national, l'avocat Gilbert Collard et la jeune Marion Maréchal-Le Pen, vêtue d'un jean sur des talons hauts, passent, suivis et précédés par des essaims de caméras. Ce sont les vedettes de la rentrée : avec sa nièce Marion, Marine Le Pen va avoir du souci à se faire ! Dans l'hémicycle où les députés élus dans la foulée de l'élection de François Hollande sont pourtant, de loin, majoritaires, l'opposition, la séance à peine déclarée ouverte, semble mener le jeu. Situation inédite sous la Ve République : en 1981, les députés gaullistes et giscardiens rescapés de la vague rose mitterrandiste avaient perdu leur entrain et leurs voix lorsque Pierre Mauroy se livra à l'exercice, avec son talent oratoire généreux, parfois emphatique, alors qu'il n'y était pas davantage préparé que tous les autres membres du premier gouvernement d'union de la gauche. Même calme lorsque Michel Rocard, en 1988, s'adressa à l'Assemblée dans un ample discours où il lui fut simplement reproché, parce qu'il énonçait avec un goût pointilleux du détail la politique qu'il entendait mener, de tenir des propos « de cage d'escalier ». Lionel Jospin avait de même été écouté dans le silence, en 1997, après la dissolution prononcée par Jacques Chirac, comme si les battus étaient si accablés par leur défaite inattendue qu'ils n'osaient plus lever le nez de leurs pupitres.

Lorsque Jean-Marc Ayrault accède à la tribune, c'est au contraire un charivari dans les travées de l'opposition. À entendre les noms d'oiseaux, les injures proférées sur ces bancs, dont le mot « salaud » lancé en plein hémicycle, on mesure la difficulté de l'exercice. D'apparence plutôt sage, costume bleu marine et chemise claire, le Premier ministre est pourtant un homme qui ne suscite ni ne recherche l'exaspération. Ce qui ne l'a pas empêché de faire quelques allusions au pouvoir sortant, sans prononcer le nom de ses adversaires, et comme sans y toucher. « Je sais que l'on ne combat pas l'inertie par l'agitation », ou encore : « La première erreur est de vouloir opposer, de manière dogmatique, justice et compétitivité, justice et efficacité. »

Propos qui passent pour des provocations dans cette ambiance électrique où l'opposition tient à se faire entendre de manière inversement proportionnelle à sa représentation. À cette guérilla parlementaire, une multitude de raisons. Jean-Marc Ayrault, président du groupe socialiste pendant tout le quinquennat de Nicolas Sarkozy, a souvent porté de violentes estocades à la majorité d'alors, qui lui renvoie la pareille aujourd'hui. La seconde est que l'UMP et ses leaders, qui ont retrouvé, après la défaite, les bancs de l'Assemblée, sont tous beaucoup plus expérimentés que les tout nouveaux parlementaires. En outre, la compétition est ouverte entre ses ténors pour la future présidence du parti ex-majoritaire : dans cette quête, le brevet de meilleur opposant à la gauche est on ne peut plus recherché. Enfin, Jean-François Copé et François Fillon, revenus tous deux au Parlement, n'ont pas oublié la réflexion de Nicolas Sarkozy, juste avant de s'éloigner de la scène politique : l'ancien président n'a-t-il pas lui-même souligné que sa défaite, moins importante que prévue, ne s'expliquait que par un petit glissement de 600 000 voix en faveur de la gauche ? Bien sûr, l'opposition ne s'attend pas à chasser le pouvoir élu pour cinq ans, mais elle est bien décidée à lui mener la vie dure. Prudemment, ses leaders se taisent tandis que leurs troupes font un bruit de tous les diables.

Et ils ricanent, les parlementaires de l'opposition, lorsque Jean-Marc Ayrault réfute l'expression de « tournant de la rigueur ». Il préfère le mot « effort ». Après tout, dans l'histoire récente, il n'est pas le premier ni le seul : tous les gouvernements depuis le début de la crise évitent de prononcer le mot. Nicolas Sarkozy pas plus que François Fillon, lequel avait pourtant parlé d'une France en « faillite », ne l'avaient pas employé davantage en 2010, quand la perspective s'en était dessinée.

D'ailleurs, le mot n'a jamais porté chance à aucun chef de gouvernement. Pierre Mauroy, qui disaient les choses comme elles étaient, a parlé de rigueur en 1983, quelques semaines à peine avant que François Mitterrand ne se sépare de lui. Et Alain Juppé en avait malencontreusement parlé en 1995, ouvrant toute grande la porte à la défaite de la majorité chiraquienne en 1997 et à la cohabitation qui suivit.

Tabou de la rigueur mis à part, le discours de politique générale du Premier ministre, prononcé sur un ton trop monocorde, n'est certes pas d'une folle gaieté, mais il ne recèle rien d'irresponsable, rien d'improvisé. Si on le relit hors du charivari du Parlement, on y trouve quelques phrases qui n'ont pas de quoi mécontenter la majorité sortante, devenue minorité hurlante : la réduction de la dette apparaît comme le premier objectif ; pas de redressement du pays sans redressement des comptes publics ; la démocratie sociale reste un idéal pour la gauche comme pour la droite ; la priorité donnée à la jeunesse n'est pas un thème franchement révolutionnaire, pas plus que la lutte pour l'emploi, contre le chômage et la vie chère ; quant à la « réindustrialisation » de la France, qui voudrait du contraire ?

Le problème est qu'il exprime une certaine conception de la « rigueur de gauche » aux antipodes d'une éventuelle rigueur de droite. Elle repose plus sur des hausses d'impôts que sur la réduction des dépenses : retour sur l'allègement de l'ISF, annonce de la mise en pièces de la loi Tepa[1] et du bouclier fiscal, contribution majorée des grandes entreprises, bancaires et pétrolières, impôt sur le revenu plus progressif, abrogation annoncée de la hausse de 2 % de TVA prévue par le précédent gouvernement – autant de brûlots reçus par l'opposition avec l'enthousiasme qu'on imagine, dans un chahut permanent.

Sans pour autant susciter la ferveur des syndicats : le premier commentaire de François Chérèque, au lendemain du discours de Jean-Marc Ayrault[2], est désabusé : « C'était déjà la rigueur avant », dit le secrétaire général de la CFDT, qui souligne que, « pour la première fois depuis 1984, le pouvoir d'achat des Français va baisser, les salaires des fonctionnaires sont bloqués depuis deux ans, ça va être la troisième année… Ce sont des mesures de rigueur, conclut-il : moi, je n'ai pas peur des mots ! ».

Une opposition combative et à l'affût, qui ne désarme pas un seul instant, une gauche mélenchoniste déjà prête à s'indigner, des syndicats insatisfaits : à l'issue de ce premier engagement parlementaire, la voie de Jean-Marc Ayrault se révèle bien étroite.

Oasis en ce mois de juillet où commencent les premiers orages des plans sociaux : la grande conférence sociale. Le Président et le Premier ministre y attachent tous deux une importance capitale. Pourquoi ? Parce qu'ils estiment que la social-démocratie n'existe pas sans un pacte négocié et accepté par tous les partenaires sociaux. Leur référence est évidemment la social-démocratie du Nord de l'Europe, laquelle au

1. Loi du 21 août 2007 en faveur du travail, de l'emploi et du pouvoir d'achat, surnommée « paquet fiscal », destinée à accroître l'activité économique et l'emploi.

2. À Public Sénat, le 4 juillet 2012.

demeurant a, depuis 2008, le mieux résisté à la crise. Il s'agit rien de moins que de changer les rapports sociaux en France.

Tout feu tout flamme, François Hollande et Jean-Marc Ayrault présument peut-être de leurs forces, mais ils espèrent qu'en ce début de mandat ils seront assez forts, ils ont assez de temps devant eux pour édifier cette nouvelle relation entre l'État, les syndicats ouvriers et les instances patronales. S'ils n'avaient en commun qu'une conviction, ce serait celle-là : pas de gouvernance sans un tel pacte. Pas un accord sectoriel par-ci, par-là, pas de sommets sociaux réunis dans l'urgence. Non : une vraie négociation sociale pour toute la durée du mandat présidentiel. L'un et l'autre ont gardé – cela a beaucoup nourri leurs réflexions – un souvenir plus que pénible de la façon dont, à l'automne 1997, Lionel Jospin, à l'issue d'une réunion sociale agitée, avait imposé au CNPF d'alors la loi des « 35 heures ». Ils auraient préféré, eux, que le gouvernement laisse le temps d'une vraie négociation aux partenaires sociaux, quitte, en cas d'échec, à prendre d'autorité la décision souhaitée par le chef du gouvernement. L'un et l'autre l'avaient dit à Jospin à l'occasion de l'habituel petit déjeuner de la majorité qui suivit la rupture avec le patronat. C'est le contraire, pensent-ils, qu'il convient de faire. Leur communauté de pensée sur ce point précis, leur foi dans le contrat social, est sans doute une des plus importantes parmi les raisons qui ont amené Hollande à choisir Jean-Marc Ayrault comme Premier ministre.

« Aujourd'hui, confie ce dernier lorsqu'on lui demande quelle vision il a de la société, c'est la première fois que les dirigeants socialistes assument la social-démocratie, et pas à l'eau tiède ! La question est de savoir ce que la France est capable de faire dans la recherche d'un compromis social[1]. »

1. Conversation avec l'auteur, le 20 juillet 2012.

C'est dire le soin qu'ils apportent l'un et l'autre à la préparation de ces deux grandes journées pour lesquelles le petit hémicycle et les grands salons du Conseil économique et social, place d'Iéna, espace « neutre », ont été réquisitionnés, à la plus grande joie de son président, Jean-Paul Delevoye. La préparation en a été confiée à Michel Sapin, ministre du Travail. Le calendrier en a été minutieusement préparé avec tous les acteurs au cours de plusieurs réunions à Matignon. C'est le Président qui ouvrira les débats le matin, après avoir reçu en petit comité, pendant deux heures, les représentants des huit organisations syndicales et patronales « représentatives ». Ceux-ci participeront à sept tables rondes, chacune étant animée par un modérateur. À l'issue d'une journée de débats, sept comptes rendus seront présentés à l'assemblée plénière par les sept modérateurs, appelés aussi, d'un néologisme significatif, les « facilitateurs ». Parmi eux, une personnalité qui inspire confiance à l'ensemble des milieux patronaux et syndicaux : il s'agit de Louis Gallois, ancien président de la SNCF et d'EADS, qui – il est seul ou presque dans ce cas – fait l'unanimité parmi les participants. Sa présence est « rassurante », dit François Chérèque ; elle est acceptée par les patrons, car Louis Gallois a été l'un des leurs.

En fin de seconde journée, Jean-Marc Ayrault tirera les conclusions globales de la rencontre. Les syndicats se disent satisfaits de la façon dont les débats ont été préparés, les organisations salariales aussi ; tout devra être mis sur la table, c'est dit : les retraites, le coût du travail, la protection sociale, la sécurité, la flexibilité, sans oublier la formation professionnelle. L'objectif est de faire avancer dans le sens d'un compromis les positions assez figées des uns et des autres sur le coût du travail, la flexibilité, la sécurité. Et de proposer, pour ce faire, un calendrier. « Aucune décision ne sera prise dans le cadre de ces rencontres », ne cesse de préciser Michel Sapin, qui craint le forcing des journalistes, souvent enclins à dire qu'une réunion est une réunion de plus, donc un coup pour rien, si elle n'est pas « concrétisée » par un texte, une loi, un décret, voire une recommandation.

Lorsque syndicats et patronat se retrouvent au palais d'Iéna, le 9 juillet, on compte là environ trois cents personnes, toutes d'excellente humeur. Laurence Parisot sourit à Bernard Thibault. Ségolène Royal est là, radieuse, en tant que présidente du conseil régional de Poitou-Charentes. François Chérèque promène sa haute silhouette dans le hall Modern Style du Conseil économique. Les ministres vont de groupe en groupe dans l'attente du discours présidentiel.

Après qu'il a rencontré les représentants des huit organisations pendant deux heures empreintes de courtoisie, le propos de François Hollande est relativement bref : quelques feuillets seulement. Son objectif : engager une démarche à l'horizon de cinq ans. Son choix : ne rien cacher aux partenaires sociaux de la situation du pays.

Il fixe trois défis à relever collectivement : redresser les comptes publics, enrayer la détérioration de la compétitivité française et l'« inacceptable désindustrialisation », enfin, bien sûr, lutter contre le chômage et la précarité. Discours pesé au trébuchet : rien, dans les propos du Président, qui puisse choquer les organisations patronales ; rien non plus qui puisse heurter la susceptibilité syndicale. Les mots « compétitivité », « coût du travail », sonnent bien aux oreilles des patrons. Les représentants des salariés sont sensibles à la lutte contre le chômage et pour l'emploi. Chacun se reconnaît dans la volonté de relever, fût-ce en en prenant le temps, ces défis collectifs. Et, tant qu'à faire, dans la justice et la confiance.

C'est une sorte de « discours sur la méthode » sociale que délivre le président de la République : d'abord, mettre sans exclusive l'ensemble des sujets sur la table ; ensuite, fixer un calendrier, et s'inscrire dans la durée. Tout cela pour dégager ce qu'il appelle un « compromis positif ».

À cet effet, il propose, pour en faire une règle incontournable, d'inscrire le dialogue social dans la Constitution. Il sait que la CFDT y sera sensible : c'est de Nicole Notat qu'est partie l'idée de « constitutionnaliser » les textes sociaux. Avant même d'être candidat aux primaires socialistes, François Chérèque l'avait longuement entretenu sur ce point et avait fini par recueillir son assentiment.

Sitôt terminé son discours, François Hollande quitte le palais d'Iéna, laissant les ministres et les acteurs travailler au sein de leurs sept commissions, et confiant au Premier ministre le soin de prononcer le discours de clôture. Pendant deux jours, en effet, les diverses commissions échangent idées et solutions, forcément différentes. Les « facilitateurs » facilitent, tandis que certains ministres prennent part à la discussion. Une journée comme entre parenthèses, dans la concorde et la réflexion.

À Jean-Marc Ayrault, le 10, de faire la synthèse. Il s'en charge en développant son thème cher, celui du dialogue social, et en déclinant un long calendrier sur sa mise en œuvre. Négociation sur les « emplois d'avenir », inscrits au programme électoral de François Hollande, au cours de l'été 2012 ; négociation sur les conditions d'une meilleure sécurisation de l'emploi avant la fin du premier trimestre 2013, dispositions sur la transparence financière des comités d'entreprise adoptées début 2013 ; négociations à ouvrir sur la reconnaissance des parcours militants ; bilan de la réforme de la représentativité syndicale au second semestre 2013 ; document d'orientation sur la sécurisation de l'emploi soumis par le gouvernement à l'automne 2012, à négocier en 2013.

Mais il oublie de parler du coût du travail, c'est une omission qui va poser problème aux représentants du patronat :

après l'intervention du Premier ministre, ceux-ci restent de longs moments sur leurs bancs alors que les autres participants rejoignent la sortie. « Dans le discours du Premier ministre, nous ne retrouvons pas les promesses du discours d'ouverture de François Hollande », dit pudiquement Laurence Parisot. Pourtant, Louis Gallois vient d'accepter la mission sur « la compétitivité » qui lui est confiée par le gouvernement, son objet, par lien de cause à effet, est indissociable du coût du travail. Le MEDEF lui accorde le bénéfice du doute et la patronne des patrons n'ira pas jusqu'au clash.

« Normal, plaisante François Chérèque, en vieux sage ; quand le gouvernement est à droite, les syndicats font la tête ; quand c'est un gouvernement de gauche, c'est le tour des patrons. »

La Conférence sociale n'a donc pas fait oublier ce que l'on sait : parler des problèmes ne suffit pas à les résoudre. Mais on en retire une impression globalement positive, malgré quelques inquiétudes. Car la longue énumération, faite par Jean-Marc Ayrault, des mesures à faire figurer au calendrier social est à double sens. S'il inscrit en effet l'action gouvernementale dans la durée, il donne aussi un sentiment de lenteur, peut-être même d'inaction. Au Conseil économique, cet après-midi-là, ceux qui écoutent le Premier ministre ont quelque peu l'impression d'être dans une « bulle ». À l'intérieur, on a tout le temps de traiter les problèmes les uns après les autres pour peu qu'on y mette de l'intelligence et de la bonne volonté. Au-dehors, ce sont les urgences, les plans sociaux qui commencent à faire sentir leurs effets, le chômage qui monte, l'opposition qui gronde, sans oublier la crise qui projette sur ce calendrier son ombre menaçante.

Quoi qu'il en soit, « bulle » ou pas, la grande Conférence sociale est un succès pour Hollande et Ayrault : si la palabre a été générale, encore fallait-il que tout le monde social soit présent pour palabrer. Et puis l'hommage aux corps intermédiaires a été reçu par ceux qui y ont participé comme une agréable revanche à entendre après que Nicolas Sarkozy en eut dénoncé l'inutilité quelques mois auparavant.

Un Conseil européen réussi à la fin juin ; une rencontre sociale apaisante le 10 juillet ; un tête-à-tête entre la chancelière et le Président, à Reims, pour rappeler que l'amitié franco-allemande dure depuis cinquante ans et qu'elle continuera ; une session parlementaire mouvementée – avec un beau cafouillage de la majorité sur les heures supplémentaires – à la fin de laquelle la loi Tepa, symbole du sarkozysme, sera jetée aux oubliettes ; et même un voyage à Londres, chez David Cameron, qui avait boudé François Hollande à Washington. Le tapis rouge a été déroulé, cette fois, « pour François », a-t-il dit, au 10 Downing Street et au château de Windsor où la reine a pris le thé en tête à tête avec le président français. Après toutes ces séquences enchaînées en deux mois depuis son installation à l'Élysée, le chef de l'État et son Premier ministre pensent qu'ils ont plutôt de quoi ne pas être mécontents d'eux. La presse non plus, qui juge globalement – pour certains journaux avec soulagement, pour d'autres non sans étonnement – que ces soixante jours ont été un parcours sans faute.

D'où vient qu'à la mi-juillet le temps se gâte d'un coup ?

Premier rappel à l'ordre : la cascade des plans sociaux. Une semaine après le discours de François Hollande au Conseil économique, une réalité s'impose : celle des plans sociaux longtemps différés à la demande du gouvernement du fait de la campagne électorale. Autant de grenades dégoupillées pour l'Élysée, Bercy et Matignon. Soixante mille emplois en jeu. Parmi les secteurs les plus durement frappés, le textile : après Lejaby, c'est Dim, Playtex et Wonderbra qui sont menacés. Avec, en filigrane, cette question, pour un gouvernement qui a mis l'accent sur la réindustrialisation de la France : la lingeric, les dentelles, les tee-shirts, tout cela peut-il encore être produit en France ? Le secteur des transports n'est pas en reste, dans la foulée du groupe Air France qui a annoncé plus de cinq mille suppressions de postes. Le commerce et la distribution sont touchés eux aussi, tout comme les banques et les compagnies d'assurance. ArcelorMittal est en suspens avec ses hauts-fourneaux de Florange. Mais c'est surtout le secteur automobile qui est le plus atteint.

Le licenciement annoncé de huit mille salariés de PSA, à Aulnay-sous-Bois, est un véritable choc pour le Président, le gouvernement et, au premier chef, le ministre du Redressement productif.

Dans de semblables circonstances, après la fermeture de l'usine de Vilvoorde, Lionel Jospin s'était incliné, convenant que le pouvoir, fût-il de gauche, ne pouvait rien contre la décision d'un patron de fermer boutique, même lorsque ses carnets de commandes sont pleins – ce qui, en l'occurrence, n'est pas du tout le cas. C'est précisément ce que ne veulent pas faire les ministres en charge du dossier de Peugeot-Citroën, notamment Arnaud Montebourg. Visage frais sur lequel glissent les années, verbe facile et haut, éloquence classique, claire et passionnée, l'ancien député de Saône-et-Loire s'est distingué, lorsqu'il était au Parlement, par son goût de la polémique : alors même que Jacques Chirac était à l'Elysée, il a voulu traduire le chef de l'État en Haute Cour pour l'affaire des « emplois fictifs » de la Ville de Paris. Avocat, il a dénoncé l'injustice de la Justice, celle des castes et des clans. Député, il pointe du doigt, depuis longtemps déjà, l'impossibilité et l'inefficacité du contrôle parlementaire. Élu local, il parle, pour la combattre, de la « dictature des élus locaux » et rend publique cette effrayante statistique[1] : à la

1. Dans son livre, *La Machine à trahir*, Denoël, 2000.

mi-2000, 29 présidents de conseils généraux sur 102 avaient été condamnés ou faisaient encore l'objet de poursuites judiciaires. Devenu ministre, il n'a pas oublié qu'il dénonçait, lorsqu'il ne l'était pas encore, « le gouvernement des autistes ». Mais c'est en apôtre de la démondialisation qu'il est devenu ministre du Redressement productif. C'est donc lui qui prend de plein fouet la vague des plans sociaux.

Depuis le début du mois de juillet, il est sur tous les fronts, tentant d'éviter les licenciements, ou, au pis, d'exiger un traitement humain des salariés écartés. Lorsque survient l'affaire Peugeot, il est déjà sur la sellette : la droite en fait un épouvantail, le représentant de la gauche anti-riches, antipatrons, volontariste et dirigiste. Il n'est pas non plus bien vu des patrons, qui lui reprochent de vouloir conduire les entreprises à leur place, sans même en connaître le fonctionnement. Ainsi les PDG, secteur public et privé confondus, dénonçaient-ils déjà en 1981 Jean-Pierre Chevènement, alors ministre de l'Industrie, dont Montebourg partage le volontarisme.

En a-t-il trop fait, Montebourg, dans son ardeur de néophyte, avec son accusation de la stratégie mise en œuvre par le groupe familial Peugeot depuis des années ? En particulier, fallait-il rendre public l'affrontement entre le ministre et le patron de PSA, Philippe Varin, le 23 juillet, à Bercy ? Était-il efficace, pour tenter de sauver des emplois, de guerroyer de longs jours, comme il l'a fait, pour aboutir finalement à ce que le Premier ministre s'estime obligé de recevoir le président du directoire de Peugeot afin de calmer le jeu ? « Ministre du Redressement contre-productif » : ainsi *Le Monde* désigne-t-il Arnaud Montebourg deux jours plus tard.

« Il faut dire les choses comme elles sont au patronat comme aux entreprises, réplique celui-ci quand on lui pose la question. Oui, c'est vrai, j'ai dit aux actionnaires qu'ils étaient incompétents, qu'ils avaient agi de façon inconsidérée en préférant leur confort financier aux investissements. Mon problème à moi, aujourd'hui, est que je dois chercher comment éviter les dégâts humains de cette stratégie, ou de cette carence de stratégie industrielle. J'ai dit à Philippe Varin que je ne comprenais pas sa politique. Il n'a pas pu me l'expliquer[1]. »

N'est-il pas là dans son rôle, puisque aussi bien il a été mis pour ça à un poste qui n'existait dans aucun gouvernement précédent ? Il aurait été surprenant qu'il restât muet en de telles circonstances. « Je n'ai pas été nommé pour faire des cocottes en papier, je n'ai pas de temps à perdre dans les ronds de jambe, je ne suis pas le ministre des Mondanités. » Et de conclure : « Si Hollande m'a mis là, c'est qu'il le voulait. »

Trop remuant, Arnaud Montebourg ? Au gré du ministre des Finances, sûrement. « Bercy d'en haut », comme l'analyse Montebourg, c'est-à-dire Pierre Moscovici, n'aime pas « Bercy d'en bas », c'est-à-dire lui. « Moi, riposte Pierre Moscovici, je n'empiète jamais sur le terrain des autres ; lui, c'est un expansionniste, il m'agace mais ne réussit pas à m'énerver[2]. »

En tout cas, après que Montebourg a eu étrillé le président du directoire de Peugeot d'une façon plutôt inédite dans la vie gouvernementale, c'est sans lui que le Premier ministre a reçu Philippe Varin à Matignon. En fait, si on veut bien entendre les encouragements dispensés par d'autres membres du gouvernement, comme Stéphane Le Foll, ministre de l'Agriculture, à leur collègue Montebourg, il s'agit davantage entre Jean-Marc Ayrault et lui

1. Conversation avec l'auteur, le 30 août 2012.
2. Conversation avec l'auteur, le 27 juillet 2012.

d'un partage des rôles, voire d'une différence de style, que d'une contradiction. À Montebourg, dont c'est la mission et le caractère, de s'opposer au démantèlement du site d'Aulnay, quitte à heurter de front les actionnaires du groupe industriel et à susciter une baisse dangereuse du cours des actions qu'ils ne sont pas seuls à détenir. À Ayrault de se battre pied à pied avec les patrons et les managers de Peugeot pour qu'ils limitent la casse en matière d'emplois.

Aussi bien le communiqué de Matignon, à la sortie de Philippe Varin, ce lundi, de son tête-à-tête avec le Premier ministre ne reprend-il pas les accusations du ministre du Redressement productif. Ayrault se contente de rappeler, à sa manière mesurée, son « attachement à la nécessité d'une stratégie industrielle ambitieuse [...] dans laquelle le groupe PSA peut et doit prendre pleinement sa place ». Philippe Varin, lui, confirme sur le perron de Matignon qu'il a été sensible aux propos du Premier ministre : PSA fera en sorte que chaque employé trouve une solution à son problème d'emploi ; promis, juré : il n'y aura pas de licenciements « secs » !

Dans la foulée, le gouvernement a beau avoir avancé des mesures imaginatives en faveur des voitures hybrides et électriques, il a certes contre-attaqué, mais sur un marché encore mineur : il ne s'est en effet vendu jusqu'ici que deux mille véhicules électriques et une dizaine de milliers de voitures hybrides ! Il y a loin de ce plan aux quelque huit cents millions d'euros perdus par PSA au cours du premier semestre 2012.

En l'occurrence, le gouvernement a fait pour Peugeot ce qu'il a pu. C'est-à-dire pas grand-chose. Mais était-il nécessaire, était-il même prudent, de demander, comme pour enfoncer le clou, un rapport à un expert sur l'avenir de l'usine d'Aulnay ? Comment l'expert en question, Emmanuel Sartorius, aurait-il pu conclure autrement, après avoir constaté les dégâts et la chute du marché automobile en France, que par l'acceptation d'une restructuration chez Peugeot ? « L'État ne laissera pas faire... Ce plan, en l'état, est inacceptable », avait imprudemment déclaré François Hollande le 14 juillet, alors que, s'exprimant désormais un peu moins, Arnaud Montebourg, fin août, finira par appeler les salariés à la « responsabilité économique » pour « ne pas affaiblir » le constructeur...

Le problème est que, paradoxalement, les efforts du ministre du Redressement productif ne font que souligner l'impuissance de l'État face aux plans sociaux alors que c'est le contraire qu'il entendait prouver. Quels que soient la conviction, les efforts, les paroles, les refus, certains diront les moulinets d'Arnaud Montebourg, l'onde de choc qu'il s'efforce de contenir déborde largement, à la fin juillet, son action : jamais les Français n'ont autant entendu parler de plans sociaux. Au point qu'ils finissent par en rendre responsable le gouvernement en place depuis trois mois seulement, qui est bien en peine de se substituer à la justice des tribunaux de commerce.

Si encore l'intervention du président de la République avait été moins longue et plus efficace, le 14 juillet ! François Hollande a voulu reprendre le cérémonial de l'interview télévisée dont François Mitterrand avait fait un rendez-vous politique incontournable. Reçu par Claire Chazal et Laurent Delahousse, il veut, après une période d'intense activité diplomatique, reprendre pied sur le sol français. Les questions se bousculent, le Président aborde les uns après les autres les sujets de politique intérieure, sociale, économique – Peugeot, rémunération des fonctionnaires centraux et régionaux, puis étrangers, concernant l'Europe, le Moyen-Orient, Angela Merkel...

De cette longue intervention qui n'apporte pas vraiment de nouveau, ce que les Français retiendront avant tout, une fois encore, ce sont les réponses du Président sur ce que la presse a baptisé l'« affaire Trierweiler ». Quelques jours auparavant, le fils de François Hollande et de Ségolène Royal, Thomas, y a ajouté son grain de sel en déplorant, dans une confidence vraie ou fausse, le geste de la compagne de son père, ajoutant que celui-ci en avait été très malheureux. L'occasion était trop belle pour le Président de renvoyer le fils et la compagne au respect de la distinction entre vie privée et vie publique : « Je considère, dit-il, que les affaires privées se règlent en privé, et je l'ai dit à mes proches. » Conséquence : Valérie Trierweiler sera présente à ses côtés « lorsque le protocole l'exigera ».

Qu'exige exactement le protocole ? Comment Valérie Trierweiler, dont le statut de « première dame » n'existe pas, définira-t-elle son rôle exact ? Comment restera-t-elle journaliste en conservant ses bureaux à l'Élysée ? « Je pense, oui, commentera durement en privé Ségolène Royal[1], qu'elle a le complexe de Rebecca[2] : elle veut faire oublier que François et moi avons été un couple, et même un couple mythique ; il lui sera impossible de m'effacer, moi et mes enfants. » Toutes choses qui alimentent inutilement la conversation des Français sans qu'ils aient pour autant le sentiment que l'on s'occupe d'eux...

1. Conversation avec l'auteur, le 24 juillet 2012.

2. Rebecca, dans le roman éponyme de l'auteur populaire Daphné du Maurier, est la deuxième femme d'un lord anglais ; elle ne supporte pas les traces envahissantes que la première épouse a laissées dans la demeure de son ex-mari.

Pendant ce temps, les entreprises s'inquiètent, elles ne savent pas exactement à quelle sauce elles vont être accommodées. En dehors de la taxe de 3 % sur les dividendes distribués aux actionnaires, de la lutte annoncée contre les paradis fiscaux, du relèvement du forfait sur l'intéressement des salariés, elles ignorent, au moment des départs en vacances, ce qui les attendra au juste à leur retour. La fin de la défiscalisation des heures supplémentaires, l'augmentation du barème de l'ISF, celle des droits de succession et de donation, et, plus encore, la taxation à 75 % des rémunérations au-dessus d'un million d'euros, dont le contour reste encore à préciser, alimentent les inquiétudes.

Un proche de François Hollande les résume ainsi : il n'y a pas que les entreprises qui licencient et s'apprêtent à jeter au chômage, d'ici la fin de l'année, soixante mille salariés, il y a aussi, il y a surtout des entreprises qui veulent vivre. « Ces entreprises, analyse-t-il, veulent savoir quelles décisions vont être prises après la Conférence sociale des 9 et 10 juillet. Elles ne savent pas s'il existe un vrai consensus sur le financement de la protection sociale, ni quelle est la position du gouvernement sur la réduction du coût du travail. Or, c'est en ce moment, à la fin juillet, qu'elles élaborent leur budget ; et elles ne connaissent pas les charges qu'elles auront à payer, ni leurs marges de manœuvre ! Face à ces incertitudes, le réflexe d'un chef d'entreprise est de ne pas se lancer dans de nouveaux investissements.

« Patrons de droite et patrons de gauche sont logés à la même enseigne, poursuit-il. Ils sont dans l'incertitude sur les 75 % : la mesure sera appliquée, soit, mais comment et pour combien de temps ? Comment *atterrir*, comme disent les inspecteurs des Finances ? Si on attend l'année prochaine, il faut le dire vite ! »

Faut-il craindre un exode des patrons ? Réponse : « Moins, sans doute, que celle des cadres de haut niveau dans les entreprises industrielles comme Saint-Gobain, qui sont recherchés par les chasseurs de tête et à qui on dit : "Que faites-vous à Paris, venez chez nous !" "Installez vos filiales en Angleterre", conseillent aussi les financiers… »

Conclusion de cet interlocuteur : « Si nous ne disons pas rapidement ce que nous ferons, nous allons effrayer tout le monde. »

Que François Hollande ait réussi à apaiser le climat, cela ne fait aucun doute aux yeux de cet ami proche du Président. « Après, constate-t-il, il y a sa méthode : il faut laisser le temps au temps. À ceci près que les urgences sont nombreuses, qu'il n'y a plus beaucoup d'appétit pour investir dans la zone euro et en France. Savez-vous que ceux qui investissent le moins en France sont les Français ? La situation paraît d'autant plus difficile que les contraintes budgétaires se font sentir : la France ne peut pas peser sur la scène européenne si elle n'est pas en ordre budgétaire. Alors, bien sûr, le gouvernement est en train de les trouver, ces solutions, pour 2012. Mais cela mobilise en son sein beaucoup de forces et d'énergie. Or il faut avancer plus vite, me semble-t-il, dans le calendrier prévu. Il faut accélérer certaines annonces. Sur la Banque publique d'investissements, par exemple, qui sera mise en place à l'automne. »

Sur la façon dont cette banque interviendra, rien n'est encore réglé, ajoute ce Cassandre : devra-t-elle aider les PME ou les grands groupes ? Intervenir sous forme de prêts ou en fonds propres ? Quel sera son niveau de régionalisation ?

Et l'Europe, dans tout cela ? Elle aussi nourrit les inquiétudes des Français. Après le sommet des 28 et

29 juin, plus rien ne s'est passé. Les chefs d'État se sont revus, téléphonés. Aucun des mécanismes prévus depuis la fin juin n'a été mis en place. Seul frémissement, l'intervention, le 26 juillet, depuis Londres, à la veille de l'ouverture des Jeux olympiques, du président de la BCE, l'Italien Mario Draghi. Qu'a dit « Super Mario » ? Une phrase capitale, qui pourrait bien calmer d'un coup les marchés. « La BCE est prête à faire tout ce qui est nécessaire pour sauver l'euro. Et, croyez-moi, ce sera suffisant ! » C'est l'intervention, pour empêcher les taux d'intérêt des pays méditerranéens de grimper, qu'attendent depuis des mois sans succès François Hollande et Mario Monti.

Question immédiate : qu'en pensent les Allemands ? Pas du bien, évidemment. La chancelière et plus encore le puissant président de la Bundesbank sont opposés, depuis le début de la crise, à ce que la BCE rachète directement les dettes des États. Or elle seule a l'envergure suffisante pour rassurer les marchés.

« Dans son discours offensif et souple, Mario Draghi fournit les liquidités nécessaires et pousse aux réformes structurelles. Mais tout est long et lent, en Europe. »

L'observateur a raison : il faudra un bon mois à Mario Draghi pour préciser sa proposition et faire en sorte que la fièvre des marchés retombe. Et il aura fallu encore des semaines avant que la cour de Karlsruhe donne enfin son feu vert, début septembre, à ce que les mécanismes dont François Hollande, Mario Monti et Mariano Rajoy avaient demandé la mise en œuvre à Bruxelles puissent être définitivement avalisés.

Les vacances d'été n'ont pas posé un couvercle sur les angoisses françaises. François Hollande et Jean-Marc Ayrault n'ont-ils pas exactement mesuré l'ampleur des inquiétudes ? L'un et l'autre ont le sentiment du devoir accompli. Ils apprendront vite à leurs dépens qu'il leur faut d'urgence remonter en première ligne.

Rentrant de Brégançon, où il a pris trois semaines de vacances, François Hollande a repris son calendrier chargé. Mais il est trop fin connaisseur de l'opinion publique pour sentir qu'il n'était pas temps pour lui de rentrer. Car il comprend que les Français, même encore en vacances, ne pensent déjà plus qu'à ce qui les attend.

Le président de la République a eu beau dire et redire, pendant sa campagne, que les jours à venir seraient durs, que rien ne serait facile, encore moins en temps de crise. Il a théorisé, ses ministres aussi, l'idée qu'il y aurait deux temps pour le redressement de la France : celui des efforts, celui des récompenses. Ses électeurs, et les autres, ne s'inquiètent que des efforts et ne croient pas aux récompenses. Ils n'ont retenu que ce qu'ils voulaient retenir, plus sensibles aux phrases sur le changement nécessaire que sur les « vaches maigres » à venir. Quant aux électeurs de Nicolas Sarkozy, ils ont beau jeu de souligner que, tous comptes faits, la France n'a pas changé en cent jours, pas autant, en tout cas, que cela leur avait été annoncé. Mobilisation redoublée à droite, à laquelle les surenchères pour la présidence de l'UMP ne sont pas étrangères ; tranquillité, perçue comme pure incantation, à gauche, incertitudes des Français : la cote de François Hollande dans les sondages plonge en début d'automne.

Les Français oublient vite les mesures prises lorsqu'elles vont dans leur sens, mais sont prompts à en réclamer de nouvelles. Ils ont surtout besoin qu'on réponde à leurs inquiétudes. La crise de l'euro s'est dissoute dans la chaleur de l'été, mais elle n'a pas disparu. Où en est-on ? Le budget 2012 a été difficile à élaborer, celui de 2013 s'annonce plus périlleux encore. La nouvelle fiscalité peut-elle résoudre tous les problèmes, suffira-t-elle à combler les trous ? Qui atteint-elle, cette fiscalité dite « juste » ? Tout le monde, quelques-uns, un peu plus les gros que les petits ? Autant de questions que François Hollande va devoir aborder dans l'immédiat.

En se présentant en président « normal », il a été mal compris. Le voilà obligé de se présenter davantage en patron qu'en inspirateur ou en modérateur. Du coup, il a multiplié les annonces que, il y a quelques semaines à peine, il aurait demandé au Premier ministre de présenter aux Français. Ses objectifs prioritaires : la réduction de la dette et la lutte contre le chômage dans une perspective de croissance qu'il a fixée, de façon plus réaliste, semble-t-il à 0,8 %.

À aggravation de la crise, calendrier exceptionnel ! François Hollande s'est donné jusqu'à la fin de l'année pour aboutir, après concertation, à la réforme du marché du travail. Un an pour inverser la courbe du chômage. Deux ans pour redresser la France, cinq ans pour lui assurer une vie meilleure. Les remèdes envisagés, eux aussi, sont exceptionnels. Il s'agit du tour de vis le plus important jamais annoncé depuis trente ans – vingt milliards d'impôts nouveaux : ISF alourdi, impôt sur le revenu plus progressif, taxation du capital analogue à celle du travail, sans oublier la fameuse taxe dite « de 75 % » dans le calcul de laquelle, si on a bien compris, entreront la CSG et la CRDS. Les économies, elles, sont évaluées à 10 milliards.

François Hollande entame donc une nouvelle présidence. Mais il le fait dans une tempête majeure dont on ne voit toujours pas l'issue. À moins que l'intervention début septembre de Mario Draghi, le président de la BCE – démarche que François Hollande n'a cessé de favoriser pendant l'été –, ne permette un retour du calme durable sur les marchés. Mario Draghi a en effet annoncé, après accord des gouverneurs de la BCE (à la majorité moins une voix, celle de la Bundesbank), sa décision de consentir des prêts « illimités » aux pays européens qui en feraient la demande.

En attendant, la potion est amère, d'autant plus qu'elle doit être absorbée par des électeurs qui n'ont le plus souvent pas lu les engagements de François Hollande, n'ont retenu de sa campagne que le mot « changement », et pensent parfois qu'on pourrait tout simplement effacer la dette plutôt que la rembourser !

Remerciements

Mes remerciements vont à tous ceux qui ont bien voulu me recevoir dans le creux de l'été. Ils vont aussi à Stéphanie, pour sa présence attentive, à Philippe, qui m'a encouragée à écrire ce livre, et bien sûr à Claude Durand, qui m'a suivie pas à pas.

Table

Photocomposition Nord Compo
Villeneuve-d'Ascq

Cet ouvrage a été imprimé par
CPI Firmin-Didot
à Mesnil-sur-l'Estrée
pour le compte des Éditions Fayard
en octobre 2012

Fayard s'engage pour
l'environnement en réduisant
l'empreinte carbone de ses livres.
Celle de cet exemplaire est de :
1,200 kg éq. CO_2
Rendez-vous sur
www.fayard-durable.fr

Dépôt légal : octobre 2012
N° d'édition : 36-57-3520-8/01– N° d'impression : 113709
Imprimé en France